A AMEAÇA
INVISÍVEL

BÁRBARA MORAIS
A AMEAÇA INVISÍVEL

nova edição

Trilogia Anômalos volume 2

GUTENBERG

Copyright © 2023 Bárbara Morais

Todos os direitos reservados pela Editora Gutenberg. Nenhuma parte desta publicação poderá ser reproduzida, seja por meios mecânicos, eletrônicos ou em cópia reprográfica, sem a autorização prévia da Editora.

EDITORA RESPONSÁVEL
Flavia Lago

EDITORAS ASSISTENTES
Natália Chagas Máximo
Samira Vilela

PREPARAÇÃO DE TEXTO
Laura Pohl

REVISÃO
Ana Claudia Lopes Silveira

ILUSTRAÇÃO DE CAPA
Sapo Lendário

PROJETO GRÁFICO
Diogo Droschi

DIAGRAMAÇÃO
Guilherme Fagundes

Dados Internacionais de Catalogação na Publicação (CIP)
Câmara Brasileira do Livro, SP, Brasil

Morais, Bárbara
  A ameaça invisível / BárbaraMorais. 2. ed. -- São Paulo : Gutenberg, 2023. -- (Trilogia Anômalos ; 2)

  ISBN 978-85-8235-169-7

  1. Ficção brasileira I. Título.

14-05690   CDD-869.93

Índices para catálogo sistemático:
1. Ficção : Literatura brasileira 869.93

Eliete Marques da Silva - Bibliotecária - CRB-8/9380

A **GUTENBERG** É UMA EDITORA DO **GRUPO AUTÊNTICA**

São Paulo
Av. Paulista, 2.073 . Conjunto Nacional
Horsa I . Sala 309 . Bela Vista
01311-940 . São Paulo . SP
Tel.: (55 11) 3034 4468

Belo Horizonte
Rua Carlos Turner, 420
Silveira . 31140-520
Belo Horizonte . MG
Tel.: (55 31) 3465 4500

www.editoragutenberg.com.br
SAC: atendimentoleitor@grupoautentica.com.br

*Nossa vida começa a terminar
no dia em que permanecemos em
silêncio sobre as coisas que importam.*

Martin Luther King

CAPÍTULO 1

O único lugar em que me sinto segura é embaixo d'água.

Os minutos em que fico submersa no azul translúcido da piscina procurando formatos e padrões na luz que se dispersa nos ladrilhos, em silêncio total, são de uma paz extraordinária. É quase como estar deitada em uma nuvem, sem problemas e preocupações, um sonho se transformando em realidade.

É claro que tudo acaba no momento em que coloco a cabeça para fora d'água e volto para o mundo real. Na parte mais rasa da piscina pública, entre as várias cabeças de diversos tamanhos, duas se destacam. Andrei, que está a todo custo tentando ensinar Sofia a nadar, com paciência quase negativa. Do lado de fora da água, no gramado do parque, Tomás e Leon estão sentados sobre uma toalha, comendo sanduíches. É mais um dos dias de férias que estão lentamente me enlouquecendo.

O problema das férias é que eu não tenho nada para fazer, e posso me dedicar em tempo integral a pensar em todas as coisas nas quais não deveria estar pensando. Me manter ocupada é a melhor forma de evitar o redemoinho de medos e angústias que minha cabeça se tornou desde que a missão aconteceu, há três meses. Já não bastavam as noites horríveis com os pesadelos de sempre, e agora minhas horas de sono são dedicadas às tragédias das últimas semanas. A mistura de bombas e fome, de naufrágios e mortes, crianças com rostos cadavéricos e ameaças deixou toda a experiência de dormir algo inteiramente indesejado. É quase um milagre que eu não tenha virado um zumbi. O tamanho das minhas olheiras assusta qualquer um que se aproxima.

Nado na direção de Andrei e Sofia com um suspiro. Quando chego mais perto, consigo ver uma pequena cicatriz no ombro do garoto e lembro que não estou sozinha com meus temores. A garota de cabelo cacheado que tenta boiar, com medo, tem olheiras tão profundas quanto as minhas, e Leon também tem sua quota de pesadelos. A missão é o nosso segredo, o único assunto que ninguém além de nós pode saber.

– Eu não vou relaxar minha cabeça! Se fizer isso, vou afundar e engasgar com a água – Sofia protesta. Andrei solta a menina, passando as mãos no rosto, irritado. Ela afunda um pouco e fica em pé, com uma expressão revoltada. Decido que Andrei merece uma lição por abandonar a tarefa, então me aproximo furtivamente.

– Sofia, você já relaxou a cabeça sem perceber e não morreu. Não precisa ficar tão tensa assim – responde Andrei, arrepiando o cabelo loiro e molhado com as duas mãos.

É estranho vê-lo com o cabelo tão curto, mal chegando a cobrir suas orelhas, e sempre me sinto desconfortável quando lembro que ele só o cortou em solidariedade a mim, no começo das férias.

– Andreeei! – Sofia choraminga e se encosta na borda da piscina, chateada. – A gente podia voltar a bater perna na beirada. Disso eu gosto.

– Você precisa aprender a boiar se quiser nadar. – Seu tom é um pouco mais gentil dessa vez. Sofia finalmente me vê parada atrás deles, e peço silêncio com um dedo nos lábios. Ela dá um meio sorriso, prevendo o que vem em seguida. – Você quer que eu chame Sybil para te ajudar?

– Não! – ela fala, de forma desesperada. Eu me encolho, esperando que Andrei se vire a qualquer segundo, antecipando o movimento, o que não acontece. – Você precisa me ensinar, para aprofundar nossos vínculos de irmão e irmã.

– Foi mal, não sabia que estava tomando bronca da *mãe*. – Ele levanta as duas mãos na defensiva. Zorya havia se tornado guardiã legal de Sofia assim que voltamos da missão e, ao longo dos últimos meses, fez o máximo possível para tentar aproximar os dois. – Se você quer que eu te ensine, vai ter que aprender a confiar em mim, tudo bem?

É exatamente o momento que escolho para atacar: jogo a maior quantidade de água que consigo e subo em suas costas, derrubando-o na piscina. Andrei é pego de surpresa, mas consegue me segurar pela cintura e me afundar. Me apoio em seu ombro e espero me aproximar do chão para pegar impulso com um pé e trocar nossas posições, fazendo-o encostar no fundo dos ladrilhos. Mesmo embaixo d'água, consigo ouvir as risadas abafadas de Sofia. Não é muito difícil para Andrei me agarrar e nos puxar para cima, mas assim que colocamos a cabeça para fora, jogo água na cara dele. Ele vira o rosto, mas, em vez de me soltar, me levanta tanto que tiro os pés do fundo. Dou um berro e finco os dedos em seus ombros.

– Não vou deixar você ganhar dessa vez – diz, com uma risada.

– Eu te odeio – declaro, e Sofia ri mais ainda. – Sofia, você é a juíza. Quem ganhou?

– Não, calma aí! Você sempre ganha quando ela escolhe – ele reclama, indignado.

– Como eu inventei esse jogo, então é justo que eu escolha. Não seja um bebê chorão, maninho – Sofia provoca, com um meio sorriso. – Mas… bem, a regra diz que, para ganhar, Sybil tem que se desvencilhar de você por mais de 30 segundos. Como isso não aconteceu, então você ganhou.

– Mas eu peguei ele de surpresa! – reclamo e, como resposta, Andrei praticamente me levanta e me coloca em seu ombro, como um homem das cavernas. Sinto meu coração acelerar e dou soquinhos nas costas dele. – ANDREI!

– Não tem como contestar a vitória dele, Sybil – Sofia comenta, entre risadas. – O placar agora está em três a um.

– A primeira vitória de muitas – Andrei fala com orgulho antes de soltar minhas pernas e me mandar direto para a água, sem aviso nenhum.

No entanto, eu também estou rindo e me sinto mais leve quando volto à superfície. Era um dos muitos jogos que Sofia havia inventado nos dias de férias que havíamos passado até então e, com certeza, o mais divertido. Nas três primeiras vezes, Andrei havia se distraído com as coisas mais idiotas, mas agora estava pegando o jeito. Eu precisava de uma nova estratégia, e isso seria distração o suficiente para nós três.

– Sou uma boa perdedora, ao contrário de algumas pessoas – comento, sentando na borda da piscina. – Vocês querem ajuda?

– Não precisa – Sofia responde, e Andrei dá um sorriso meio orgulhoso, como se estivesse fazendo um bom trabalho. – Mas se ele me maltratar, vou precisar que bata nele.

– Eu sempre me comporto – ele diz, exasperado, e dou uma risada. – Minha nossa, vocês duas!

Faço um sinal e Andrei se aproxima. Me inclino na direção dele e falo baixinho:

– Tenha paciência. Ela não é como a gente, que não morre afogado. Você precisa trabalhar isso.

– Vou tentar. E você trate de convencer Tomás a entrar na piscina. Não faz sentido ele ter tanto medo – Andrei encosta os cotovelos na borda da piscina, ao lado de minhas pernas.

– Eu sei. Vou ver se troco um picolé por um mergulho – respondo e passo a mão para arrumar a bagunça no cabelo dele.

– Não, não faz isso – reclama, segurando meu pulso. – O cabelo fica todo grudado na cabeça, é horrível.

– Como se você pudesse ficar horrível – comento, revirando os olhos e me levantando. – Deixa eu ir atrás de Tomás.

– Boa sorte – ele deseja, com um sorriso, antes de voltar para onde Sofia tenta boiar sozinha, sem muito sucesso.

Caminho entre as toalhas de banho e cestas de piquenique espalhadas pelo parque. O sol de verão esquenta minha pele marrom e tenho vontade de me estirar preguiçosamente e tirar um cochilo. Estou quase chegando ao lugar onde Leon e Tomás nos esperam quando vejo uma figura que se sobressai do ambiente descontraído como um holofote. Não é comum ver pessoas vestidas de terno em um parque com piscina, mas quem passa por ele não parece reparar. Ao ver que o encaro, faz um sinal para que me aproxime.

Dou um passo para trás, olho para o outro lado e vejo uma figura semelhante, despercebida pela multidão. Mais adiante na rua, mais uma. E mais outra perto de onde estão Tomás e Leon. É óbvio que estou cercada. Meu estômago se revira e me sinto enjoada, porque de duas, uma: ou estou enlouquecendo de vez ou Fenrir, depois de três meses de espera, finalmente precisa de mim.

CAPÍTULO 2

Por mais vulnerável que eu me sinta, me aproximo assim mesmo, como estou, descalça e de maiô, do primeiro homem que gesticulou para mim. Não sei se conseguem reconhecer o nosso grupo, mas não quero colocar Tomás em perigo ao me aproximar dele para me vestir. É um garoto, não muito mais velho que eu, e ele caminha na minha direção. Nos encontramos no meio do caminho, entre uma toalha com uma mãe observando um bebê dormindo e uma cesta de piquenique abandonada. Reconheço vagamente o rapaz, mas não sei exatamente de onde.

– Ora, ora, Sybil. – Ele me olha de cima a baixo, com um sorriso desagradável. Fico imediatamente desconfortável e me arrependo de não ter ido vestir algo que me cobrisse mais. – Eu não sabia que você tinha como hábito andar por aí com tão pouca roupa.

– O que você quer? Como me conhece? – digo ríspida, contendo o impulso de me cobrir com as mãos. Em vez disso, cruzo os braços.

– Ah, você não lembra de mim? – Ele enfia as mãos nos bolsos da calça social e parece magoado. – Eu achei que nós tínhamos uma conexão.

Fico em silêncio, encarando-o. Seu sorriso se abre, exibindo dentes brancos e alinhados. Seus olhos são azuis e o cabelo é escuro, me lembrando os heróis dos livros que Naoki gosta tanto de ler, e seu queixo e bochechas são bem marcados. De repente, algo se encaixa e lembro do dia em que tive de aturá-lo por vários minutos numa sala de espera. Áquila, o filho de Fenrir. Os avisos de Dimitri soam em minha cabeça e dou alguns passos para trás. Ele me acompanha, com um sorriso predatório.

– Ah, sempre mal-humorada. Você é tão bonita quando não está fazendo careta – continua. – Lembrou de mim agora? Estava com saudade?

– Se você veio aqui só para me ofender, eu tenho mais o que fazer. – Minhas palavras não soam tão agressivas quanto eu gostaria.

– Você prefere que tudo seja direto, não é mesmo? – O sorriso dele se abre mais, sua expressão como uma sombra da de seu pai. – Eu esqueci de como vocês gostam de praticidade.

– Vocês? – indago, descrente.

– Bobagem minha. Eu trago uma mensagem de alguém.

– Uma mensagem de alguém – repito, dando mais um passo para trás. – Alguém que está no Senado? Alguém que é o seu pai?

– Exatamente. Você é mesmo uma menina inteligente! – Áquila ironiza e se aproxima mais, parecendo se divertir com a situação. Olho para os lados, nervosa, mas ninguém parece estar nos observando.

– Se você chegar mais perto, eu vou gritar – aviso, esticando o braço para mantê-lo a uma distância segura.

– Ninguém vai te escutar – revela ele com satisfação. – Aliás, ninguém deve estar nos vendo neste momento. Cortesia da anomalia de um dos meus guarda-costas.

Sinto um medo diferente dessa vez, mas levanto os ombros, cruzo os braços novamente e o encaro no que acho ser minha melhor pose de impaciência.

– O que o seu pai tem para me falar, que não pode fazer pessoalmente?

– Ele é um homem ocupado, Sybil. – Áquila dá um passo para trás e me sinto menos tensa, mas não relaxo por completo. – É algo bem simples, na verdade. Ele quer te encontrar para conversar sobre o seu papel de agora em diante. Meu pai foi bom o suficiente para deixar que você lambesse as feridas por tempo até demais. Agora é hora de começar a agir.

– Lambendo as feridas? – Tenho consciência de que é a segunda vez que repito o que ele diz, mas o ultraje é tão grande que não consigo evitar. – *Lambendo as feridas*!? Você não tem ideia de como foram esses últimos meses!

– Bem, pelo espetáculo que você estava fazendo na piscina com Andrei, imagino que não tenha sido algo difícil. – Ele levanta uma sobrancelha, desdenhoso. – Aquilo é um ritual de acasalamento para vocês ou algo assim?

– Eu realmente achei que quando te conheci você estava tendo um dia ruim, mas aparentemente você é babaca o tempo inteiro. Será que dá pra parar de brincar e ir direto ao assunto?

– Hum… – O garoto leva uma mão ao queixo, pensativo. – Eu preciso saber se você tem dinheiro para comprar um vestido bonito. Não aquelas coisas horrendas que vendem para anômalos em Prometeu ou aqui em Pandora. Alguma coisa refinada.

– Do que você está falando? – indago. – Claro que eu tenho dinheiro.

– Essa é uma pergunta importante – ele explica, alisando as bochechas com a mão. – Não estou brincando. Em duas semanas, vai ter uma festa em nossa casa para marcar o início da campanha. A campanha mesmo só começa depois do Festival da Unificação, no Ano-Novo, mas a festa é o marco inicial da candidatura. Ela é muito sofisticada, de um nível que você provavelmente nunca viu.

Tenho certeza que ele está certo, mas ouvir aquelas palavras me deixam irritada. Lanço um olhar de nojo para Áquila, que escolhe ignorar. Ele continua:

– As instruções sobre como proceder na campanha serão dadas nessa noite e Zorya provavelmente vai entrar em contato com os seus pais para convidá-la para ir com os Novak à festa. Você deve fingir surpresa, mas em hipótese alguma deixará de comparecer, ou o acordo que você fez com o meu pai deixa de valer automaticamente.

– Uau! – ironizo com uma coragem que não me pertence. – Ele precisou mandar você até aqui para avisar que Zorya vai me convidar para uma festa em que ele vai finalmente falar comigo? Praticidade não está no vocabulário de vocês.

– Ele achou que dizendo de qualquer outra maneira você não levaria a mensagem a sério – Áquila explica, aproximando-se novamente. Dessa vez, não me mexo e ele fica a centímetros de distância. – Sybil, meu pai não joga para perder, *nunca*. Mas não ache que ele não tem vários outros peões à disposição para te substituir se você for teimosa.

Ergo o queixo, encarando-o de igual para igual apesar da diferença de altura. Minhas mãos estão suadas e minha cabeça ensaia todos os cenários futuros de forma pessimista, mas não posso deixar que Áquila repare nisso.

– Pode avisar pro seu pai que eu entendi que ele estava falando sério três meses atrás quando eu fiz meu acordo com ele. Pode avisar pra ele que eu não sou burra, e que eu não preciso que ele faça esse escarcéu todo para dar um simples aviso – afirmo, em um tom tão estável que me espanta. – Eu vou comparecer quando Zorya me chamar.

– Ah, como você é corajosa! – Áquila segura meu pulso antes que eu possa me afastar e prendo a respiração, esperando por algo pior. Ele me puxa mais para perto e os centímetros que nos separavam viram praticamente milímetros. Tento me soltar, mas ele me segura com mais força, o hálito frio com cheiro enjoativo de hortelã soprando em mim. – É bom você estar radiante na festa, Sybil. Meu pai gosta das coisas dele bonitas e brilhantes.

Ele me solta e se afasta, desaparecendo entre as outras pessoas no parque, distanciando-se. Foi tão perto, tão perto. Minhas mãos tremem como gelatina e respiro fundo algumas vezes, alto o suficiente para fazer a mulher que está na toalha ao meu lado olhar para mim preocupada, como se acabasse de perceber que estou ali. Dou mais alguns passos antes de me sentar na grama e encostar a cabeça nos joelhos, agradecendo silenciosamente por nada ter saído do controle. Eu tinha permitido Áquila chegar perto demais. Eu demorei para me lembrar quem ele era, mas, depois de descobrir, não tinha como esquecer que seu poder de anômalo é convencer as pessoas a fazerem o que ele quer. Eu dei uma brecha, me mostrei vulnerável e ele se aproveitou em poucos segundos. Se ele tivesse usado o seu poder, o que teria acontecido? Eu preciso tomar mais cuidado.

Me sinto tonta e respiro fundo mais algumas vezes para me acalmar. No entanto, a sensação de que estou em um trem prestes a descarrilar não me abandona nem quando consigo me levantar e voltar para onde meus amigos estão.

CAPÍTULO 3

Enquanto estamos no metrô no caminho de volta para casa, não consigo me concentrar na conversa constante de Sofia, Leon, Andrei e Tomás. Encosto a cabeça na janela atrás de mim e fecho os olhos, esperando que meus companheiros tomem meu silêncio por cansaço. Em vez disso, é como se um filme dos últimos acontecimentos passasse na minha mente, um lembrete de todos os caminhos e escolhas que me trouxeram até aqui.

Primeiro, Kali. Fazia quase um ano que eu havia deixado aquela vida para trás, mas pareciam décadas. Consigo me lembrar das ruas apertadas e das casas amontoadas de madeira, dos voos rasantes de aviões de guerra e do barulho das botas dos soldados batendo no chão enquanto marchavam. Nada disso faz meu peito doer. A única saudade que tenho dessa vida é de vovó Clarisse e de seus abraços apertados, de sua sabedoria que nem sempre fazia sentido, e de seu amor incondicional por várias crianças que nem sequer são seus parentes. Ela merece uma vida muito melhor, mas o que aconteceria se eu conseguisse trazê-la para cá? Ela não é uma anômala como eu, e provavelmente teria de viver em Prometeu ou em outra cidade de humanos, ou até em um campo de refugiados. Eu não a veria com frequência e provavelmente nem mesmo poderia continuar a me corresponder com ela. Vovó Clarisse não havia nascido em Kali, mas tinha escolhido morar lá. Será que ela gostaria de se mudar se tivesse oportunidade? Aposto que ela gosta demais da ideia de ajudar crianças órfãs como eu para querer se mudar para um lugar seguro. Eu gostaria de ser tão generosa quanto ela.

Depois disso, a esperança de ter uma vida um pouco mais digna em um campo de refugiados foi seguida pelo desespero do naufrágio e da descoberta da minha anomalia. Eu nunca havia pensado muito no assunto até encontrar os arquivos com os nomes dos transatlânticos na fortaleza dos dissidentes, naquela trágica missão de três meses antes. O arquivo com o nome "Titanic III" ainda está escondido embaixo do meu colchão, intocado até agora. O medo de ser descoberta com documentos secretos furtados se mistura ao pavor de saber o que está escrito ali. Além disso, preciso pedir ajuda para conseguir ler os símbolos desconhecidos do idioma do Império, mas não quero envolver mais ninguém. Não tenho coragem de procurar um dicionário na Biblioteca Principal, com medo de que os registros sejam monitorados pelo governo. Confiança é algo que não existe mais na minha vida. É um dilema que eu tenho de resolver logo, mas, como todo o resto, estou deixando para depois.

E então, Pandora. Doce Pandora, tão gentil comigo. Morar aqui amoleceu meu coração de maneiras que eu nem sou capaz de compreender. É quase como meu progresso na água: durante toda minha vida, eu sequer tentei entrar na água. Porém, viver aqui é como boiar com os olhos fechados e sentir a água entre os dedos, é como mergulhar e ficar rodeada pela tranquilidade azul. Eu me sinto uma pessoa de verdade, mesmo tendo passado apenas meses aqui, diferente dos dezesseis que passei em Kali.

Talvez por isso a missão ainda doesse tanto. Não é só o fato de termos sido usados como instrumentos descartáveis, mas também por termos perdido Ava. Ela nem era tão próxima de mim para me fazer me sentir dessa forma, mas não é justo que a vida dela fosse interrompida para obter um arquivo para o governo. E eu ainda me sinto enojada quando lembro do rosto das crianças, das outras cobaias que não conseguimos salvar. Por que nós não fazemos nada contra isso? Nós não estamos em guerra com o Império? O que custa tentar impedir que eles usem crianças em testes para descobrir uma cura de algo que sequer é uma doença?

E os problemas sempre voltam para Fenrir. Qual é o papel dele nisso tudo? Por que tinha se dado tanto trabalho para salvar quatro crianças, quando, pelo que Leon disse, essa situação acontecia com frequência? E por que ele parece tão ávido em me usar? Eu me sinto uma mosca presa em sua teia, observando sem poder me mover enquanto ele se aproxima, pronto para dar o bote. Foram três meses pensando no acordo que fiz praticamente todos os dias, três meses sem poder contar nada para ninguém.

E também há aquilo que eu não ouso pensar, o que pode não passar de uma mentira bem elaborada de Fenrir para me envolver ainda mais na sua trama. Perdi a conta de quantas vezes repassei a última conversa que havia tido com Zorya ainda no centro onde fomos presos depois da missão; as palavras ainda estavam gravadas em minha memória: Fenrir sabe quem é meu pai desde que cheguei em Pandora. Isso poderia ser verdade? Quer dizer que tenho um pai que está vivo e sabe quem eu sou, mas nunca apareceu na minha vida? Eu não sei como lidar com essa informação, então a enterro sob a minha pilha de segredos.

– Terra chamando Sybil. Sybil, acorde – Tomás fala, me cutucando e me tirando de meus devaneios. – Mensagem para Sybil: falta uma estação para chegarmos em casa.

– Ai, ai. – Passo a mão no meu braço no local em que ele encostou e brinco: – Quanta violência para dar um aviso.

– Deixa de ser fresca – ele diz, devolvendo minha mochila.

– Ah, eu que sou fresca? E você que se recusa a entrar na piscina para aprender a nadar? – provoco. – Pra mim, isso que é frescura.

– Eu posso morrer! – ele exclama, e as outras pessoas olham para nós.

Ele fica vermelho, abaixa a cabeça e deixa a franja castanha cobrir os olhos. Ao seu lado, Andrei ri.

– A gente nunca ia permitir que isso acontecesse – Andrei fala.

– Leon ia ter que ficar sozinho do lado de fora da piscina! – Tomás acrescenta.

– Eu posso ficar na borda perto de vocês sem problema nenhum – Leon responde, dando de ombros.

– Vai, Tom, confessa logo que você tem medo de água – Sofia diz, apoiando os cotovelos nos joelhos e sorrindo. – Não tem problema nenhum ser covarde.

– Eu não sou covarde, que saco. – Tomás cruza os braços, emburrado, e faz nós quatro cairmos na risada.

– Tudo bem, tudo bem – falo enquanto me levanto ao ver que o metrô se aproxima da nossa estação. Eu o ajudo a ficar em pé e o resto do grupo continua sentado. – Mas eu só queria que você soubesse que nadar é uma habilidade muito importante para a sobrevivência.

– Eu não pretendo na minha vida ficar muito perto de lugares em que é necessário nadar – ele explica, enfiando as mãos nos bolsos. – Você não sabia nadar até antes de vir para cá.

– Era diferente – respondo rápido demais, para não dar tempo de mais memórias ressurgirem. – Bem diferente, na verdade. Por aqui, essa é uma habilidade útil.

– Não consigo ver o porquê – meu irmão mais novo diz quando paramos e tenho de dobrar a língua para não dizer nada sobre a missão que fizemos na primavera.

✳ ✳ ✳

O resto do nosso grupo sai atrás de nós. Sofia pergunta sobre máquinas de comida e nos diverte contando sobre como no Império praticamente todos os prédios e estações têm máquinas que vendem salgadinhos, doces e bebidas, em vez dos quiosques que temos nas estações mais movimentadas.

Caminhamos até minha casa porque vamos passar o resto do dia lá, esperando por Naoki e Brian. Nas outras duas idas à piscina, eles foram conosco, mas hoje era o dia da Prova Nacional e eles não podiam faltar, já que haviam terminado a escola antes das férias. É uma prova específica para anômalos que acontece todos os anos, e o resultado determina quem pode ir para uma universidade e qual área deve seguir na carreira. Naoki havia me mostrado uma lista enorme das pontuações e profissões relacionadas a cada uma. Se você tirar uma nota muito baixa ou não fizer a prova, será realocado para bairros *horríveis*, segundo ela. Eu duvido que seja um grande problema, porque nunca vi nenhum bairro realmente ruim desde que cheguei aqui. Eu realmente conheci lugares bem piores para se viver. Porém, acho que o maior problema é que se você tirar uma nota baixa, só pode trabalhar em áreas que exigem muito trabalho, mas não pagam quase nada, como operário nas fábricas ou nas plantações.

Chegamos em casa e a encontramos vazia. Dorian, nosso gato que está cada dia mais gordo, se aproxima de nós preguiçosamente, miando de fome, e Tomás o pega no colo, indo para a cozinha. Sofia reclama que está se sentindo suja por causa da piscina e eu a guio para o quarto de hóspedes, mostrando onde ela pode tomar banho. Quando volto para o andar de baixo, Leon está deitado em um dos sofás da sala e Andrei está assistindo ao programa de Madame Charlotte, sentado no outro sofá.

— Você quer mesmo assistir seu pai ensinando a fazer... – começo, me sentando ao lado dele, com as pernas cruzadas –, um bolo de chocolate com marshmallow?

— Nesse horário não tem nada melhor na televisão – explica ele, acomodando-se de forma preguiçosa no sofá, com a perna encostando quase toda contra a minha.

Não deixo de reparar como é esquisito quando nossa pele parece quente ao se tocar fora da água, e olho de soslaio para Leon, mas, obviamente, ele não pode ver minha expressão envergonhada.

Um silêncio diferente paira sobre a sala depois disso, e a voz de Madame Charlotte explicando cada passo da receita vira só um barulho de fundo. Eu poderia perguntar a Leon o motivo dele andar tão calado nos últimos meses, mas provavelmente já sei a resposta e não quero forçar. Andrei parece estranhamente tenso ao meu lado, apesar de estar sentado de forma largada, e quero perguntar a razão, mas também não tenho coragem. Desde a missão, é como se tivéssemos paredes invisíveis entre nós, e me falta coragem para derrubá-las. Me falta coragem para muitas coisas ultimamente.

— Vocês querem almoçar agora? – pergunto, ansiosa para quebrar o silêncio.

— Eu estou bem – Leon responde.

— Eu também. – Andrei dá de ombros, olhando para mim de canto de olho. – Se Sofia e Tomás quiserem comer, nós podemos almoçar.

E a conversa para por aí. Passo a mão pelo meu cabelo liso e escuro, arrumando-o para trás da orelha. Às vezes, esqueço de como ficou curto depois da missão, mal alcançando meus ombros. Pensar nisso me deixa angustiada e eu salto do sofá, assustando os dois garotos com o barulho.

– O que foi? – Andrei pergunta, com uma expressão de surpresa.

– Nós precisamos conversar – falo, colocando as mãos na cintura.

Leon, que estava tenso em seu lugar, relaxa, como se não tivesse nada a ver com a história. Andrei olha para ele e olha para mim, meio boquiaberto.

– Hã? – ele questiona.

– Você também, Leon. – Aponto para o garoto, mesmo que ele não veja meu gesto. – Nós três precisamos conversar.

Andrei olha para Leon novamente e parece mais aliviado, embora eu não entenda muito bem o motivo.

– O que você quer? – Leon pergunta, curioso.

– Eu não posso falar aqui. É melhor subirmos pro quarto – falo um pouco mais baixo. Leon levanta as sobrancelhas e prende o riso, e Andrei me olha como se um par de chifres tivesse brotado em minha testa.

– Sybil, eu não sei se você lembra, mas tudo indica que essa não seja a praia do Leon – Andrei fala quase num sussurro, e Leon ri, cobrindo o rosto com as mãos. – Eu, por outro lado...

Eu demoro exatamente dez segundos para entender o que ele estava insinuando.

– Andrei! – Eu o ataco com uma das almofadas do sofá e ele se protege, rindo. – Por favor, é um assunto sério.

– Você quer matar a gente de curiosidade? – Leon se levanta e eu ajudo Andrei a sair do sofá.

– Talvez – respondo, antes de subir as escadas.

Cada degrau me deixa mais ansiosa. Eu não deveria envolver os dois em mais problemas, mas faz três meses desde que nós voltamos e, considerando que não fui pega até agora, provavelmente não vão arrombar minha porta e prender toda a minha família. Fecho a porta do meu quarto quando os dois entram no meu quarto. Leon se acomoda na minha cama e Andrei, na cadeira da escrivaninha.

– E aí? – diz ele, apoiando os pés no tampo da mesa. – O que é tão sério que precisa nos trazer para o seu covil?

– Pelo menos meu covil não fede a chulé como o seu – respondo, me acomodando no chão entre os dois. Hesito por alguns instantes para repreender o sentimento de que estou fazendo uma besteira e arranjo as palavras mentalmente em um discurso coerente. – Bem, vocês lembram da missão que nós fizemos, né?

Andrei faz uma expressão de descrença e Leon concorda com a cabeça, com um suspiro impaciente. Andrei tinha até uma cicatriz pequena e arredondada em um dos ombros, como um lembrete constante – ninguém se esqueceria tão cedo, mas não sabia como começar a abordar o assunto.

– Nós tínhamos de achar um arquivo para trazer de volta, alguma coisa com um nome esquisito que era relacionado a uma cura – continuo, tentando repassar meus próprios pensamentos. – Só que acabei pegando outra pasta, além das duas que tínhamos de pegar.

Andrei tira os pés da mesa abruptamente e quase cai da cadeira, o que é uma reação bastante exagerada para quem já sabia dessa informação. Leon cruza os braços, uma expressão contemplativa no rosto.

– Você roubou mais um arquivo da fortaleza? – ele pergunta.

– Era esse arquivo que eu vi antes de voltarmos para cá? – Andrei questiona quase ao mesmo tempo que Leon.

– Sim e sim.

– Eu achei que era um papel que você tinha tirado das pastas – Andrei diz, balançando a perna de forma inquieta. – Achei que você tinha pego um pedaço dos arquivos só pra, sei lá, mostrar que eles não são donos de você ou algo do tipo. Não achei que você tivesse roubado uma pasta a mais de verdade, sabe.

– Isso é loucura, Sybil – Leon diz, franzindo a testa. – Você tem noção do que poderia ter acontecido se tivessem descoberto?

– Eu não pensei na hora. – Abaixo a cabeça, envergonhada. – Mas ninguém suspeitou de nada!

– Alguém mais sabe disso? – Leon se levanta da cama e caminha pelo espaço que sobra do quarto, ansioso, desviando dos móveis com naturalidade.

– Não, só vocês. E sério que você achou que eu ia pegar um papel só pra ser rebelde? – pergunto para Andrei, descrente.

– Não sei. É o tipo de coisa que eu faria – ele responde, dando de ombros.

– O que é o arquivo? Se for algo essencial para os dissidentes, com certeza alguém do governo daqui ficará sabendo, e para juntar a e b é muito fácil. – Leon ignora a conversa que estou tendo com Andrei, como sempre, preferindo se ater à parte pragmática

– Bem, é por isso que chamei vocês aqui.

Volto a tentar focar no que importa. Quando penso na explicação que preciso dar, fico envergonhada. Não sei por que achei que eles entenderiam. E se pensarem que só quero saber o que tem no arquivo por não gostar de Pandora ou algo assim?

Os dois me encaram com curiosidade e decido explicar:

– Existiam inúmeros arquivos com nomes de transatlânticos na fortaleza e um deles era sobre o *Titanic III.*

– O navio que trouxe você para cá – Andrei completa, compreendendo tudo de imediato.

– Óbvio que você pegou – Leon declara, balançando a cabeça. – Certo, tudo bem. O que tem escrito nele? Se as informações forem banais, provavelmente não é uma coisa tão grave e não teremos problema nenhum.

– Eu esperava que vocês me ajudassem a descobrir o que tem neles – explico, olhando para o lugar onde os papéis estão guardados, embaixo do meu colchão. – As frases estão escritas com aqueles símbolos do Império e não vou conseguir decifrar sozinha. Mas só se vocês quiserem. Eu não quero criar mais problemas para ninguém.

– Eu não consigo ler, Sybil – Leon declara como se aquilo fosse novidade. – Vocês precisariam saber identificar os símbolos para eu poder traduzir, no mínimo.

– Na Biblioteca Pública deve ter aqueles dicionários imensos com os símbolos e a fonética, não? – Andrei lembra. – Nós podemos procurar, dizer o som a você e você diz o significado.

– Isso não vai ser nada fácil. – Ele se apoia na escrivaninha, pensativo. – Envolver Sofia está fora de cogitação.

– Óbvio – eu e Andrei dizemos em uníssono.

– Eu só estava testando – diz ele, erguendo as mãos em defesa. – Nós podemos começar dando uma olhada no que você pegou, não acha?

– Claro.

Me levanto do chão e vou até a cama. Ergo o colchão um pouco do estrado e enfio uma mão embaixo, tirando do vão uma pasta bege um pouco amassada que entrego para Leon. O garoto a abre com cuidado, passando a ponta dos dedos por cada página. Andrei fica em pé para poder ver os papéis, que Leon toca com uma expressão anormalmente séria. É engraçado ver os dois tão compenetrados considerando que estão vestindo bermudas e regatas.

– Tem algumas letras que consigo discernir. – Leon dá seu parecer, levantando o rosto na minha direção. – Mas a maior parte das coisas é imperceptível.

– Eu reconheci alguns símbolos também – diz Andrei, pegando um dos papéis e espremendo os olhos. – Mas não todos. Eu dormi em todas as aulas do único ano em que escolhi aprender o idioma dos dissidentes em vez de uma das línguas mortas.

– Ajudou muito, Andrei – Leon ironiza e entrega os arquivos para ele antes de colocar uma mão no queixo. – Sybil, se você realmente quiser saber o que tem escrito nesses papéis, nós vamos ter de dedicar um tempo considerável a essa tarefa.

Concordo com a cabeça, pensativa. Eu realmente quero saber o que tem escrito naqueles arquivos? Dizem que a ignorância é uma benção, e nesse caso talvez seja verdade. Talvez seja burrice arriscar tanto por causa de uma informação que não tenho como saber se irá valer a pena. No entanto, se já chegamos até aqui, o que custa avançar um pouco mais?

– Eu não comecei a enxergar de uma hora para a outra, Sybil. Se você não responder "sim, eu quero fazer isso" ou "não, continuar com isso é loucura", eu nunca vou saber sua resposta – Leon reclama com razão, cruzando os braços.

– O que vocês acham? – pergunto com sinceridade.

Eu encaro a lista de passageiros nos papéis que Andrei me devolveu, páginas e mais páginas cobertas de nomes, que são praticamente a única coisa que entendo. Meu nome está no fim e percebo que eu quase decorei cada linha daquele papel.

– Eu acho que a decisão que você tomar será a certa – Andrei declara, olhando para a parede do outro lado do quarto. – O que a gente descobrir aí provavelmente não vai afetar nenhum de nós, porque esse poderia ser qualquer navio. Quem tem alguma coisa a perder ou a ganhar com isso é você; então, a escolha é sua.

– Às vezes, Andrei, você é muito sensato – Leon brinca, virando o rosto na minha direção. – Eu compartilho a opinião dele, sabe. E não venha me dizer que é perigoso, porque se não precisasse de ajuda, você sequer teria mostrado isso pra gente.

Fico alguns instantes calada, e vários pensamentos sem coerência percorrem minha mente. É estúpido e assustador como os dois são leais. Aposto que se eu pedisse que eles cometessem um assassinato comigo, iriam concordar sem questionar. A pior parte é que, quando penso que se fosse o contrário, se fossem eles me pedindo para fazer algo potencialmente perigoso e trabalhoso, eu provavelmente reagiria da mesma forma. Quando foi que nós chegamos aqui?

– Começamos amanhã? – pergunto e Andrei sorri, assentindo com a cabeça.

– Nós poderíamos ter começado há três meses se você não fosse tão medrosa – Leon responde com um sorriso. – Você pode fazer as honras e começar me dizendo exatamente o que tem aí que vocês conseguem ler.

Eu nem preciso olhar para os papéis para responder àquela pergunta.

CAPÍTULO 4

Leon escuta com atenção tudo o que falo sobre o arquivo e faz um cronograma para cada um de nós irmos a diferentes bibliotecas em dias alternados para não levantar suspeitas sobre nossas pesquisas. Eu e Andrei ficamos responsáveis por tentar reconhecer o maior número de caracteres das folhas e copiá-los com a pronúncia em um papel. Não podemos trazer os livros para casa para que nenhum registro de que estamos interessados no assunto seja guardado na biblioteca; então será um trabalho manual gigantesco. Eu sugiro tentarmos comprar um dicionário, mas Leon me explica que eles só são vendidos com autorização, e em casos especiais. Andrei diz que podemos tirar foto com a máquina do pai dele, mas a ideia é descartada com rapidez quando pensamos que elas precisam ir para um outro lugar para serem reveladas.

À medida que decifrarmos os símbolos, Leon tentará traduzi-los, e esse vira nosso plano oficial. A fome bate um pouco depois de completarmos nossa estratégia e, quando descemos, vemos que Tomás e Sofia estão sentados ao redor da mesa de centro da sala, debruçados sobre um caderno em que Sofia desenha e explica algo para Tomás. Quando nos aproximamos, conseguimos escutá-la:

– Não, não, Tomás. Não tem papel. Não é um livro de papel, entende? É eletrônico – ela diz, rabiscando o papel. – É um negocinho assim. Cabem milhares de livros.

– Como é que cabe milhares de livros em um negócio desse tamanho? Com certeza é maior que isso – o garoto responde, apoiando os cotovelos na mesa.

– Então, não existe fisicamente, sabe? Não é como os livros de papel que vocês têm aqui; são arquivos digitais com as histórias. E o tamanho é exatamente esse. – Ela levanta o caderno e só vejo dois retângulos não muito grandes desenhados na folha. – Um pouco maior que uma mão aberta. Bem, pelo menos é o que as pessoas saudáveis usam. Nós usaríamos os modelos mais antigos, os que acabam indo pra sucata.

– Milhares de livros em um negocinho desses? – repete o menino, desconfiado. – Isso é esquisito. Eu gosto mais de papel.

– Nós não usamos papel a não ser que seja estritamente necessário – ela diz. Me sinto um pouco mal, porque Sofia usa o "nós" para se referir aos dissidentes, como se ainda fosse uma deles, como se não tivesse aceitado o fato de que agora é cidadã da União e toda essa vida de aparelhos que parecem saídos de histórias de ficção científica ficou no passado. – Normalmente, os lugares importantes mantêm cópias impressas das informações, mas quase tudo é armazenado nas Redes.

– Eu não entendo como vocês confiam nesse negócio – Andrei interrompe, sentando-se ao lado dela. – Pelo que você me explicou, todas as informações ficam desintegradas no ar e quando você precisa delas, elas se agrupam? É isso?

– Não! – ela responde, fechando o caderno e desenhando mais alguma coisa na capa. – Não é assim. Não dá pra entender até vocês verem como funciona.

– A parte que eu mais gosto é que eles têm telefones sem fio que podem carregar para qualquer lugar porque as Redes transmitem – Leon diz, sentando-se lado de Tomás. – Será que eu conseguiria ouvir as conversas se isso existisse por aqui?

– O quê? Você quer ir passear no Império? – eu brinco, usando o nome certo do país natal de Sofia para não ofendê-la. Ela geralmente faz careta quando ouve a palavra "dissidentes".

– Seria legal – Tomás responde antes de qualquer um ter chance. – Não sei por que nós não podemos ir conhecer as cidades deles. Sofia disse que o lugar onde ela nasceu é um dos mais bonitos do Império. Acho que seria legal ir visitar.

– Nós não podemos ir conhecer o Império porque estamos em guerra com eles – digo lentamente, em um tom que indica que aquilo é óbvio. – Talvez, se eles deixassem Kali em paz, a gente poderia chegar a algum acordo. Só que óbvio que precisam dos territórios porque é uma região rica em gás e petróleo.

— Nós usamos um monte de polímeros. — Sofia defende, e olho para ela, confusa. Minha expressão é espelhada em todos os rostos da mesa.

— O que diabos é um polímero? — Andrei pergunta.

— Em nome do Criador. — Ela coloca uma mão no rosto e suspira. — É difícil de explicar. Mas é algo muito importante no cotidiano.

— E a gente vive muito bem sem isso — Andrei fala em um tom leve. — Vocês estão com fome? Eu poderia comer um elefante agora.

As palavras de Andrei fazem com que eu me movimente para preparar a comida que Dimitri deixou pré-cozida em potes na geladeira. Ele me acompanha até a cozinha, enquanto Leon tenta começar uma conversa com Sofia e Tomás. Antes de sair, vejo que Sofia está com uma expressão cabisbaixa, visivelmente chateada. Sinto que preciso conversar com ela e quando chegamos na cozinha, eu paro na porta, olhando para Andrei.

— O que foi? — ele pergunta, com a voz baixa. — É sobre Sofia, não é?

— Ela ficou chateada. Você precisa pedir desculpas — digo, encostando a mão no braço dele.

— Eu não vou pedir desculpas — declara ele, irritado. — Ela vive insinuando que nós vivemos de maneira horrível porque não temos as maravilhas que os dissidentes têm, mas não fomos nós que trancamos ela numa fortaleza e usamos de cobaia.

— Não é tão fácil assim superar o lugar onde morou a vida toda. Ela precisa se adaptar — explico, indo até a geladeira. Tiro os potes e os coloco em cima da mesa, sacudindo o maior deles quando identifico o que é. — Olha, é macarrão!

— Você se adaptou bem rápido — ele fala enquanto pega duas panelas do armário e coloca sobre o fogão, ligando as chamas para aquecê-las.

Sinto uma pontada de culpa por causa do que ele disse, porque me faz parecer um monstro.

— Não posso servir de régua pra medir isso — digo, olhando para sua mão, que segura o cabo da panela com uma força desnecessária. Com a outra, ele coloca um pouco de manteiga em ambas as panelas.

— Kali nunca pareceu definitiva, eu sempre soube que não deveria ficar lá. Sofia não. Ela ainda fala do Império como se fosse voltar para lá algum dia, como se estar aqui fosse só uma fase. Ela provavelmente ainda pensa nos pais dela. É bem diferente.

O garoto fica em silêncio e só faz um sinal com a mão para que eu entregue o recipiente que contém o molho. Obedeço e fico observando Andrei, o ar parece pesado entre nós. Não sei exatamente o que eu disse de errado, mas ele está com uma postura defensiva. Nesses momentos, sempre desejo ser melhor em ler as pessoas por seus gestos, ser um pouco mais observadora dos detalhes. Se fosse o contrário, Andrei saberia exatamente o que fazer para que eu falasse o que estava me incomodando.

– Eu ainda acho que você deveria pedir desculpas – falo mais uma vez, agora um pouco mais na defensiva.

– Tudo bem. – Ele dá de ombros. – Não é como se eu fosse morrer por pedir desculpas. Macarrão.

– Bem, você pode conversar com ela sobre isso em casa também – sugiro, enquanto entrego para ele a massa já cozida e paro ao seu lado. – Não sei, explicar que a gente vive bem apesar de todas as diferenças entre um lado e outro?

Ele murmura algo e balança afirmativamente a cabeça, visivelmente mal-humorado. Não sei o que posso fazer para aliviar a tensão, então preparo a mesa com pratos e talheres. Em poucos minutos, a comida está quente e com um aroma delicioso. Antes de sentarmos para comer, Andrei puxa Sofia para o corredor e os dois ficam alguns minutos lá. Quando voltam, a menina parece um pouco mais alegre. Eu sorrio para ela e, quando Andrei se senta ao meu lado, dou dois tapinhas de parabéns em seu joelho por debaixo da mesa, e ele me lança um sorriso.

O resto da tarde passa assustadoramente rápido. Tomás nos convence a experimentar o novo jogo de tabuleiro que ganhou de Rubi, chamado *Cerco a Kali*, e depois de quase uma hora explicando as regras elaboradas que envolvem defender nosso território do ataque dos outros jogadores e vários outros detalhes sem sentido, nós começamos a jogar. Em algum momento, a partida virou algo tão complexo que despertou o lado competitivo mais cruel em cada um de nós e, quando Dimitri e Rubi chegam do trabalho, encontram Sofia brigando com Tomás porque aparentemente ele roubou uma casa dela enquanto Leon chora de rir e Andrei tenta roubar a casa *pra valer*. Eu bato na mão de Andrei e ele estreita os olhos para mim, em desafio. Os dois adultos nos cumprimentam e prometem que quando Naoki e Brian chegarem, todos iremos tomar sorvete em um lugar na rua de baixo.

O jogo continua inflamado até que o telefone toca. Eu me levanto para atender e o grupo faz silêncio.

— Alô?

— Oi, é da casa da Sybil Varuna? — uma mulher pergunta do outro lado, e sinto meu estômago se revirar.

Mil hipóteses passam pela minha cabeça, desde algum enviado por Fenrir até um agente do governo que descobriu que passamos parte do dia desvendando arquivos roubados ilegalmente. Quase digo que é engano, mas mudo de ideia.

— Sim, quem gostaria de falar com ela?

— Ah, querida! Aqui é Susana O'Donnel, a mãe do Brian. — Ela se apresenta, e fico aliviada. — Eu estou ligando para avisar que não vamos conseguir ir aí hoje. Eu posso falar com Rubi?

— Ah! Oi. Que pena. Bem, vou chamar Rubi — respondo e tampo o bocal, virando para trás. — Tom, você pode chamar sua mãe?

— Tá. — Ele anda até a porta, coloca a cabeça para fora e grita: — MÃE, TELEFONE!

— Nossa, acho que fiquei meio surdo. — Leon leva um susto, colocando uma mão no ouvido.

— Pelo menos não foi a Naoki gritando — Andrei brinca, na tentativa de consolar o amigo.

— MÃÃÃÃE! — Tomás continua a gritar e eu coloco uma mão na testa, controlando a vontade de rir. Sofia esconde o rosto com as duas mãos e começa a soluçar de rir. — MÃÃÃE, TEM GENTE QUERENDO FALAR COM VOCÊ!

— Não é melhor você subir até o quarto para chamar? — sugiro, e ele olha para mim como se eu estivesse sugerindo um absurdo.

— MÃE! — ele chama mais uma vez e, depois de alguns segundos, volta para a sala, satisfeito.

Rubi aparece na porta alguns segundos depois, com o cabelo enrolado em uma toalha e uma expressão nada amigável.

— Tomás, o que eu disse para você sobre ficar gritando dentro de casa? — ela reclama e os meninos se levantam para dar passagem. — Principalmente com visita!

– Não tem problema nenhum, senhora – Leon fala, meio solene.
– Todos nós fazemos isso.

Rubi não responde, pegando o bocal do telefone da minha mão. Dessa vez, me sento em um dos sofás, acompanhada pelos meus amigos. Não adianta muito voltar a jogar se vamos ser interrompidos quando Rubi voltar para o andar de cima. Leon fica em silêncio, provavelmente prestando atenção à conversa do telefone. Tomás se senta ao lado de Sofia, com uma expressão travessa, e a menina tenta fingir que não estava rindo sem muito sucesso. Eu fico observando Rubi, absorta.

– Sim. Ah. Claro. Bem, tudo bem – minha mãe adotiva diz, franzindo a testa. – Entendo. Sério? Ah.

Depois disso, fica em silêncio, balançando a cabeça de um lado para o outro, como se a pessoa do outro lado estivesse vendo o gesto. Leon segura meu braço ao mesmo tempo que Rubi levanta a cabeça, olhando em nossa direção com preocupação. O tom de voz de Rubi abaixa ainda mais, mas é impossível não a ouvir.

– Você tem certeza disso? – Ela fica em silêncio por um bom tempo, com o rosto virado para o lado contrário ao que estamos. – Eu não sei. Vou ver o que posso fazer. Certo. Fique calma, não vai acontecer nada. Não. Certo, tudo bem. Vou anotar.

Ela procura alguma coisa na mesa e Sofia entrega o caderno em que estava desenhando mais cedo, junto com o lápis. Rubi agradece com um gesto e apoia o caderno em uma mão enquanto segura o telefone com o ombro.

– Pode dizer. – Ela anota algo no papel. E pelo que diz em voz alta a seguir, desistiu de falar de maneira discreta. – Susana, eu retorno quando tiver mais informações. Mas fique calma, tá? Vai dar tudo certo, deve ser só um procedimento padrão. Isso. Exatamente. Eu vou avisar para eles. Até depois.

Ela desliga o telefone e todos nós a encaramos, curiosos. Ela suspira e desenrola o cabelo da toalha, parecendo cansada.

– Houve um imprevisto na Prova Nacional e todos os anômalos têm que ficar detidos nos locais das provas até que a situação seja resolvida. Brian e Naoki não vão poder vir hoje – explica ela.

– Um imprevisto? – eu pergunto. Tomás se levanta, visivelmente nervoso.

– Detidos? Isso quer dizer que eles estão presos? – o menino pergunta.

Rubi olha para o filho e depois para cada um de nós, como quem considera quanta informação podemos receber sobre esse assunto. Depois que olha para Leon, parece decidir que não importa o que diga para nós, já que ele vai preencher as lacunas que faltam.

– Alguém estava tentando sabotar a prova e os organizadores decidiram manter todos nos locais de prova até que a situação seja resolvida, para garantir a segurança de todo mundo – ela explica com calma. – Provavelmente poderão sair em breve, deve ser uma denúncia falsa. Eu vou ligar do quarto de hóspedes para algumas pessoas que conheço e tentar saber mais sobre o que está acontecendo, ok?

Todos assentimos e ela atravessa a sala com passos cheios de propósito. A expressão das duas crianças mais novas é de espanto e creio que a minha não é muito diferente. O que será que aconteceu? Rubi falou como se fosse um acontecimento corriqueiro, até algo frequente, mas parece que só disse isso para que não fiquemos preocupados.

– Isso é normal? – pergunto para os dois garotos sentados ao meu lado.

– Não! – Andrei responde de maneira enfática. – Definitivamente não. Leon, o que você ouviu?

– Hum… – Leon leva uma mão ao queixo, com uma expressão pensativa. – Susana estava bem preocupada ao telefone, mas tinha muito barulho do outro lado e não consegui ouvir direito.

– Ah, não. Você não vai fazer isso – Sofia reclama. – Você quer que a gente acredite que você não ouviu nada com essa sua superaudição?

– É. – Tomás se junta a ela, cruzando os braços. – Se você está com medo de a minha mãe brigar com você, sempre pode dizer que eu te obriguei.

– É uma rebelião, agora? – Andrei diz, zombeteiro. – Eu devo me preocupar com essa aliança inesperada?

– Vocês ficam tratando a gente como criança e isso é um saco. Como se vocês fossem muito adultos, né? Dá um tempo – Sofia responde prontamente e me arranca um sorriso. É impressionante como ela havia evoluído da garota calada que havíamos encontrado presa em uma gaiola em uma fortaleza inimiga para essa menina que não atura nenhuma gracinha de Andrei.

– Sybil? – Leon pergunta, vendo que não dei minha opinião sobre o assunto.

– Vá em frente – respondo, sabendo que, às vezes, mesmo as crianças precisam encarar verdades difíceis.

– Rubi falou parcialmente a verdade. Houve uma denúncia de sabotagem, Susana não soube explicar ao certo do quê, e todos os anômalos que estavam em prova foram impedidos de sair. Só que a última notícia que tinham era que em todas as escolas, todas as pessoas foram para as quadras esportivas e estão lá até agora, desde as quatro horas da tarde, sem água ou comida – Leon explica e nos inclinamos em sua direção para ouvir melhor. – A última informação que tiveram foi às cinco horas, e desde então não se teve nenhuma notícia.

Fico boquiaberta e me sinto enjoada. O relógio ao lado da estante marca um pouco depois das oito horas da noite, então são quatro horas inteiras em pé, sem beber água ou poder ir ao banheiro. Quantas pessoas estavam fazendo essa prova? E por que precisam parar tudo para investigar uma denúncia?

– Isso é estúpido. – Eu esperaria a declaração de Sofia, mas é Tomás que faz isso. – Não, isso não é possível.

– Vamos torcer para a informação estar errada, não é mesmo? – Leon responde, sério.

No entanto, algo me diz que não está. Pensar em Naoki passando por isso me deixa mais ansiosa do que antes e me levanto, enxugando o suor das mãos em meu short preto. Eu preciso de uma distração, já que a ansiedade não vai colaborar em nada.

– Bem, ficar se preocupando não vai mudar muita coisa. Vocês querem terminar a partida antes de voltar para casa? – convido, mas a resposta é dada com menos entusiasmo e o jogo perde toda a graça em poucos minutos.

Parece que, assim como eu, ninguém consegue parar de pensar no que está acontecendo.

CAPÍTULO 5

A primeira notícia sobre a situação da prova aparece dezoito horas depois, no início da tarde seguinte, quando estou ocupada fazendo o meu quarto sanduíche de geleia do dia. A ansiedade me fez arrumar a casa e comer quase todo o pão da despensa. Dorian me segue pela casa, me observando de forma enigmática, como se me julgasse por estar tão inquieta. É como se essa preocupação adicional tivesse sido o limite e acionado uma válvula de descontrole. Nós havíamos cancelado a ida à piscina e Tomás só tinha saído de seu quarto duas vezes durante o dia.

A televisão está ligada somente para fazer barulho, porque a ausência de sons na casa vazia é irritante. No entanto, quando o tagarelar incessante do filme que está passando se cala e dá lugar a uma voz pomposa que fala pausadamente, eu largo tudo na cozinha e corro para a sala. Na TV, vejo uma imagem de um prédio com três andares, com uma cerca preta ao redor, e demoro um pouco para entender que aquilo é uma escola, por ser muito diferente da que frequento por aqui e da que eu frequentava em Kali. Em cima da imagem, a voz narra:

"Depois de dezesseis horas de espera, o governo finalmente apurou o ocorrido e liberou todos os estudantes anômalos que estavam na prova. O Ministro do Trabalho confirma que o exame não foi prejudicado e prosseguirá como de costume, sem necessidade de remarcação. Ele também afirmou que o período em que os adolescentes ficaram isolados foi uma medida de segurança, pois o andamento normalizado das atividades poderia causar danos de várias intensidades aos candidatos. Durante o período, os examinadores distribuíram água e alimentos entre os alunos."

A matéria prossegue, mostrando imagens de pessoas vestidas de amarelo recebendo kits com biscoitos e copos de suco, mas o sorriso deles é tão radiante que duvido que seja uma filmagem dos locais de verdade. Se estavam em isolamento, como as câmeras conseguiram filmar? Não acredito em uma palavra que está sendo dita na TV. Vou até o telefone e disco o número de Naoki. Chama até cair. Depois, ligo para Rubi no trabalho, que me informa que, sim, os estudantes foram mesmo liberados. Faço mais dois telefonemas, para Andrei e para Leon, mas nenhum deles atende.

O que me resta é esperar. Como meu sanduíche ansiosa e sento em frente à televisão, sem prestar muita atenção a nada que acontece na tela. Dorian se acomoda no meu colo, ronronando, e faço carinho nele. O relógio se move muito lentamente e não faço ideia de como sobrevivo a toda a tensão, até que a campainha finalmente toca, horas depois. Salto do sofá e vou correndo até a porta, esperando que seja Naoki.

Quando a abro, fico paralisada. Por alguns segundos, me esqueço como respirar e me apoio na parede. Mesmo sem o uniforme, as feições do visitante inesperado são impossíveis de esquecer, principalmente por ser uma das poucas pessoas de Kali que já vi por aqui. É o soldado que me levou para o interrogatório quando estávamos no centro de apoio, depois da missão. Hassam.

Curiosamente, ele também parece assustado ao me reconhecer e fica parado na soleira da porta, sem dizer nada, com os olhos arregalados.

Eu. Estou. Ferrada. Penso nos arquivos furtados que mostrei para os meninos ontem e no que pode acontecer comigo. Se me lembro bem, a mutação dele tem algo a ver com detectar mentiras. E agora? O que eu vou fazer? Demoro alguns segundos para reagir, tentando calcular a melhor rota de fuga, imaginando se conseguiria pular pela janela do meu quarto ou passar por cima do muro do quintal. O quintal é a melhor saída, mas não posso deixar Tomás em casa sozinho. Será que se eu subir as escadas correndo consigo chamá-lo a tempo para fugirmos juntos? É bem improvável, mas preciso agir e, com o mesmo movimento rápido com que abri a porta, eu começo a fechá-la.

– Não, espera! – diz ele, colocando o pé no vão da porta para me impedir.

– Eu não fiz nada de errado! – falo num ganido, empurrando-o com o máximo de força. – Me deixe em paz! Sai da minha casa!

– Não, calma – ele fala, tirando o pé com uma expressão de dor. – Tudo bem. Pode fechar a porta se quiser, mas eu não vim aqui para te prender nem nada.

Se a intenção dele é que eu não feche a porta, não surte muito efeito, porque faço questão de batê-la com força. Em vez de correr, porém, a curiosidade é mais forte e encosto a testa na madeira fria da porta, tentando respirar normalmente e sentindo meu coração pulsar com velocidade.

– O que você quer? – pergunto em um tom mais alto.

– Eu vim entregar um convite para... – Ele pausa um pouco. – Dimitri Koukleva? Não sabia que você morava aqui. Acredite em mim quando digo que estou tão surpreso quanto você.

– Você pode colocar o convite na caixa de correio que eu pego depois – respondo, ríspida.

– Bem, parece que você está realmente tentando esconder alguma coisa – Hassam diz. Sinto um arrepio pela espinha, mas o tom dele parece ter sido de brincadeira. – Eu não estou aqui para assuntos oficiais do governo, não precisa se preocupar.

– Não adianta insistir, eu não vou abrir a porta – repito, apoiando as mãos na madeira.

– Nem se eu disser que o convite é para a festa de lançamento da campanha do almirante Klaus? – ele provoca e, óbvio, eu caio feito um patinho.

Abro a porta lentamente e ele sorri, entregando um envelope grande e azul, com letras prateadas em que dava para ler o nome de Dimitri. Resisto à vontade de abrir e, de repente, algumas peças se encaixam no lugar. Se Dimitri foi convidado para essa festa, quer dizer que pelo menos existe algum tipo de contato estabelecido com o adversário de Fenrir. De repente, o interesse súbito de Fenrir começa a fazer sentido.

– Não vai me convidar para entrar? – questiona Hassam, com um sorriso.

– Não... é... – Tento dizer o nome dele em voz alta, mas vacilo. – Muito obrigada por trazer esse convite, tenho certeza que Dimitri ficará lisonjeado. Mas Rubi não gosta que eu chame estranhos para dentro de casa e...

– Rubi? – Ele levanta as sobrancelhas, surpreso. – Ah, é claro. Você é a filha adotiva de Rubi, então se está aqui, a casa é dela. Que ideia.

Lampejos da missão pipocam na minha mente. Lembro de implorar para ele entrar em contato com Rubi enquanto estávamos presos no centro de apoio e do recado enigmático que ele me passou, me convencendo de que tinha falado com ela. Eles se conhecem? Se sim, de onde?

– Bem, então, pois é. Você não pode entrar. Quer que eu assine algum papel para comprovar que você deixou esse convite ou algo do tipo?

– Ah, tudo bem – ele suspira. – Eu consigo admitir quando perco uma batalha. Não, não precisa assinar nada, Sybil. Só diga a Rubi que passei por aqui e mande meus cumprimentos a ela. Legal ver que você ficou bem depois de tudo que aconteceu.

É exatamente nesse momento que Tomás escolhe para descer as escadas. Os passos do garoto param no meio do caminho e olho na direção dele, vendo que está com uma expressão confusa.

– Oi – ele diz, olhando de mim para Hassam. – Tá tudo bem?

– Sim, tudo ótimo – respondo, estreitando os olhos para o soldado. – O moço veio trazer um convite para Dimitri e já estava de saída.

– Ele não quer tomar um chá? – pergunta, descendo as escadas e parando o meu lado. Nos meses desde que vim morar aqui, ele cresceu vários centímetros e está mais alto que eu, apesar de isso não ser exatamente difícil.

Hassam olha para mim com uma expressão de quem está se divertindo e, em vez de dizer que não pode ficar, só levanta as sobrancelhas e espera minha resposta. Fico constrangida. Se eu não o convidar, Tomás com certeza fará perguntas. Se eu convidar, é capaz que ele aceite. Por fim, tomo uma decisão.

– Você não quer tomar um chá com a gente, Hassam? – pergunto, com um sorriso falso, segurando com uma força desnecessária o convite, amassando o envelope.

– Bem, eu estou meio ocupado – o rapaz responde, para meu alívio.

– Não, por favor. Só uma xícara de chá – Tomás insiste e tenho vontade de dar um tapa em sua cabeça para ele calar a boca. – Mamãe ficaria muito irritada se soubesse que não o chamamos para entrar.

– Ah, é? – Hassam olha para mim, visivelmente segurando o riso. – Sua irmã me disse que Rubi não gosta de estranhos em casa.

– Mas se você tem um convite para Dimitri, com certeza é um amigo – Tomás responde, olhando para mim com o canto dos olhos, provavelmente se perguntando por que eu havia dito aquilo. – Por favor.

– Sim, por favor. Não faça essa desfeita – eu digo com um tom sarcástico que não é detectado por Tomás.

– Se vocês insistem tanto... – Hassam aquiesce, colocando as mãos nos bolsos.

Eu não reparo que estou segurando a porta e impedindo a passagem até que Tomás me belisca no braço. Abro caminho, lançando um olhar mortal para meu irmão adotivo, que cruza os braços.

– Por aqui – digo, fazendo um gesto para a visita e levando-o até a cozinha.

Tomás nos segue e coloca água para ferver, me obrigando a sentar na frente de Hassam para fazer sala. Largo o convite em cima da mesa e ficamos em silêncio, um encarando o outro. O soldado parece achar tudo muito divertido, mas me sinto extremamente invadida. Porém, o que eu podia esperar de um homem de Kali? Todos os que conheci eram insistentes e faziam de tudo para se aproximar, sem se importar se as meninas que eles queriam os queriam de volta. "Eu só quero conversar", era o que todos diziam.

De certa forma, minha raiva é direcionada para o lugar errado. Talvez Hassam só realmente queira saber como eu estou depois da missão, mas não tenho vontade de conversar. Se dependesse de mim, não falaria sobre nada disso nunca mais. E é irritante como agora, fora da situação de perigo, eu me sinto extremamente ameaçada pelo fato de ele ser da minha terra natal. É como se ele trouxesse um pedaço do meu passado para minha casa, um pedaço que eu não quero que faça parte da vida nova que construí.

– Qual sabor de chá você mais gosta? – Tomás quebra o silêncio.

– Ah, qualquer um serve para mim – o rapaz responde amigavelmente.

– Vou fazer igual para todo mundo então – Tomás responde e eu dou de ombros, emburrada.

– Você realmente parece minha irmã – Hassam quebra o silêncio entre nós, com um meio sorriso. – Principalmente com essa expressão de quem comeu e não gostou.

– Sua irmã. Tá – eu digo, curiosa apesar de tudo. Ele havia dito a mesma coisa (menos a parte do comeu e não gostou) quando nós estávamos na sala de interrogatório. Era muito incomum que uma família viesse para cá e permanecesse junta, normalmente eles separavam todo mundo. – Vocês dois foram sorteados juntos para vir de Kali?

– Na verdade, eu consegui uma transferência da Marinha para o Exército e trouxe ela comigo – revela, e me sinto meio burra, porque essa não é uma hipótese que passou pela minha cabeça. – É engraçado, porque o primeiro e único navio em que eu servi enquanto estava em Kali foi o *Varuna*.

Era de se esperar, porque o *Varuna* foi, durante anos, o único navio inteiramente tripulado por anômalos em Kali.

– Ele não foi desativado ou algo do tipo? – pergunto, já sabendo a resposta.

– Sim, eu me mudei para cá porque o Varuna foi aposentado. Todos que serviram nele receberam promoção pelo problema que isso causou. – Ele dá de ombros. – O que importa é que foi isso que me trouxe para cá.

Tomás volta da cozinha, colocando as xícaras de chá em cima da mesa, e sentando mais perto de mim do que de Hassam.

– Quantos anos você tem? – ele questiona, curioso. – Do jeito que você fala, parece que tem décadas que isso aconteceu.

– Ah, eu tenho 20 anos. Comecei a servir com 15, fui promovido com 18. Minha irmã tinha 14 anos quando nós viemos para cá – ele responde, e Tomás balança a cabeça, visivelmente impressionado. Hassam se vira para mim e pergunta: – Você chegou a servir antes de ser sorteada?

– Não. Eu estava na escola para aprender a ser desarmadora de bombas – digo, a contragosto. Tomás me encara boquiaberto, sem nunca ter sequer suspeitado disso. Quase nunca falo da minha vida antiga. – A senhora que cuidava do nosso orfanato fazia o possível para impedir que nos alistássemos antes da idade obrigatória.

– É obrigatório se alistar? – Tomás diz, chocado. – Mas e se você quiser ser outra coisa, como médico ou arquiteto?

– Não é obrigatório, mas, sem uma patente militar, você não consegue muita coisa – Hassam responde, um pouco pensativo. Me sinto aliviada por não ser obrigada a responder, não quero que Tomás saiba mais do que o estritamente necessário. – E paga bem. Muito bem. Eu entrei com 15 anos, quando meu pai morreu, para poder comprar comida para minha irmã e minha avó.

Fico em silêncio, querendo que mudemos logo o assunto, mas sem conseguir pensar em alguma outra coisa para falar. Se Andrei estivesse aqui, ele faria isso sem suar. Pego a xícara e provo o chá para ter algo a fazer com as mãos.

– Nossa – diz Tomás, e posso sentir os olhos dele em mim. Encaro minha xícara de chá como se fosse a coisa mais interessante do mundo. – É por isso que vocês vêm para cá?

– Não, nem todo mundo – Hassam responde, tomando um gole da bebida. – Tem gente que acha que é dever delas ficar lá e defender a nação, sabe? Se eles não continuarem a fazer isso, quem é que vai fazer?

– Esse raciocínio é idiota. Sempre vai ter alguém para fazer esse trabalho – respondo, irritada. – Eles só dizem isso porque acham que não há escolha, porque acham que não existe outra saída. Só que existe.

– Se você não fosse sorteada, o que você teria feito? – Hassam pergunta, de forma ligeiramente agressiva. – Entraria no exército e diria exatamente a mesma coisa que eles. Que outra saída você arrumaria?

Largo minha xícara em cima da mesa, derramando um pouco de chá, e encaro Hassam. Ele mantém a postura ereta de militar, mas vejo a tensão em seus olhos escuros, percebendo obviamente que passou dos limites. Tomás olha para nós dois confuso, sem entender o motivo do dilema. Tomara que esteja se arrependendo de convidar Hassam para entrar.

– Eu teria tentado todas as formas possíveis – respondo lentamente, como se ele estivesse sendo absurdo ao sugerir outra coisa. – Eu não sei qual saída eu arrumaria, mas isso não importa. Se uma desse errado, eu tentaria outra. E depois outra. Até eu conseguir. Eu não nasci para morrer em um campo de batalha por uma guerra sem propósito, e não iria descansar até que não houvesse nenhuma chance de isso acontecer.

A cozinha fica em um silêncio perturbador. Sinto minhas mãos tremerem levemente. Tomás continua a olhar de Hassam para mim, meio assustado. E o soldado encara sua xícara, parecendo envergonhado pelo seu comportamento.

— Esse chá está muito gostoso — Hassam fala de repente, mudando de assunto.

— Ah, obrigado — Tomás responde, se empertigando como se estivesse saindo de um transe. — É das folhas de chá que a gente planta no jardim.

— Foi feito por vocês? — Hassam fica espantado. — Nossa! Que legal.

Respiro fundo e não acrescento nada na conversa entre os dois, tentando me acalmar. Eu não posso perder o controle que tão cuidadosamente construí desde que deixei Kali. Em Pandora, no Continente Pacífico, eu não era agressiva dessa forma, eu não era uma *tigrinha com as garras de fora*, como havia ouvido tantas vezes. Eu não precisava me moldar às situações, afastar as pessoas para que elas não tentassem ser minhas amigas. Sim, eu estava preocupada com Naoki e com o que poderia acontecer conosco. Sim, eu estava numa enrascada que envolvia coisas que eu nem entendia. Porém, se essas preocupações fossem o preço a pagar para *viver de verdade*, eu estava mais do que disposta.

— Bem, eu estou realmente com pressa — Hassam diz, por fim, e percebo que não ouvi uma palavra do que foi dito. — Muito obrigado pelo chá e pelo bate-papo agradável.

— De nada — Tomás diz, se levantando. — Eu o acompanho.

— Pode deixar que eu o levo até à porta, Tomás. Você já fez o chá. — Caminho em direção à sala e Tomás olha para mim, parecendo duvidoso.

— Eu não tenho problema nenhum em deixá-lo na porta.

— Não se preocupe — Hassam e eu dizemos em uníssono.

Tomás fica ainda mais confuso. Eu dou de ombros e continuo, apontando para o corredor:

— Hassam, por favor.

– Já que insistem – escuto Tomás sussurrar, descrente.

Eu abro a porta de casa e Hassam passa para o lado de fora. Ele não parece surpreso quando eu o acompanho e fecho a porta atrás de mim.

– Você não me conhece – digo em tom baixo, cruzando os braços. – Você não tem direito de entrar na minha casa desse jeito, tentando falar sobre coisas que não quero conversar e que não quero que minha família saiba dessa forma. Nós não estamos em Kali.

– Não era a minha intenção. – Ele passa uma mão pela testa, como se estivesse cansado. – Eu não queria ofender você com aquele comentário, é só que, às vezes, quando se encontra alguém de Kali, é como se tudo voltasse… é muito estranho, entende.

Eu fico em silêncio porque, bem, é exatamente o que sinto. É como se eu fosse a mesma pessoa, mas houvesse uma parte de mim que pertence a este lugar e outra, a parte escondida, pertence a Kali. E falar com Hassam aqui, sem o perigo iminente da missão, puxou um pouco dessa parte que está esquecida. É diferente de falar com Dimitri, por exemplo, porque ele me recebeu desde o início. É difícil determinar quais são as diferenças.

– Pelo visto, você era um babaca em Kali – termino por dizer e ele ri alto.

– Me desculpe por isso. Eu juro que não sou assim normalmente. – Ele fica parado de forma esquisita, ainda sorrindo. – Prometo que não vai se repetir.

Dou de ombros.

– Não volte à minha casa sem ser convidado – aviso e abro a porta atrás de mim. – Se for para entregar outro convite, coloque na caixa de correio.

Ele balança a cabeça e diz, enigmático:

– Nós vamos nos ver muitas vezes ainda sem que eu precise vir à sua casa.

– Isso é uma ameaça? – Sinto um frio na barriga e o encaro.

– Não, é uma promessa. E não convide estranhos para tomar chá.

Com isso, ele se vira e caminha na direção do fim da rua. Em vez de fechar a porta, sigo observando-o até desaparecer, sem saber exatamente decifrar a montanha-russa de sentimentos dos últimos minutos.

CAPÍTULO 6

Tomás me espera na sala, com uma expressão indecifrável. Quando me vê, fica em pé e sinto um embrulho no estômago, com medo de que a conversa sobre Kali com Hassam tenha mudado a maneira como ele me vê. Pela ausência de perguntas desde que vim morar em sua casa, suponho que ele nunca sequer processou o que significava o fato de sua nova irmã ser de Kali.

– Você já o conhecia. – Não é uma pergunta, mas concordo com a cabeça do mesmo jeito. O garoto tira uma mecha da franja de cima do olho e demora um pouco a continuar, como quem pensa cuidadosamente nas palavras. – Andrei disse que eu devia ter medo de irritar você, eu acabei de entender o motivo.

Isso me faz rir e Tomás relaxa, rindo junto. Eu esperava outra reação, mas não essa. De certa forma, me sinto aliviada que ele não faça perguntas. Ele se senta em uma das poltronas, pensativo.

– Nós tivemos alguma notícia de Naoki?

– Não – suspiro. – Achei que era ela quando a campainha tocou.

– Será que é melhor a gente ir na casa dela? – ele sugere, coçando a cabeça. – Não sei se ela viria para cá.

– Talvez seja melhor ligar? – opino, sem saber o que fazer. – Não sei se aparecer lá é uma boa, ela deve estar cansada.

– Pode ser – ele concorda.

Disco o número da casa de Naoki e chama até cair, novamente. Fico inquieta e atravesso a rua para bater à porta dela, sem nenhuma resposta. Minha mente começa a navegar pelos piores cenários, como ela *não* voltar nunca mais, e me sinto ao lado de Tomás, sugerindo que façamos algo para o tempo passar.

Quando paro para pensar na quantidade de tempo que tenho para gastar desde que entrei de férias, quase entro em colapso. Ainda faltam quase dois meses para as aulas voltarem, e pensar nisso me faz querer arrancar os cabelos. Sentar e esperar não são minhas atividades favoritas e não saber o que está acontecendo me deixa corroída de ansiedade. Mas nos últimos dias – nos últimos meses, para ser sincera – é quase como se eu fosse uma espectadora, apenas assistindo os dias passarem. A única decisão que tomei foi compartilhar os arquivos com Andrei e Leon e, mesmo assim, precisei de meses para conseguir agir. Sinto vergonha por ter demorado tanto.

Em uma epifania, percebo que estou pensando exatamente como as pessoas de Kali que condenei quando estava falando com Hassam. Estou presumindo que só tenho uma opção, que só tenho uma alternativa, e me deixando consumir por ela. É tão fácil ficar de braços cruzados quando as opções são difíceis de enxergar.

– Sybil, é a sua vez. – Tomás me tira do meu devaneio, segurando o baralho como um leque em suas mãos.

– Não – eu digo, largando as cartas. Tomás olha para mim confuso, pela décima segunda vez no dia.

– Você não quer mais jogar? – ele pergunta.

– A gente vai até Prometeu esperar Naoki – respondo. O garoto abre a boca e a fecha algumas vezes antes de conseguir falar algo.

– A gente não tem autorização.

– A gente não tem autorização para descer em Prometeu, mas nada impede que fiquemos na estação de metrô.

– Uau… – ele diz, pensando por alguns segundos antes de dar um sorriso. – Caramba, você é um gênio.

– Ligue para Andrei e mande ele nos encontrar na nossa estação em quinze minutos, tudo bem? Fala pra ele lembrar de vestir amarelo.

Tomás concorda com um sorriso travesso enquanto eu subo correndo para me arrumar.

***

Andrei e Sofia estão nos esperando encostados em uma pilastra, em silêncio. Sofia está com uma jaqueta amarela por cima de um vestido preto, uma roupa bem parecida com a minha, e Andrei está com uma blusa amarelada cor de catarro, uma calça preta e com o cabelo tão desgrenhado que parece que acabou de acordar. Tomás está praticamente pulando de animação ao meu lado com a perspectiva de fazermos algo errado sem que a mãe dele saiba.

Tecnicamente, nós avisamos Dimitri sobre o que iríamos fazer. Ele tinha ligado para casa quando estávamos saindo e Tomás não conseguiu se controlar e disse que iríamos esperar Naoki na estação de metrô, embora não tivesse especificado exatamente em qual. Qual era a diferença entre esperar aqui ou em Prometeu, a cidade normal ao lado da nossa?

Andrei nos vê primeiro e se aproxima com passos largos, deixando Sofia para trás. Sua expressão é diferente da que eu imaginava, porque a testa está franzida, como se estivesse bravo. Eu paro e enfio as mãos nos bolsos da jaqueta, surpresa.

– Você enlouqueceu? – ele quase berra e quando vê que as poucas pessoas que estavam ali se viraram para nos olhar. Ele diminui o tom ao falar: – O que você está pensando?

– Nós vamos esperar Naoki, é só isso. – Tomás tenta apaziguar. – Eu expliquei no telefone.

– Você disse, Tomás, que *nós vamos para Prometeu sem autorização para descobrir onde Naoki está.* – Ele aponta para o garoto e depois olha para mim. – O que é loucura. E quando eu digo que uma coisa é loucura, vocês deviam ficar preocupados.

– Andrei, nós não vamos descer em Prometeu – explico, com calma. Olho para Tomás, repreendendo-o só com uma expressão. – Quer dizer, não vamos *sair* em Prometeu. Não é ilegal.

– Mas tem todo o lance da intenção. Se algum guarda vier questionar, nós podemos ser presos.

– Eu só tenho quase 12 anos, não posso ser preso – o garoto diz, com calma.

– Você quer testar? – Andrei sugere, irônico, e Tomás engole em seco, olhando para mim assustado. – Sybil, você está entediada? É isso? Nós podemos ir lá para casa esperar até Naoki chegar.

– Não é isso – digo. Como explicar que estou cansada de esperar?
– Você não acha que Naoki iria ficar feliz de nos ver lá?

– Você nem sabe se ela já está a caminho ou não! – ele diz, e uma mecha loira de cabelo cai em cima dos seus olhos. Ele a assopra para tentar tirá-la do rosto e, por fim, passa a mão no cabelo e coloca tudo para trás, bagunçando-o ainda mais.

– É só a gente ligar para a casa dela quando chegar na estação – respondo, cruzando os braços. – Se ela estiver de volta, a gente pega outro trem. Simples assim.

– O que vocês estão discutindo? – Sofia franze a testa, se aproximando de nós.

– Andrei acha que nós vamos ser presos e perder Naoki, mas Sybil acha que vai dar tudo certo – Tomás explica.

– Ah. – A garota olha para mim e para Andrei, com uma expressão indecifrável.

– Você pode voltar para casa se não quiser ir – eu digo, apontando na direção que ele pega o trem, irritada. – Sério, eu só chamei você porque achei que gostaria de vir comigo.

– Não, você só me chamou porque achou que eu não ia brigar com você por fazer um absurdo. Porque aposto que Leon gostaria de vir também e eu duvido que tenha chamado ele. – O garoto cruza os braços e dá as costas para mim. – Ah, deixa pra lá. Se é pra gente ir, é melhor não enrolar.

– A gente pode esperar aqui também, não tem problema – proponho, tentando fazer uma barganha. Eu realmente acho que nada vai acontecer, mas ir até lá com Andrei irritado vai ser um saco.

– Não, tá tudo bem. – Ele dá de ombros e faz um gesto para Sofia e Tomás irem na frente. Eu sigo, caminhando ao lado dele, os passos muito maiores que o meu – Mas você ainda é louca por pensar nisso.

– Ninguém está obrigando você a vir – falo, impaciente.

– Até parece que você não sabe que eu nunca deixaria você fazer nada louco sem a minha ilustre presença – ele fala, suspirando. Tomás e Sofia param um pouco distantes de nós para esperar o metrô e Andrei se vira para mim, arrumando para trás uma mecha do meu cabelo que tenho certeza que não está fora do lugar. A mão dele encosta de leve no meu rosto, e me forço a ficar imóvel. – Eu posso até não concordar com o que você vai fazer, mas nunca vou deixar você sozinha se pedir minha ajuda.

Olho para baixo e sinto minhas bochechas arderem. Encosto a cabeça em seu ombro e ele me abraça, fazendo meu coração disparar.

Quero falar algo, qualquer coisa que seja, mas não consigo formar palavras coerentes. Aquela única frase é exatamente o motivo pelo qual eu o chamei, o motivo pelo qual confio tanto em Andrei. De alguma forma, é uma confiança diferente da que tenho em Leon, mas não sei exatamente o porquê dessa distinção.

O barulho do metrô faz com que ele me solte. Fico desnorteada por um momento, sem conseguir encará-lo e, quando entramos no trem, faço Sofia e Tomás se sentarem entre Andrei e eu. Demoram alguns minutos para eu voltar a respirar normalmente e, dessa vez, tenho certeza absoluta que não é de nervosismo pelo que vamos fazer.

Depois das baldeações necessárias para chegar à linha que vai de Pandora para Prometeu, o clima fica mais leve. Tomás continua animado e Sofia o enche de perguntas sobre a escola. A garota só começará no ano que vem, e está uma série a frente de Tomás, por causa da idade. Ninguém sabe realmente quão diferente é o currículo escolar do Império e da União, então uma prova de nivelamento será aplicada para descobrir quanto Sofia já sabe e o que falta para ela aprender. Ao menos ela não ficará sozinha no colégio, já que é próxima de Tomás. Conhecer Naoki foi uma parte importante para a minha adaptação. Sorrio ao ver a sintonia entre meu irmão adotivo e sua nova amiga.

Ao longo do caminho, aproveito para contar a Andrei sobre a visita de Hassam e, sem que eu perceba, falo sobre como a experiência foi esquisita e fico alguns minutos tentando explicar a impressão que tive. Ele escuta com atenção, franzindo a testa. Só deixo de fora a ligação entre o convite da festa do almirante Klaus para Dimitri e o interesse que Fenrir tem por mim.

– E no final ele disse que vocês se veriam novamente? – Andrei pergunta, descrente.

– Ele disse que era uma promessa – afirmo, encucada ainda com aquilo. – Eu quase, quase, joguei a caixa de correio na cabeça dele.

Andrei ri e olha para a escuridão do túnel, ficando subitamente pensativo.

– O que foi? – Eu o cutuco nas costelas, esticando o braço. – Está bolando um plano mirabolante para nós conseguirmos escapar do próximo encontro inevitável com Hassam?

– Não, eu estou pensando no que ele quer com você – diz, sem se virar.

Fico em silêncio porque não sei o que responder. Eu poderia explicar como me senti invadida, porque para mim Hassam fez exatamente o que alguns garotos que queriam me namorar enquanto eu ainda morava em Kali faziam, mas algo me dizia que Andrei não queria ouvir sobre aquilo.

– Provavelmente só queria saber como eu estava depois da missão – falo, dando de ombros.

– Ah, com certeza – Andrei responde, sarcástico. – Porque realmente, nos últimos meses, vários soldados bateram nas nossas portas para saber se a gente está dormindo direitinho à noite e se estamos comendo todas as refeições.

– Você está dormindo direitinho e comendo todas as refeições? O Festival da Unificação está chegando, não vai ganhar presente se não for um bom garoto.

Isso ao menos faz ele sorrir.

Sem nenhum aviso, os freios do vagão em que estamos são acionados e a velocidade começa a diminuir abruptamente, com um barulho agudo quase ensurdecedor.

O vagão balança e me seguro nas barras de metal mais próximas. Andrei se apoia na janela e, por reflexo, passa um braço para impedir que Sofia e Tomás se machuquem. Tomás se segura na menina, com uma expressão assustada, e Sofia se agarra a Andrei. Ao longo do vagão, pessoas com reflexos mais lentos caem e lutam para ficar em pé com a mudança súbita na velocidade. Sinto o trem inclinar na direção em que estamos, e a bolsa da mulher sentada na nossa frente cai sobre mim, me acertando nas pernas. A dor que sinto é aguda e me pergunto o que ela carrega de tão pesado.

Tudo isso acontece em segundos: logo o trem fica completamente imóvel, e percebo que estamos no meio da curva que antecede a última estação da linha, a primeira em Prometeu. Ao longo do vagão, as pessoas vão se endireitando e eu me levanto, entregando a bolsa para sua dona. Verifico se Andrei e os meninos estão bem e, quando vejo que sim, caminho até ponta do vagão para ver o que está acontecendo pela janela, ajudando um senhor a se levantar no caminho.

Consigo ver a luz da estação, e como estamos em um dos vagões do final do trem, isso significa que a parte da frente do nosso trem está parada na estação. O concreto das paredes do túnel tem padrões geométricos que nunca havia percebido e, um pouco mais à frente, há a palavra Prometeu entalhada na pedra. Provavelmente deve ser alguma forma de localização para funcionários.

– Alguém se machucou? – pergunta um homem com o nariz proeminente, que aparenta ter entre 30 e 40 anos, do meio do vagão, e as pessoas respondem com murmúrios.

Mais pessoas se juntam a mim no canto, se aglomerando para tentar ver alguma coisa da plataforma. Um rapaz força a porta que separa um carro do outro, sem sucesso. Uma moça tenta abrir a saída de emergência e não consegue. No vagão à frente do nosso, dá para ver pelos vidros que as pessoas se aglomeram perto da saída.

– O que está acontecendo? – uma voz jovem feminina, vinda de trás de mim, pergunta.

– Nós estamos parados – um senhor responde.

– Ah, jura? Eu não tinha reparado – uma terceira voz responde, cheia de sarcasmo, e eu balanço a cabeça, com um sorriso, ao reconhecê-la como a de Andrei.

– Será que foi uma queda de energia? – outra pessoa no trem sugere. – Já ouvi dizer que aconteceu uma vez, quando aquele menino...

– Nem lembre daquela história – alguém responde, de forma ríspida. Pela voz rouca, antiga, suponho que seja o senhor que ajudei. – Daqui a pouco devem fazer algum anúncio.

– E se ficarmos presos aqui como o pessoal da Prova Nacional?

– Você não está ajudando, Hortênsia!

Eu me viro e vejo que o grupo atrás de mim é composto por mais ou menos oito pessoas, todas elas vestidas de amarelo. Ninguém seria ousado o suficiente de vir até aqui sem as vestimentas adequadas. Andrei está sentado com Sofia e Tomás em um lugar mais próximo de uma das portas, com os olhos atentos. Aproveito e conto todas as pessoas que estão no vagão, chegando ao número de 20. Não é muita gente, pelo menos.

– Alguém aqui tem alguma habilidade de ouvir muito bem ou algo relacionado à visão? – eu pergunto em voz alta, e todo mundo olha para mim como se eu estivesse perguntando se estão vestindo roupas íntimas. Fico constrangida com a reação, mas continuo. – É a melhor maneira de descobrir algo rapidamente.

– Ah, eu tenho. – O senhor se levanta, se apoiando em uma bengala para chegar até onde estamos. O grupo ao meu redor se dispersa, olhando para mim com curiosidade. – O que você quer saber, menina?

– Você consegue ouvir ou ver alguma coisa vinda da plataforma? – pergunto, apontando na direção. – Não estamos muito longe, dá para ver a luz se você se espremer na janela.

– Eu preciso que vocês fiquem em silêncio se quiserem que eu escute – ele diz, apontando a bengala para um casal de adolescentes que conversa aos sussurros. Eles se calam, fazendo caretas. – Muito bom. Me ajude a sentar aqui, minha filha.

Eu o ajudo e ele tira dois plugues do ouvido, encostando a cabeça na janela e fechando os olhos. O vagão fica em silêncio e o homem de meia-idade se aproxima de mim e cruza os braços, com o olhar fixo no senhor sentado. Demora uma eternidade até que ele abra os olhos e recoloque os plugues no ouvido, mas ainda assim ele continua em silêncio.

– O que aconteceu? – o homem mais novo pergunta, se abaixando para ficar da altura do senhor. – O que o senhor ouviu?

Em vez de responder, ele faz um gesto teatral e, como em um passo de mágica, os alto-falantes do vagão estremecem com um anúncio:

– Atenção. Ninguém deve sair na próxima estação. Repito: Ninguém deve sair na próxima estação. Deixem as portas livres para a entrada dos passageiros e se acomodem para a viagem de volta.

Um silêncio pesado toma conta do vagão e a confusão que eu sinto é aparente no rosto de todos ali, menos no senhor e no homem ao lado dele. Ele se levanta devagar e vira de costas, mas consigo ouvi-lo xingar baixinho. Acho que todos estão prestando atenção em nós, porque, logo a seguir, somos cercados por várias pessoas que gritam e querem saber o que está acontecendo. Eu tento me esquivar, mas tudo o que consigo fazer é me sentar ao lado do velhinho. Ele dá dois tapinhas na minha perna, como se estivesse me agradecendo.

– Calma – o homem diz, se virando. As pessoas se aproximam mais ainda, falando todas ao mesmo tempo. Se eu estou angustiada com isso, não consigo imaginar o que ele está sentindo. Por fim, estica as mãos e grita: – CALMA! Sentem-se, está tudo sob controle!

Os passageiros se afastam com o olhar um pouco vidrado e se sentam, em silêncio. Vejo algumas pessoas balançando a cabeça, com expressões confusas. Observo bem o homem de meia-idade e percebo que usou algum tipo de manipulação, que deve ser o seu poder.

– Esse moço quer me deixar surdo – o velho resmunga, mexendo nos ouvidos.

– O que está acontecendo? – eu sussurro para ele.

– Meu nome é Jorge Cruz e eu sou do Departamento de Segurança de Pandora – o homem de meia idade se apresenta antes que o senhor consiga responder, com as mãos na cintura e assumindo uma postura mais profissional. – Eu peço que não entrem em pânico. Esse é um procedimento padrão para quando existe um grande número de anômalos transitando em Prometeu, então não fiquem nervosos.

– Mas eu tenho um compromisso em Prometeu! – a mulher da bolsa diz, mexendo nervosamente nas alças, vários fios de cabelo castanho saindo do seu coque apertado.

– Eu sinto muito, mas terá de remarcá-lo – Jorge responde em um tom calmo. – Eu sei que vocês estão assustados, mas é um procedimento padrão. Já aconteceu algumas vezes antes.

– Algumas vezes? – o senhor comenta ao meu lado, com deboche, mas a uma altura que só eu consigo ouvir. – Aconteceu uma vez só, no início das Cidades Especiais.

– Hã? – Eu me viro para ele, curiosa. Jorge continua a tirar dúvidas dos outros passageiros, mas paro de prestar atenção nele. – O senhor estava lá?

– Claro que eu estava. Minha família foi uma das primeiras de anômalos a ir para Pandora – diz, a voz embargada de nostalgia. – Na época, nós não precisávamos de autorização para vir para cá. O abastecimento não era tão bom, então, em um inverno, ficamos sem nada para comer e praticamente toda a cidade decidiu pegar o metrô e vir para Prometeu. Foi uma loucura! Interditaram a cidade e ninguém pôde sair de nenhum dos trens. Eu tive de caçar animais no bosque perto da minha casa por uma semana até que nos trouxessem mais comida.

Fico completamente aturdida, e o senhor bate com os nós dos dedos no meu joelho.

– Foi por isso que votaram, às pressas, a lei que nos proíbe de ir para os lugares sem autorização – balança a cabeça, pensativo. – O que será que vai vir para cima de nós desta vez?

– Vocês ficaram sem comida? – eu repito, porque não consigo imaginar isso acontecendo aqui, mesmo há muito tempo.

– Ah, era bem normal nos primeiros anos, menina. Eles não faziam ideia do quanto precisávamos! Agora que somos nós que administramos essa parte, as coisas estão melhores. Alguns bairros mais distantes do centro ainda têm certa escassez, mas faz parte. – Ele dá de ombros, como se aquilo fosse bobagem.

Não consigo processar as informações direito, quase como se estivesse ouvindo aquilo embaixo d'água. É absurdo que em algum momento, mesmo em um passado muito distante, pessoas tivessem passado fome aqui, onde há tudo em abundância. E o pior de tudo é saber que era que tinha sido de propósito, porque não queriam se dar ao trabalho de calcular o quanto de comida seria necessária para abastecer toda uma cidade. O pensamento de que esse é o início de algo muito pior se aloja em minha mente e fico angustiada. Como se já não bastasse fazer com que todas as pessoas, ou melhor, todos os *anômalos*, tenham ficado presos por horas e horas no dia da Prova Nacional, ainda mais essa. E se resolvessem interditar as Cidades Especiais, o que iríamos fazer? E se a comida começasse a faltar, o que aconteceria?

Me levanto, nervosa. Um barulho de ferro batendo em ferro começa a se aproximar, antecipando um trem na direção oposta. Quando passa, nosso trem chacoalha todo e posso ver que os vagões do outro lado estão lotados, com pessoas espremidas contra os vidros. Nosso carro começa a se mover bem devagar e caminho na direção do meu grupo, me segurando nos apoios.

Quando a plataforma entra na nossa visão, fico completamente sem palavras.

Nunca, *nunca* vi tantos anômalos reunidos em um só lugar, espremendo-se uns contra os outros. Perto do embarque, um cordão de policiais impede que as pessoas se joguem contra os carros do metrô, e a tensão para conter a multidão é visível. Em alguns pontos, as pessoas empurram mais e, mesmo de dentro do metrô, consigo ouvir a cacofonia de gritos.

Quando o metrô para e as pessoas empurram os policiais contra os vagões, balançando o carro em que estamos, reparo que essa foi a maior loucura que já fiz na minha vida, por vontade própria. Onde eu estava com a cabeça quando decidi que seria uma boa ideia vir até aqui para me encontrar com Naoki? É impossível distinguir quem é quem na bagunça que é o lado de fora.

As luzes no teto do trem piscam duas vezes, com chiado, e a lâmpada mais próxima de Tomás explode. As pessoas gritam assustadas e se afastam. Tomás se encolhe no banco, com o rosto enfiado entre os joelhos, e eu me sento ao lado dele, passando a mão pelos seus ombros e sussurrando palavras calmas. Ele se agarra em mim e não faço ideia do que fazer em seguida. Sofia está piscando entre Tomás e Andrei, aparecendo e desaparecendo, provavelmente contra sua vontade. Andrei segura a mão dela e ela se materializa, a expressão parece com a da menina assustada que era cobaia na ilha dos dissidentes.

A pressão no vagão se alivia quando as pessoas se movem, quase como um cardume, na direção do início do trem. Os policiais se afastam das paredes e consigo ver que nenhum deles tem a faixa amarela que os identifica como anômalos. Meu estômago se revira, pressentindo algo horrível. Eles começam a cercar a multidão, com seus cassetetes à mostra e com seus escudos em punho, pastoreando as pessoas como se fossem gado. Tenho um calafrio quando vejo que estão pressionando ainda mais a multidão, que já está esmagada, pessoas subindo umas por cima das outras, braços e pernas entrelaçados, sem espaço. Os gritos ficam piores, mais distantes, e me controlo para não me levantar e ir ver o que está acontecendo. No banco mais à frente, o senhor que conversou comigo cobre o rosto e parece cada vez mais frágil. Até o tal Jorge Cruz, do departamento de Segurança, está com uma expressão meio enjoada, como se aquilo fosse demais para suportar.

E então acontece tão rápido que mal consigo ver. No canto mais longe da multidão, um pouco depois do nosso carro, uma comoção começa. Uma parte dos policiais se destaca da formação e vai averiguar. Aproveitando a distração, um garoto sai correndo e passa por eles, chegando até nosso vagão. Ele bate na porta freneticamente, pressionando o rosto contra o vidro da porta, e demora alguns segundos para as pessoas mais próximas da porta tentarem forçá-la para que se abra. Tomás me segura com mais força, as unhas fincando no meu braço com força, e eu o aperto de volta. De onde estou, vejo o grupo de oficiais caminhando em nossa direção arrastando *alguém*.

Paraliso, e um grito ecoa. Só percebo que fui eu quando olho em volta procurando pelo responsável, mas tudo está um caos.

As pessoas na porta berram coisas desconexas e só consigo ver o movimento de um dos policiais puxando o garoto grudado na porta pela gola da sua camisa amarela e jogando-o no chão ao lado da outra pessoa, que foi arrastada até lá. Não há dúvidas do que ele está fazendo, com o cassetete subindo e descendo, e escondo meu rosto no cabelo de Tomás, mordendo os lábios para não gritar mais.

Isso não era para acontecer aqui. Aqui era o lugar civilizado, em que tratavam as leis de outra forma. Aqui é onde existiam chances de sobrevivência. Esse tipo de violência não pertence ao Continente Pacífico, não pertence a Prometeu ou a Pandora.

De todas as emoções, é a raiva que me domina. Meus músculos se retesam e preciso me controlar para não fazer nada impensado, porque minha vontade é de arrebentar a porta e impedir aquela brutalidade. Sinto o gosto de sangue na minha boca e fecho os olhos, contando os segundos para me concentrar em algo que não vá nos meter em mais problemas. Minhas bochechas estão ardendo em chamas e, se não estivesse abraçando Tomás, tenho certeza de que estaria tremendo.

Fico tão preocupada em me controlar que não presto muita atenção ao que acontece ao meu redor até ouvir um barulho alto e súbito, que reverbera por toda a estação. Meu reflexo é rápido devido a anos de treinamento. Me abaixo e levo Tomás comigo, protegendo-o com meu corpo, ao mesmo tempo que estilhaços de vidro começam a chover de todas as direções. As lâmpadas piscam algumas vezes e se apagam, deixando apenas a luz fraca do sistema de emergência. Os gritos se transformam em ecos de fundo e, pelo barulho do lado de fora, a multidão está correndo na direção oposta a do trem.

– O que está acontecendo? – Tomás sussurra para mim de forma entrecortada.

– Shhh. Você se machucou? – pergunto e tento me levantar, mas minhas pernas estão bambas e escorrego, caindo sentada no chão.

Respiro fundo e fico de joelhos para limpar os cacos de vidro da roupa antes de me endireitar. Sinto meu coração batendo na garganta e levo a mão até meu peito antes de olhar para Tomás, que examina suas próprias mãos com uma expressão culpada. Os pedaços de vidro são tão pequenos que os cortes que fazem são fios minúsculos, daqueles que ardem ainda muito tempo depois. Como ele parece bem, levanto o rosto para ver se Andrei foi tão rápido quanto eu para proteger Sofia, mas não os vejo em lugar nenhum.

– Andrei? – pergunto, minha voz saindo fraca. Limpo a garganta e chamo novamente: – Sofia?

– Eles estão aqui. – Tomás abaixa as mãos, uma delas parece segurar o ar, se fechando ao redor de um cilindro invisível. – Eu acho que Sofia se descontrolou com o medo.

– Esse é o lado bom de ter uma mutação como a minha. Não me descontrolo – digo, mas logo me arrependo ao lembrar da mulher dissidente ressequida da missão. Ao que tudo indica, existem alguns detalhes da minha anomalia que eu ainda não conheço por inteiro. Limpo minhas mãos no tecido do vestido e estreito os olhos, vendo que os cacos de vidro da região ao lado do Tomás não estão realmente no chão. – Eles estão bem?

– Sofia. – A voz rouca de Andrei vem do meu lado direito, e instintivamente viro a cabeça na direção. – Sofia, acorde!

Os dois aparecem e o garoto ajuda a menina a se sentar. Ela parece atordoada e tem uma grande quantidade de cortes nas pernas e no rosto. Andrei parece ileso enquanto verifica a extensão dos machucados de sua irmã adotiva.

– Sofia, você tem de se lembrar que só porque é invisível não quer dizer que as coisas não podem te acertar – ele fala em seu tom despreocupado, embora sua expressão diga o oposto. – Vocês dois estão bem?

– S-sim – Tomás responde e, segundos depois, Jorge, o cara do departamento de segurança, se aproxima com a mesma pergunta.

– O que está acontecendo? – exijo saber, me apoiando no assento para ficar em pé como ele. O homem me ajuda, segurando com firmeza meu braço.

– Pânico – ele responde e não preciso que ele explique mais que isso quando analiso a situação.

A estação está iluminada a meia luz pelas lâmpadas de emergência que ainda restam no metrô, e todos os vidros estão estourados, espalhados pelos vagões e pela plataforma. A multidão está comprimida do outro lado, tentando voltar para Prometeu e se afastar do trem. Do outro lado, um grupo de policiais da tropa de choque tenta empurrá-los de volta para o trem, para voltarem para Pandora, mas a multidão não se mexe, comprimida demais, sem saída. Vejo pessoas caídas em vários lugares, chorando, desesperadas. Sinto minhas pernas fraquejarem mais uma vez, mas o senhor me segura com firmeza.

– Mantenha seus amigos abaixados. Eu não sei o que pode acontecer agora – Jorge pede. – E você está sangrando, faça algum curativo. Eu vou fazer o possível para nos tirar daqui rápido.

– Certo – concordo com a cabeça, reparando em uma ardência no meu rosto. A adrenalina esconde qualquer dor no corpo.

– Eu posso precisar de você em breve, então, por favor, respire fundo e tente manter a calma.

Não digo nada e ele me ajuda a sentar com delicadeza, passando por nós para chegar ao próximo grupo de pessoas, repetindo as explicações e verificando todos. Tomás me pergunta o que está acontecendo e dou uma descrição vaga e menos dramática. Andrei tenta se levantar para ver e peço que ele fique abaixado. Com isso, ele olha para o meu rosto com atenção pela primeira vez desde que tudo aquilo começou.

– Sybil, pra variar um pouco, sua boca está suja de sangue. Como você consegue essas façanhas?

Umedeço os lábios e passo as costas da mão por eles, tentando me limpar. Sofia tira a jaqueta e enrola as mãos nela, murmurando algo sobre elas arderem. Alguém chora em um dos cantos do vagão, mas os sussurros e o medo das outras pessoas parecem muito distantes. Olho para as minhas mãos e vejo vários arranhões, mas nenhum profundo. Tudo parece um pesadelo. A qualquer minuto vou acordar e descobrir que é só mais uma noite mal dormida. Começo a empurrar os estilhaços para debaixo dos bancos com os pés e Tomás me ajuda nessa tarefa. Vários minutos se passam, ninguém entra em nosso vagão e os barulhos do lado de fora não diminuem. Quando o chão está quase limpo, o trem sacoleja e começa a andar. A luz fraca da estação dá lugar à escuridão quando os vagões entram no túnel para dar a volta e retornar à Pandora.

A culpa por nos fazer passar por isso quase me sufoca, e tenho a sensação de que o que vimos é só o começo de algo muito, muito pior.

CAPÍTULO 7

O trem segue uma rota diferente para o centro de Pandora, em uma estação que fica próxima ao hospital. Médicos e enfermeiros nos esperam na plataforma e nos obrigam a formar filas para passar por triagens. As pessoas mais machucadas são levadas imediatamente para o edifício e as que estão como nós, com alguns arranhões e muito assustadas, são atendidas uma de cada vez.

O tempo da viagem foi suficiente para me deixar ainda mais nervosa por Naoki e Brian, e espero encontrá-los aqui, em uma das filas. Em vez disso, reconheço entre os médicos um homem negro alto com o cabelo rareando. O pai de Leon acena para nós, em visível confusão, e faz um sinal para entrarmos na fila à sua frente. Andrei nos guia pela multidão até lá, segurando Sofia pelos ombros.

– Ah, crianças! – ele exclama preocupado quando chegamos mais perto, antes de chamar a próxima pessoa da fila. – Onde vocês estavam? O que vocês estão fazendo aqui?

Meus três companheiros olham para mim em silêncio, e não tenho escolha a não ser responder.

– Oi, senhor Breno. A gente foi para Prometeu – digo, com um sorriso sem graça. – Para esperar o pessoal sair da prova.

O rosto dele passa por todos os espectros da preocupação e termina com uma expressão séria muito parecida com a do filho. Ele conversa com uma mulher com um inchaço na cabeça por poucos minutos antes de liberá-la e chama a próxima pessoa da fila, que é Sofia, e pede para todos nos aproximarmos.

– Vocês estão bem? – Breno pergunta, segurando as mãos de Sofia. – Tem algum corte mais fundo?

– E-eu só me arranhei nos vidros – Sofia responde de forma tímida. – Mas ardeu muito no caminho, pode ter infeccionado?

– Ardeu como se você tivesse se cortado com papel? – ele pergunta carinhosamente, pegando um algodão embebido em antisséptico e passando nas mãos dela. Sofia olha para ele confusa e depois olha para nós, que estamos calados ao lado. – Ah, tudo bem. Você só precisa tomar um bom banho quando chegar em casa e lavar bem os arranhões. Depois, tente passar isso aqui nos machucados.

Ele entrega um frasco para ela e se vira para Tomás.

– E você? Se arranhou em algum lugar?

Tomás balança a cabeça, mas Breno resolve examiná-lo mesmo assim. Depois, ele o libera e vira para mim e para Andrei. Eu estendo os braços e decido me defender, antes que ele comece algum interrogatório ou uma bronca.

– Eu protegi Tomás com meu corpo, minhas mãos estão arranhadas. Eu acho que minhas pernas também, porque escorreguei no vidro – falo, e Andrei olha para mim como se eu estivesse louca.

– Hum… – O pai de Leon me examina em silêncio e limpa os arranhões dos meus dedos. Arde um pouco. Depois, parece um pouco constrangido e entrega gaze para eu limpar os outros ferimentos. – Sua mãe ligou para mim, Andrei, perguntando sobre vocês. Aparentemente, Rubi chegou em casa e não encontrou vocês, e pensou em ligar para a casa de Andrei. Como ele também não estava lá, suas mães deduziram que vocês estariam juntos e Leon também. Elas estão bem preocupadas.

Olho para baixo, arrependida. O médico examina Andrei também, ainda falando em tom calmo.

– Eu não vou dar uma bronca em vocês, mas queria que pensassem da próxima vez antes de fazer algo tão estúpido e sem sentido como o que fizeram hoje. Ir para Prometeu sem autorização e sem avisar ninguém é extremamente perigoso. O hospital está recebendo casos horríveis de pessoas pisoteadas à beira da morte, e vocês poderiam ter sido uma dessas vítimas se não tivessem tanta sorte. – Ele coloca as mãos nos quadris e olha para a fila enorme atrás de nós e depois para a gente, com uma expressão cansada. – Eu os deixaria em casa se não tivesse tantas pessoas aqui precisando de ajuda, mas não posso largar o trabalho agora. Então, por favor, liguem para casa e avisem que estão aqui.

– Nós vamos fazer isso, senhor – Andrei afirma e depois aperta a mão do pai do nosso amigo. – Obrigado por nos atender.

– Não se preocupe. – Breno faz um sinal com a mão. – Não deixem de ligar para casa.

Passamos por ele, desviando de enfermeiros apressados e pacientes assustados, e encontramos Tomás e Sofia nos esperando do outro lado das triagens. Tomás se apoia em mim e passo uma mão pelo seu ombro. Em pouco tempo não conseguirei mais fazer isso, ele está cada vez mais alto. Quando penso que algo mais sério poderia ter acontecido com ele, eu o aperto mais forte, me sentindo envergonhada de nos ter colocado naquela situação. Se algo acontecesse a ele, eu nunca me perdoaria. Andrei e Sofia caminham do outro lado, anormalmente silenciosos. Eu só estou esperando o momento em que Andrei vai abrir a boca para dizer que tinha razão desde o início, que não deveríamos ter saído de casa, que me faltava paciência. Esse momento nunca vem. Em vez disso, ele nos leva sem que eu perceba na direção dos telefones públicos instalados no canto perto dos banheiros da estação e liga para casa. Eu o imito, usando uma moeda da carteira para completar a ligação. O telefone chama até cair a linha e minha moeda é cuspida pela máquina. Tento novamente, sem sucesso.

Acho que nunca me senti tão culpada na minha vida. Talvez essa seja a coisa mais estúpida que já fiz até hoje e sinto náuseas quando penso no que o pai de Leon falou antes, de como fomos sortudos. Se tivéssemos saído de Pandora dez minutos antes, estaríamos lá, no meio daquela confusão, tentando voltar para casa, e não teríamos encontrado Naoki. Eu nunca faria algo assim se fosse em Kali, nunca. Isso tudo é absurdo, essas coisas simplesmente não acontecem aqui. Não *podem* acontecer.

– Meu pai disse que Rubi foi até a estação esperar por nós faz alguns minutos – Andrei diz, desligando o telefone. Ele se vira para Sofia e explica: – Minha mãe teve que ir trabalhar.

– Só vamos para casa, tudo bem? – Sofia pede de forma quase inaudível. – Eu não aguento mais.

Não há muito mais o que fazer e nós seguimos um caminho subterrâneo até a estação central. Acho os caminhos estranhos, porque a estação onde desembarcamos é uma que nem sabia que existia. Normalmente, o trem de Pandora para na primeira estação da cidade e faz baldeação com a linha Central, que leva até a estação principal, da onde saem todas as outras linhas da cidade. Quantas estações como essa, escondidas, existem? O que será que acontece no subterrâneo de Pandora enquanto nós vivemos nossa vida na superfície?

Me sinto extremamente paranoica, mas não compartilho minhas teorias. Nenhum dos meus companheiros está disposto a conversar e, pela forma que Andrei evita olhar para mim, tenho certeza de que está com raiva. Pegamos a linha marrom, na direção de Bonanza e dos bairros mais afastados naquela direção, e quando finalmente chegamos à estação onde preciso descer, Sofia e Andrei se despedem de nós com um aceno.

Somos os únicos do trem a descer naquela estação, Tomás extremamente nervoso ao meu lado. Avistamos Rubi sentada em um dos bancos da plataforma, com as mãos na cabeça e uma expressão desolada. Como eu pude achar que ficaria tudo bem? Como pude ser tão egoísta e fazer algo tão perigoso?

– Mãe? – Tomás chama quando nos aproximamos e eu não consigo olhar para eles, minhas bochechas queimam de vergonha.

– Tomás! Sybil! – Rubi exclama e a próxima coisa que sei é que estou em seus braços junto com Tomás, envolvida em um abraço apertado. Ela encosta o queixo em cima da cabeça de Tomás e posso ouvi-la suspirar e sentir seu coração acelerado contra meu corpo. – Eu quase morri de preocupação! Quando eu soube da confusão… quando eu entendi… eu achei que…

Ela nos aperta novamente e, ao meu lado, Tomás funga e a agarra com força. Eu relaxo nos braços da minha mãe adotiva e a abraço de volta, sentindo o cheiro do seu perfume. Sem aviso nenhum, todo o peso dos últimos meses, de tudo que preciso esconder, toda a insegurança de não saber o que estou fazendo e nem entender direito o que está acontecendo me domina, e agarro Rubi com ainda mais força, tentando engolir o bolo que se forma em minha garganta. Meus olhos ardem e antes que eu possa impedir, lágrimas pesadas escorrem dos meus olhos. Respiro fundo, fazendo um barulho alto, e tento me controlar, mas não consigo. Eu não consigo. É uma espiral sem fim, quanto mais me esforço, mais lágrimas vêm.

– Me desculpa, por favor – eu soluço, entre lágrimas, levando as mãos aos olhos para enxugá-los. – Me desculpa!

– Sybil... – Rubi diz e me aperta mais forte. Tomás não me soltou ainda e a preocupação dos dois é pior ainda.

– Não se preocupe com isso.

– Me desculpa – digo, fungando alto e sorvendo o ar. Fecho os olhos e me sinto inútil por não conseguir fazer nada direito. Eu repito, dessa vez com mais dificuldade, porque estou ofegante: – D-d-desculpa.

– Meu amor! – ela exclama, levantando meu rosto e tirando meu cabelo grudado nas bochechas molhadas. A expressão dela é tão suave, tão preocupada que escondo meu rosto, sem conseguir controlar mais uma torrente de lágrimas. – Não precisa... Olha só, vocês passaram por coisas terríveis. É normal ficar desse jeito. Eu só estou feliz que vocês estejam bem.

Demoram sete séculos para eu me acalmar até que eu paro de ser ridícula no meio da estação. Rubi me conduz até nossa casa com cuidado, como se eu fosse uma boneca de porcelana, e tenho vontade de gritar. Mesmo depois do que eu fiz, mentir para ela e levar o filho dela para o meio da confusão, nos colocar em risco de maneiras que eu sequer imaginava, ela ainda é muito gentil comigo. Seria muito melhor se ela tivesse gritado e me xingado e me deixado de castigo para o resto da vida. Com hostilidade eu consigo lidar, mas a gentileza dela me desarma.

Quando chegamos em casa, Dimitri nos recebe e, ao ver meu estado, pergunta o que aconteceu. É claro que volto a chorar como uma idiota, até soluçar e perder o ar. Ele e Rubi tentam me acalmar, mas é preciso um chá e algum tempo para que eu pare. No final, todos nós sentamos no mesmo sofá, com Tomás agarrado a mim, e Dimitri liga a televisão no programa mais besta possível. Minha cabeça dói e recosto no ombro de Rubi, tentando esvaziar minha mente de tudo.

E é assim que durmo as melhores horas de sono desde que cheguei à Pandora.

CAPÍTULO 8

No dia seguinte, Naoki se joga na minha cama assim que o dia raia. Minha cabeça está pesada e latejando, mas quando abro os olhos e vejo o rosto conhecido da minha vizinha, me levanto em um salto e a abraço.

– Naoki! Você está bem?! Mal posso acreditar! – Eu a aperto com força e a menina me abraça também, rindo.

– Claro que eu estou bem, Syb – ela diz, revirando os olhos. – Eu sei que vocês ficaram preocupados, mas nem foi tão ruim assim ficar tanto tempo esperando. Conheci uma menina superlegal que estava sentada do meu lado e a mãe dela é uma atriz famosa! – Ela para um instante, pensativa. – Bem, eu esqueci o nome dela agora, mas o que importa é que ela quer ir para a Universidade de Artes, que nem eu! Ela estava me contando das festas em que foi escondida, porque ela mora no bairro de Tália, e é incrível. Ela disse que sempre tem umas luzes que deixam tudo escuro, mas se você se vestir de branco, fica brilhando igual uma lâmpada.

Eu encaro Naoki boquiaberta, um pouco chocada pelo ritmo frenético com o qual ela fala. Não que seja alguma novidade, mas com toda a preocupação que passei e por tudo o que presenciei ontem, eu esperava que ela estivesse... *diferente*. Ela toma meu silêncio como sinal para continuar.

– A prova foi superfácil, aliás. Você não vai ter problema nenhum pra passar e, com certeza, vai conseguir ir para uma posição elevada. Sempre é muito chato ver as pessoas fazendo drama porque não conseguem vaga, mas é assim mesmo, né? Se você não chega cedo, é óbvio que não vai entrar. Não tem lugar pra todo mundo fazer a prova – ela continua, sentada ao pé da minha cama, enquanto eu tento despertar de vez, apertando os olhos. Minha cabeça lateja mais ainda. – E foi *superbabaca* alguém ter tentado sabotar a prova. Agora talvez tenham que cancelar tudo, imagina que absurdo? Vão fazer todo mundo voltar lá outro dia para refazer o teste. E aí, ainda por cima, por causa dessa bobagem, eles *trancaram* todas as Cidades Especiais. Ninguém mais pode sair, as pessoas só podem entrar. Ainda bem que papai concordou em ficar em Prometeu até hoje de manhã e me levou para comprar roupas novas. Aliás, eu comprei um negócio pra você! Quer ver?

Eu pisco algumas vezes e tento processar as informações que ela está fornecendo. As Cidades Especiais foram trancadas? Como assim? Lembro das palavras do senhor no ônibus sobre como Pandora foi interditada e como faltou comida. Meu estômago se revira só de pensar que isso pode acontecer e olho para Naoki, ainda aturdida. Como a menina parece estar tão calma, tão focada em presentes e roupas como sempre? Ela não tinha visto a confusão de ontem? Ela não consegue pensar em quão ruim isso vai ser para todos nós?

– Eu… Você disse que interditaram a cidade? – pergunto, passando a mão no cabelo.

– Sim, ridículo! – ela diz, saltando da cama. – Eu vi no jornal hoje de manhã antes de virmos para cá. Aliás, desculpa não ter ligado ontem, acabei esquecendo quando meu pai disse que ia me levar para fazer compras. Vocês devem ter ficado preocupados, né?

– Sim – eu murmuro, me levantando também. – Você não imagina quanto. Brian ficou com vocês?

– Ah, sim – Naoki responde, de forma meio tímida. – A mãe dele não pode ficar por muito tempo lá por causa dos irmãos mais novos, sabe? Aí ela pediu para meu pai cuidar de nós dois.

– Então ele também está bem?

– Claro! – Ela cruza os braços, olhando para mim. – Você está com uma expressão horrível, o que aconteceu?

– Nada – respondo. – Eu só preciso de um minuto no banheiro, ok?

– Mas não demora, você vai adorar o presente que comprei pra você.

Concordo com a cabeça, pego uma muda de roupas e vou até o banheiro, meio cambaleante. Lavo meu rosto e me olho no espelho. Meus olhos estão um pouco inchados e parece que chorei até adormecer, ou que no dia anterior levei um soco. Considerando tudo o que aconteceu, as duas possibilidades poderiam ser consideradas verdadeiras. Apoio as duas mãos na pia, fechando os olhos por um instante. Não sei o que me faz me sentir tão mal, se é o fato de a bobagem que fiz ontem ter sido para nada, porque nunca encontraríamos Naoki de qualquer forma, ou se é ter visto aquela cena horrível, com as pessoas desesperadas, a repressão desnecessária. Ou pior, se é porque Naoki não parece se importar nem um pouco e fazer pouco caso do que aconteceu. Talvez seja melhor assim. Talvez seja bom que pelo menos um de nós não fique assombrado com o que ocorreu e leve tudo de forma natural.

Troco de roupa e volto para meu quarto. Naoki está sentada na minha cadeira, com os pés em cima de minha escrivaninha, com um livro nas mãos. Quando me vê, fecha-o e pega um pacote quadrado que está em cima da mesa e me entrega. Olho para ele por tempo demais e Naoki fica em silêncio, me observando.

– Você não vai abrir? Como o Festival da Unificação está chegando, pensei que poderia comprar algo para você usar, sabe? É comum dar presentes, mas eu queria que você usasse lá – fala, parecendo constrangida. – Eu sei que você não está acostumada com presentes, mas...

– Obrigada. – Faço meu melhor para sorrir e abro o pacote, revelando um tecido amarelo-canário.

O tecido tem uma textura molhada e é maleável como água, e a borda é excepcionalmente trabalhada com pelo menos um palmo de azul escuro em baixo, em padrões geométricos que se repetem. Tem muito tecido, e só quando o abro inteiro entendo o que estou vendo.

– Você me comprou um...

– Um sári! Eu tenho um yukata do mesmo tecido, ele é uma delícia. Como a parte mais legal do festival é se vestir como os ancestrais das nossas terras natais, achei que você iria gostar de ir combinando mais ou menos comigo. – Ela dá um sorriso enorme. – Você vai ficar tão bonita! Vem, me ensina a usar.

Não sei nem como explicar a ela que não sei colocar um sári, que só porque sou de Kali não quer dizer que eu saiba vesti-lo corretamente.

Porém, faço-a se levantar e tento me lembrar o melhor possível das poucas vezes que vi alguém usando um. Há um conjunto de roupas que usam por baixo que Naoki não comprou, mas uso a barra da calça dela para segurar o tecido. No final, o resultado é mais ou menos bom e dá para enganar alguém que não sabe como é feito, mas me sinto uma farsa.

– Pronto – falo, fingindo entusiasmo, e ela dá uma volta em torno de si. O tecido é ainda mais bonito no corpo e deixa Naoki extremamente elegante. – É lindo mesmo, muito obrigada.

– De nada! – ela exclama, despindo um pedaço de tecido que cobre o ombro. – Agora você precisa provar. A moça disse que deveria ser muito grande, mesmo depois que eu disse que você é baixinha.

– É um tamanho único de tecido – explico, e a ajudo a tirar. Depois, me enrolo no tecido de qualquer jeito. Pelo menos estou ocupando minha cabeça com outra coisa.

– Ah! Ficou ótimo em você. – Naoki bate palmas e me faz dar uma volta. – Nossa, o festival desse ano vai ser o melhor da história! Nós vamos ver a parada em Prometeu e os fogos do Parque da Nação. Eu sempre danço com as outras meninas, quem sabe você também não se junta ao pessoal que é descendente do povo de Kali este ano?

– É, talvez. – *Isto é, se nós pudermos ir para Prometeu até lá*, acrescento mentalmente. – Muito obrigada, eu gostei muito.

– De nada. – Ela me abraça. – É muito bom ter uma amiga como você, sabia?

Concordo em silêncio, me perguntando o que exatamente ela quer dizer com "como eu". *Relaxa*, penso comigo. *Eu não preciso estar tão tensa com Naoki, ela é minha melhor amiga, afinal.*

Quando descemos para tomar café, descubro pelo relógio da sala que é quase hora do almoço. É fim de semana, então Rubi e Dimitri estão em casa. Rubi está na sala, escrevendo em um caderno com capa de couro, e escuto risadas de Tomás e Dimitri do lado de fora, no quintal.

– Olha só quem acordou – Rubi comenta quando me vê e se levanta, vindo até mim. – Naoki tocou a campainha e achei que você gostaria de vê-la.

– Sim, obrigada – digo, com um sorriso sem graça. – Ela me deu um presente lindo.

– Ela me disse que tinha alguma coisa para dar a você. Depois você me mostra – Rubi diz, cautelosa. A percepção dela sempre me espanta, mesmo quando não está usando o seu poder de conseguir captar impressões e sentimentos de objetos. – Você está melhor?

– Sim, estou. Obrigada por tudo e desculpa po…

– Não se preocupe. – Ela coloca uma mão em meu ombro, me interrompendo.

– O que aconteceu? – Naoki pergunta, preocupada. – Você passou mal, Sybil!? Minha nossa, suas mãos! O que foi isso? Você caiu? Deveria ter me contado! Eu não ficaria enchendo o seu saco se eu soubesse e…

– Não foi nada – Rubi fala, me impedindo de responder. – Ela comeu alguma coisa estragada e estava meio indisposta, não é?

– Foi, lá na piscina. Aí, ontem à noite, eu me senti meio tonta e derrubei um prato e me cortei – minto descaradamente, ficando grata com minha mãe adotiva por saber que eu me sentiria muito mal se minha amiga soubesse que eu havia tido uma crise de choro por sua causa no dia anterior.

– Que perigo! Eu já disse a você que a comida daquelas barraquinhas é nojenta! – Naoki exclama e me puxa pelo braço. – Se você passou mal ontem, precisa comer alguma coisa bem forte hoje para não ficar desidratada. Ainda tem um pouco daquele bolo que Dimitri fez para o café da manhã, Rubi?

Rubi afirma com a cabeça, com um sorriso indecifrável no rosto. Sou praticamente arrastada pela minha amiga enérgica até a cozinha, que me obriga a sentar e comer uma maçã, um pedaço de bolo e beber três copos de água. Depois, ela se senta na minha frente e começa a tagarelar infinitamente sobre todas as histórias que a menina que ela conheceu na prova contou sobre a Universidade de Artes, sobre como é ser filha de uma atriz, sobre festas que não quero saber nem frequentar. Eu basicamente balanço a cabeça nas horas certas e murmuro alguns "uhums" e "ahhh", desligando meu cérebro completamente do que está sendo dito.

Há um efeito colateral de toda essa falação, porque percebo que enquanto Naoki sabe exatamente que quer ser uma cantora famosa e tem passos bem definidos para chegar lá, eu nem sei como vai ser minha vida amanhã. Eu nunca planejei muito mais além de sair de Kali e conseguir uma vida melhor. Agora que estou aqui, o que é que eu quero? O que vou fazer quando terminar a escola? Ir para uma faculdade? Não tenho vontade de fazer isso. As coisas não são tão simples, mesmo que Naoki ache que são. Ela nunca vai poder fazer sucesso entre os humanos, e será para sempre uma cantora anômala.

O monólogo de Naoki é interrompido pelo som da campainha. Rubi grita que vai abrir e logo vozes dominam o corredor. Tenho certeza de que já ouvi a voz feminina que conversa com Rubi, mas não consigo decifrar de onde a reconheço, até que Andrei aparece na porta da cozinha, com os braços cruzados e com uma expressão anormalmente séria. Meu coração dá um pulo quando encaro seus olhos. Ele parece mais pálido que o normal. Ao ver Naoki, porém, Andrei relaxa e veste sua máscara de gaiatice que não me engana mais.

– Quem é vivo sempre aparece! – ele graceja, encostando no batente da porta. – Como foi o cativeiro?

– Não foi um cativeiro – Naoki diz, com um muxoxo. – Eu conheci uma menina muito legal que pode ser minha amiga no futuro, quando eu for para a faculdade.

– Você já está tentando trocar a Sybil por outra pessoa? – ele brinca, e eu sinto vontade de me esconder embaixo da mesa. Naoki fica sem graça, e isso me ofende mais que a brincadeira de Andrei. Uma expressão de arrependimento passa pelo rosto dela, mas dura poucos segundos. – Bem, nós ficamos preocupados com você e com Brian. É bom ver que está tudo bem com você.

– Obrigada – ela diz, mas o clima continua esquisito. – Sofia veio com vocês?

– Ela ficou em casa com meu pai, descansando. Ela não está muito bem. – Andrei olha para mim quando diz essa parte e sei que ele quer conversar comigo sobre o que aconteceu ontem.

Me sinto mais envergonhada do que nunca quando penso em Sofia e em Tomás e no que os dois passaram, especialmente Sofia, que ainda está se adaptando aqui. Se para mim foi um choque, não consigo imaginar o que ela estava sentindo.

– Ela comeu a mesma comida que Sybil? – Naoki se preocupa. – Nossa, é muito perigoso comer essas porcarias na rua.

– Eu disse exatamente a mesma coisa – Andrei responde com uma indireta, sentando-se ao meu lado finalmente. – Mas nenhuma das duas quis me escutar e deu no que deu.

– Não parecia tão ruim assim – me defendo. – Eu juro que estava com uma cara de que não iria fazer mal.

– Mas fez. E agora parece que nem fazia muita diferença ter comido ou não, para início de conversa. – Ele olha para mim e para Naoki, e entendo exatamente o que ele quer dizer. De repente, começo a ligar pontos e percebo que ele não vai muito com a cara de Naoki, e por isso está me dando indiretas. Fico meio chocada, mas me controlo para não fazer expressões que me entreguem. – Aliás, Naoki, teve muita confusão na estação quando você veio para cá? Ouvi alguém dizer que teve um tumulto e a polícia estava obrigando as pessoas a entrarem nos trens contra a vontade delas.

A garota não percebe que nossa conversa sobre a comida foi, na verdade, sobre a minha tentativa frustrada de ir encontrá-la e explica para Andrei o que aconteceu, e que ela só voltou hoje de manhã. Ele olha para mim com uma expressão de "eu avisei" e eu o chuto na canela por debaixo da mesa. O garoto se encolhe um pouco e Naoki estreita os olhos na nossa direção, mas acredita quando ele diz que esbarrou no pé da mesa sem querer. Em retribuição, ele me belisca na perna e eu o chuto novamente. É ridículo, porque estamos discutindo da forma mais infantil que existe, mas isso é quase um conforto para não termos que nos enfrentar com palavras.

– Aliás, por que você está aqui, Andrei? – Naoki pergunta, afinal, e eu cruzo os braços, esperando para ver como vai se sair dessa.

– Na verdade, minha mãe veio aqui para conversar com Rubi e me trouxe junto, porque eu queria ver se Sybil estava bem – ele responde. – Aliás, onde está Tomás? Ele também comeu da comida estragada, não foi?

– Nossa, e ele está lá fora com Dimitri? – Naoki se levanta, arregalando os olhos. – Ele não pode fazer nada de exercício, será que Dimitri sabe disso?

– Por que você não vai ver como ele está? – Andrei sugere gentilmente, mas é óbvio que tudo que ele mais quer é que ela saia da cozinha.

Não sei o que Naoki entende, mas ela olha para mim e para ele e concorda com a cabeça devagar. Antes de sair, ela me olha de soslaio, me dando um sorrisinho.

Andrei espera exatamente dez segundos e apoia os cotovelos no tampo da mesa, olhando para mim com um sorriso triunfante.

– Bem, é isso que você ganha por ser impulsiva.

– Não venha brigar comigo sobre ser impulsiva – reclamo, cruzando os braços. – Eu aceito qualquer pessoa falar isso, menos você. E eu não tinha como saber!

– Foi exatamente o que eu disse. Você não tinha como saber, logo não precisava fazer.

– Mas se fosse assim, ninguém nunca faria *nada*. – Encaro-o exasperada. Os olhos dele descem dos meus e percorrem a cozinha antes de voltar para mim. – Eu fui porque me importo. E, sim, foi uma droga o que aconteceu, mas não tinha como adivinhar, né? Se você pudesse prever o futuro, você nos deixaria ir? Não. E é isso. Já passou, já era, é só não repetir.

– Sofia está em casa desolada e com medo de sair, Sybil. Você sabe o que é isso? Ela ficou assustada com o que viu. – Ele passa as mãos no cabelo loiro, espetando-o para cima. – Eu fiquei assustado com o que eu vi, nunca pensei que eles tratariam a gente assim e…

– Eu não fiquei assustada. – Apoio as mãos na minha testa, olhando para o tampo da mesa. – Andrei, eu fiquei com *raiva*. Se eu não tivesse me controlado, não sei o que teria feito. E aí eu acordo hoje, com a cara inchada de tanto chorar, e Naoki diz que *esqueceu* de avisar que estava bem. Esqueceu?! Como se fosse uma bobagem, como se fosse um dia como outro qualquer. Eu não…

– Você chorou? – O tom dele é de preocupação, e ele se vira para mim na cadeira, ficando ainda mais próximo. – Sybil, você…

– Ah, por favor. Já foi ridículo demais. – Levanto a mão para impedi-lo de continuar e suspiro. – Só… me lembre de ouvir você da próxima vez que estiver sendo mais sensato que eu, tudo bem?

– Eu deveria gravar isso para usar como prova no futuro. – O menino ri e arruma uma mecha do meu cabelo que nem percebi que estava fora do lugar. Eu sorrio como resposta e olho para baixo, percebendo como ele não precisa nem esticar o braço para me alcançar. Me sinto esquisita com a proximidade e, quando a porta da cozinha se abre, levo um susto e quase dou um salto para me afastar de Andrei.

Rubi e Zorya não parecem nada surpresas em nos ver ali. A mãe de Andrei está diferente da última e única vez que a encontrei, e se veste mais casualmente. O cabelo loiro está solto, caindo por seus ombros, e seu vestido é florido, deixando-a com um ar mais alegre e jovem. Lado a lado com Rubi, porém, ela parece minúscula e cansada, como se as flores no vestido fossem para compensar seu estado mental.

– Onde está Naoki? – Rubi pergunta.

– Lá fora – respondo, apontando com a cabeça.

– Ah! – Zorya diz e olha para Rubi com um sorriso torto parecido com o do filho. – Algum de vocês pode ir chamá-la? Nós precisamos conversar.

Se a conversa fosse só comigo e com Andrei, tenho certeza de que seria uma bronca por termos ido para Prometeu sem avisar ninguém e sem autorização, colocando Tomás e Sofia em risco, além de nós mesmos. Com Naoki na equação, não faço ideia do assunto. Eu me ofereço para ir chamá-la e saio no quintal, vendo que Dimitri, Tomás e ela estão em pé, distantes da única árvore do terreno, carregada de frutas arroxeadas.

Dimitri usa um estilingue para tentar derrubá-las. Como a anomalia dele é ter *mira perfeita*, há uma cesta quase cheia de frutas aos seus pés. Ele entrega uma pedra para Tomás, que a rola nas mãos antes de devolvê-la. Quando nosso pai adotivo puxa o estilingue e solta, a pedra atinge um galho bastante carregado e explode em vários fragmentos, derrubando várias frutas de uma vez só. Tomás e Naoki riem e Dimitri o parabeniza. Naoki sai para recolher as frutas e Dimitri se vira, finalmente me vendo parada ali.

– Sybil! Quer uma? Elas estão deliciosas – ele oferece, guardando o estilingue no bolso e jogando uma das frutas na minha direção. Eu a pego e limpo a terra com uma das mãos.

– Obrigada! Tomás, parabéns. Você está ficando cada vez mais preciso com esse negócio de energizar pedras, hein? – digo, apertando a casca da que está em minha mão, deixando uma marca enrugada no formato do meu dedo. Me viro para minha amiga, que está perto da cesta cheia. – Naoki, Rubi e a mãe de Andrei chamaram você. Eles precisam conversar com a gente sobre alguma coisa.

– Ah. Certo. Vocês ficam bem sem mim? – ela pergunta para Tomás, e o garoto acena positivamente.

– Nós já vamos entrar daqui a pouco – Dimitri diz, sorrindo para a garota. – Temos quase o suficiente para a geleia, não é, Tomás?

– Sim – o menino diz e pega outra pedra, agora maior. – Sybil, antes de entrar, olha o que eu consegui fazer mais cedo.

– Você vai tentar de novo? – Dimitri pergunta, parecendo preocupado.

– Não tem problema – Tomás fala e fecha as duas mãos em torno da pedra. Depois, ele a lança na direção da árvore. Ela explode em cinco pedaços quando está bem próxima dos galhos. Três deles acertam as frutas, mas só duas delas caem. Os outros dois vão parar do outro lado, na casa do vizinho, e escuto um gato dar um miado de susto.

– Minha nossa! – exclamo. – Eu acho que você acabou de matar um gato. Espero que não seja Dorian.

O garoto ri e Dimitri aperta seu ombro, visivelmente orgulhoso.

– Eu consegui concentrar energia suficiente para que ela se divida em uma quantidade certa de pedaços! Eu só consegui com três e cinco até agora, mas com mais treino devo conseguir mais, né, tio Dimitri?

– Quando você tiver a minha idade, provavelmente vai conseguir fazer o que quiser – Dimitri responde, com um meio sorriso.

– Parabéns – Naoki fala, mas seu tom não é tão animado quanto antes. – Foi impressionante, Tomás.

– Obrigado – o garoto diz. – Mais uma vez, com você usando o estilingue, tio?

Eu e Naoki entramos na casa e Zorya e Rubi estão sentadas na mesa da cozinha, cada uma com uma xícara de chá, conversando com Andrei. Eles param abruptamente quando nós entramos e tenho certeza que estavam falando sobre o que aconteceu ontem. Zorya se levanta, animada.

– Ah, Naoki! Como vai? Eu ouvi falar muito bem de você. – Ela abraça a garota e a cumprimenta com dois beijinhos. – É muito bom finalmente conhecê-la.

– Obrigada... – Naoki responde, constrangida, e olha para mim como quem pede por ajuda. – Eu também ouvi falar da senhora.

– Não, não, não me chame de senhora. Eu não sou tão velha assim. – A mãe de Andrei a solta. – Pode me chamar de Zorya. Bem, agora que vocês estão aqui, nós podemos começar, não?

Rubi concorda com a cabeça, entediada.

– Eu estava conversando com Rubi sobre como os últimos meses foram tensos com o fim do ano letivo e, agora que estão de férias, vocês mereciam alguma diversão, sabe? Alguma distração – ela explica, e o tom que usa deixa óbvio que não é só sobre fim das aulas que está falando. Naoki não faz ideia do que aconteceu na missão, só que Ava não voltou, mas minha amiga também fica tensa com o que não é dito. – Pensei em levar todos vocês para alguma viagem, mas seria bem complicado. Mas aí lembrei que perto do Festival da Unificação tem a festa que meu chefe faz todos os anos. E é muito divertido. Andrei sabe, ele sempre vai comigo.

Eu me apoio no balcão da pia e olho para Zorya descrente. É *assim* que ela vai dar um jeito para eu aparecer lá sem levantar nenhuma suspeita? Se não fosse tão exagerado, diria que Fenrir criou toda aquela confusão na estação só para poder criar uma cobertura para os planos dele. E ela ainda ousa aparecer na minha casa daquele jeito, manipulando minha família e meus amigos para conseguir o que o chefe dela quer.

Absurdo.

– Bom, a comida é bem boa – Andrei confessa, em vez de dizer que não, não, é horrível, ninguém precisa ir.

– E várias pessoas da idade de vocês – a mãe dele acrescenta, olhando para Naoki, esperançosa. – E é de gala, então todo mundo precisa ir vestido de forma elegante, o que significa vestidos bonitos e boa maquiagem.

É claro que esse argumento funciona. Naoki parece brilhar na cozinha com a ideia de um baile com pessoas bem vestidas e bonitas. Ela olha para mim com um sorriso enorme, sua empolgação quase contagiante. Minha amiga não diz nada, provavelmente com vergonha de dar um vexame na frente da mãe de Andrei, mas está obviamente esperando por uma resposta minha. Dou um sorriso de má vontade e cruzo os braços, ainda segurando uma fruta do quintal, cada vez mais enrugada.

– Bem, se Rubi deixar, eu não vejo por que não... – digo tentando mostrar pelo menos um pouco de curiosidade, mesmo quando eu sei que nada de bom pode me esperar naquela festa.

– Eu já deixei, só depende da sua vontade de querer ir – Rubi concorda, apoiando o cotovelo na mesa e me encarando. – Pode ser bom para variar um pouco e conhecer outras coisas além das que nós podemos mostrar.

– Então... – Eu dou de ombros e tenho a impressão que Zorya parece estar um pouco decepcionada com o que Rubi diz, mas ela não deixa transparecer muito e volta a sorrir.

– Vai ser ótimo! – Zorya diz. – Nós podemos marcar um dia só para as meninas e arrumar os cabelos e as unhas.

– Mal posso esperar! – Naoki me agarra pelo braço. – Vamos precisar dos vestidos mais bonitos e de sapatos também! E não podemos ir para Prometeu, será que vamos ter de esperar? Ah não...

Sinto aquela raiva novamente esquentando minha garganta e meu peito e preciso morder meus lábios para não gritar e mandar Naoki calar a boca. Na minha mão, a ameixa se transforma em algo seco, completamente enrugado, várias vezes menor que o normal. Olho para ela e respiro fundo, tentando retomar o controle. Bom, pelo menos alguém vai se divertir com toda essa história.

Só espero que esse alguém não seja Fenrir.

CAPÍTULO 9

Os dias que se seguem parecem um exercício de autocontrole. Eu não sabia que era capaz de ter tanta raiva assim sem um motivo claro. Na maioria das vezes, a irritação principal é comigo mesma, por aceitar os acontecimentos sem fazer nada para impedi-los. Não é só o sentimento de que eu estou no meio de algo que não compreendo, mas a falta de visão sobre o que vai acontecer a seguir. Não saber qual é o próximo passo é frustrante e a energia dentro de mim só cresce, e fico assustada quando percebo que seria capaz de qualquer coisa para liberá-la.

Começo a juntar várias comidas, que acabo secando sem querer com minha ansiedade: muitas ameixas, pedaços de maçãs, biscoitos, pães e peras. Preciso aprender a me controlar para não machucar ninguém, mas me sinto uma aberração e não quero pedir ajuda. Inevitavelmente, me lembro de Ava e da missão, e sobre como poderíamos ter dado um jeito de salvá-la. A morte dela paira como uma sombra, como um aviso.

Fico quatro dias sem falar com Leon e com Andrei, e é óbvio que no quinto dia eles aparecem em minha casa, com expressões gêmeas de preocupação, e quase fecho a porta na cara deles. Estou a ponto de explodir e não quero que eles sofram com as consequências da minha raiva, que não é direcionada a eles. Porém, não tenho muita escolha porque Andrei entra em casa antes que eu possa impedir e dá passagem a Leon.

– Eu não estou a fim de fazer nada hoje – aviso, cruzando os braços. – Vocês não vão me convencer a sair de casa.

– Nós não viemos aqui para isso – Leon responde, virando o rosto na minha direção. – Andrei me contou o que houve.

– Você veio até aqui para me dar uma bronca? Está alguns dias atrasado – respondo ríspida, e Andrei se encolhe atrás de Leon.

Leon se aproxima de mim e, no espaço pequeno do hall de entrada da casa, ele parece duas vezes mais alto do que realmente é.

– Quem é você e o que fez com a Sybil?! – Andrei pergunta, em tom de chacota, tentando aliviar o tom.

– Chega. – A voz de Leon não dá margem para discussão. – Não é por isso que estamos aqui. Nós podemos ir para o seu quarto para conversar?

– Não tem ninguém em casa, não faz diferença.

– Você está assim por causa... de Fenrir? – Andrei pergunta, se aproximando de Leon. Dou um passo para trás e encosto na parede, me sentindo encurralada. – Sybil, ele veio atrás de você? Você está bem?

– Não é sobre ele – respondo com mais violência do que pretendia, e Leon vira a cabeça para a esquerda e exibe o indício de um sorriso. – Não é! Leon, pare com essa cara de "Eu sou supersensitivo, eu sei que você falou um tom acima do normal e por isso está mentindo".

– Eu não tenho essa cara – o garoto protesta em defesa.

– Você está fazendo essa cara bem agora – Andrei responde, em um tom resignado. – Sybil, você sabe que nós estamos aqui para te apoiar. Você não precisa ser arisca assim.

– Mas não é sobre ele, eu estou falando a verdade. Por favor, vocês podem parar de me colocar contra a parede?

– Nós não estamos te colocando contra a parede, Sybil, só estamos preocupados... – Leon para de falar quando Andrei o cutuca.

– Ela quis dizer literalmente, Leon. Mais alguns centímetros e ela não tem para onde fugir.

– Ah. – Ele e Andrei se afastam e eu respiro fundo. Leon espreme os lábios. – Se nós estivéssemos sentados isso não estaria acontecendo.

– Que seja – eu digo e os guio até meu quarto. Estou de saco cheio da cozinha e de todas as conversas desagradáveis que aconteceram nela na última semana.

Andrei se acomoda na minha cama, sentado com as pernas cruzadas, e Leon pega a cadeira da minha escrivaninha. Fico em pé, com os braços cruzados, sem saber exatamente o motivo de estarmos ali. Então, vejo a pilha de papéis que Leon coloca sobre minha escrivaninha e lembro que não faz nem uma semana que revelei os arquivos para eles e que havíamos começado a traduzi-los, da nossa maneira. Sinto vergonha por não ter nem pensado nisso desde o dia em que fomos para Prometeu, principalmente porque era algo do meu interesse.

– Vocês estão aqui por causa do arquivo? – pergunto, a culpa transparecendo na minha voz.

– Andrei esteve trabalhando na parte dele – Leon diz.

– E nós nos encontramos nos últimos três dias para ver se conseguíamos descobrir algo.

– Eu não fiz nada, mil desculpas – respondo sem olhar para nenhum dos dois. Sinto vontade de bater a cabeça na parede, porque a única coisa que eu podia fazer, na verdade, foi a que esqueci.

– Tudo bem – Leon responde. – Eu acho que com essa história da festa do chefe da mãe de Andrei, você e Naoki devem estar ocupadas com vestidos e essas coisas, né?

– Ah, não. – Levo as mãos ao rosto, exasperada. – Não. Eu estou trancada no meu quarto, ocupada com meus livros de mistérios e crimes…

E raiva. E frustração. Não termino a frase, mas Andrei olha para mim como se soubesse exatamente o que estou pensando.

– Você devia se preocupar com o vestido que vai usar, Sybil – ele sugere. – A festa é de Fenrir, mas você deveria roubar todas as atenções. Ele ficaria muito irritado se isso acontecesse.

– Por mais que a ideia de irritá-lo seja interessante, eu prefiro passar despercebida – digo, em um suspiro. – Você vai com a gente, Leon?

– Minha mãe está em dúvida ainda, ela diz que a música deve ser muito alta e vai me confundir e me machucar – o garoto responde, balançando na cadeira. – Meu pai diz que é bom para eu ir me acostumando, porque quando eu entrar na faculdade é bem provável que não more em um prédio vazio.

Concordo com um resmungo quase incompreensível. Não sei se gostaria que Leon fosse. Não tenho ideia do que vai acontecer por lá, mas quanto menos pessoas Fenrir usar para me chantagear, melhor. Andrei se endireita na cama e encosta na parede, pensativo.

– As pessoas da minha escola antiga… elas vão estar lá. – Ele hesita em continuar, desviando o olhar para a colcha de cama. – Não todas, mas a maior parte. Eu morava naquele bairro em que as pessoas trabalham na televisão ou no Senado, perto do centro. Sabe aquele, com prédios altos, apartamentos imensos e coberturas com jardins suspensos e um monte de frescurites? Então, era lá. A família de praticamente todos os meus ex-colegas tem algum tipo de ligação com Fenrir. Não é um bairro muito grande, todo mundo se conhece...

Eu e Leon ficamos em silêncio, sem saber o que responder para aquela declaração. Andrei nunca falava de sua vida antes de se mudar para o nosso bairro, mas é óbvio que não era querido em sua escola antiga. Ele não tinha amigos na nossa escola até grudar em mim e se incorporar ao grupo de amigos de Naoki.

– Você mudou de escola tem quase três anos, Andrei – digo, quebrando o silêncio. – Seja lá o que aconteceu antes disso, está no passado. A menos, é claro, que você tenha algum podre que não quer que a gente descubra.

A minha brincadeira surte o efeito desejado e Andrei dá uma risada curta, sem levantar os olhos. Tenho vontade de sentar ao seu lado e abraçá-lo, de dizer que não precisa ficar nervoso, mas, em vez disso, me sento no chão.

– Leon, não viemos aqui para isso. – Andrei levanta os olhos para o amigo. – Conte para Sybil o que aconteceu.

Leon fica em silêncio por mais alguns segundos e tenho quase certeza de que trava uma conversa silenciosa com Andrei. Quando foi que os dois ficaram tão próximos? Sobre o que estavam conversando quando eu não estava presente? Pisco algumas vezes, percebendo que estou sendo irracional novamente.

– Nós deciframos um pedaço da parte do Andrei do arquivo e achamos que talvez você já queira saber. A menos, é claro, que prefira esperar decifrar tudo para não ter nenhuma ideia precipitada com base em alguma tradução errada ou algo assim – Leon explica, falando rápido.

– Vocês já descobriram alguma coisa? – exclamo. – Uau, isso foi bem rápido!

– Vamos apenas dizer que eu não tive muita coisa para fazer desde que você decidiu se trancar em casa. – Andrei dá de ombros.

– Você sabe... Você tem outros amigos além de mim. Tipo o Brian.

– Brian está esquisito desde que voltou da prova. – É Leon que responde, exasperado. – Todas as vezes que o chamei para sair com a gente, ele disse que estava ocupado.

– Então sobraram vocês dois e aí decidiram que o melhor a fazer era... – Faço um gesto, sem saber direito como completar a frase.

– Você quer saber ou não? – Leon me corta, ansioso.

– Quero! – respondo de imediato.

– Mas você tem de me prometer que não vai fazer nada impensado – Leon adverte, e quase fico com outro pico de fúria.

– Palavra de honra – digo em vez disso, deixando que a curiosidade fale maior do que a impotência que tenho sentido.

Leon faz um sinal para Andrei, que enfia a mão no bolso de trás da calça sem se levantar, fazendo um malabarismo esquisito para tirar um papel de lá. Ele o abre com cerimônia e aperta os olhos.

– Que letra horrível – ele reclama.

– Foi você mesmo que escreveu – Leon diz, com riso na voz.

– É exatamente por isso que não copio nada durante as aulas.

– Sua letra parece bem legível nos bilhetes que você me manda – digo e caminho até ele, arrancando o papel da mão dele. – Me dá isso aqui.

– Quando escrevo para impressionar, minha letra é legível. Nesse caso...

– Você escreveu na língua dos dissidentes? – pergunto, apertando os olhos para entender o que está escrito no papel. Tem um "r" e alguns "a", mas, em geral, parecem rabiscos sem sentido.

– Olha pelo lado bom, ninguém nunca vai suspeitar de nada. – Ele pega o papel de volta e eu sento ao seu lado na cama. – Ah, lembrei!

Encaro-o com expectativa e ele olha para o papel novamente, franzindo a testa, antes de começar a narrar o que está escrito:

– "*Titanic III* foi o quarto navio construído para a frota de transporte de força de trabalho de Kali para as grandes plantações da região equatorial da União. A insistência em continuar a utilizar tecnologias ultrapassadas torna a neutralização uma tarefa fácil, e este navio não apresenta nenhuma das ferramentas de proteção e armas de neutralização presentes nos outros navios da Marinha dos territórios membros da organização." – Ele faz uma pausa, respirando. – "Como o grande

Coronel *Nome-não-traduzível* dizia, parece que eles querem que nós os ataquemos."

Fico em silêncio esperando que ele continue a ler, mas, em vez disso, Andrei dobra o papel e o coloca em minha mão. Solto um grunhido de frustração, tentando organizar meus pensamentos. Minha primeira reação é indignação, porque mesmo com aquele pequeno trecho, fica óbvio que o naufrágio não foi um acidente. Minha raiva, tão próxima à superfície, se direciona agora ao Império. Como eles ousavam fazer aquilo com pessoas inocentes? Não importava se a União parecia estar pedindo por um ataque, as pessoas que ali viviam certamente não estavam. Essa sempre foi a parte da guerra que eu nunca entendi e nunca entenderia: como todos parecem esquecer que, antes de sermos cidadãos da União ou do Império, somos pessoas.

Porém, as cenas que vi no metrô voltam à minha mente e puxam com elas o bloqueio das Cidades Especiais, as notícias saídas no jornal nos últimos dias sobre a evacuação de anômalos dos bairros mistos que ficavam nas cidades normais, as missões de que nós participamos... O fato de, segundo Leon, sempre haver alguém que não volta delas, e por fim, a última visão que tive de Ava antes de cair da janela na ilha... *Talvez a União estivesse pedindo pelos ataques*. Talvez aquela fosse a maneira mais limpa de se livrar de um problema, de se livrar dos refugiados. Sinto um frio na barriga e respiro fundo para me controlar.

Na cadeira à minha frente, Leon aperta os lábios em uma linha de preocupação e sei que fez o mesmo raciocínio que eu. Se não tivesse pensado nisso, não estaria aqui e não teria enrolado tanto para me mostrar o que é basicamente um único parágrafo.

– É só um pedaço. Nós precisamos trabalhar no resto antes de chegar a qualquer conclusão – Leon diz devagar, apoiando o queixo nas mãos de forma pensativa. – Não dá para saber nada mesmo antes de verificarmos tudo.

– Nós devemos ficar de olho, de qualquer forma. – Pulo da cama, amassando o papel em uma das mãos. – Podemos ver as notícias sobre os outros naufrágios e pesquisar sobre os outros navios.

– Não – Leon responde, se levantando também. – Não, é perigoso demais, Sybil. Você sabe o que aconteceu da última vez que inventei de meter meu nariz onde não devia.

Olho de verdade para o garoto à minha frente. Ele parece uma figura alienígena no meu quarto, com sua cabeça quase encostando no teto baixo do sótão, com seus olhos assustadoramente brancos e sua pele escura. Tento me colocar em seu lugar pela primeira vez, percebendo padrões que ninguém mais percebe, lutando para conseguir confirmar uma teoria sozinho, tendo a ajuda de apenas um amigo. Penso na missão que nós fizemos e no medo e na recusa de entregar algum de nós para um destino desconhecido. Como deve ter sido viver isso duas vezes? E, do mesmo jeito, ele aceitou se arriscar para me ajudar com esses arquivos, mesmo sabendo que pode vivenciar tudo isso novamente. Sinto uma gratidão imensa e me aproximo, abraçando-o. Leon fica tenso, surpreso, mas depois relaxa, me abraçando de volta.

– Tudo bem – digo, por fim. – Vamos ficar só com a tradução.

Os dois garotos parecem surpresos, e Andrei se senta na beirada da cama, com seu pé encostando na batata da minha perna.

– Eu achei que a gente ia ter que brigar, com direito a gritos e tapas na cara – ele brinca, olhando para nós dois.

– Se ela insistisse, eu não iria resistir. – Leon dá dois tapinhas na minha cabeça e eu o aperto mais. – Ai, você quer quebrar minha costela?

– Obrigada. – Solto-o com um sorriso imenso, que ele não consegue ver. – Mas você está certo. É melhor não abusar da sorte.

Andrei apoia o cotovelo no joelho e olha para mim, com um meio sorriso. Leon suspira, aliviado, e volta a se sentar, passando a mão pela cabeça. Andrei continua olhando para mim e seus lábios viram uma linha fina, tensa, como se soubesse o que estou pensando: se eu fizer tudo sozinha, nenhum deles vai correr perigo.

CAPÍTULO 10

O bloqueio às Cidades Especiais prossegue da mesma forma. Todos os dias, trens cheios de anômalos chegam à Pandora, vindos das mais diversas cidades de Arkai. Não entendo o motivo de retirarem os poucos anômalos que vivem nas cidades normais, nos chamados bairros mistos, e Dimitri anda tão ocupado com a alocação dessas pessoas nos bairros mais periféricos que praticamente não o vejo para perguntar o motivo por detrás disso.

Vamos ao centro da cidade, em uma tarde, para tomar sorvete, e praticamente todas as calçadas dos quarteirões próximos à sede do governo estão lotadas de pessoas acampadas em barracas, com sacolas de roupas e utensílios domésticos diversos empilhados. A presença de pessoas vestidas de preto posicionadas em cada esquina, armadas com cassetetes e revólveres, me deixa perturbada. Seus uniformes são adornados com um triângulo azul claro costurado do lado esquerdo do peito, para diferenciá-los dos policiais anômalos com suas faixas amarelas no uniforme. A forma como seus olhos nos seguem por cada canto me faz sentir como uma criminosa.

A sorveteria está fechada, com um aviso sobre a falta de matéria prima, sem previsão de reabastecimento. Naoki reclama o caminho inteiro de volta, indignada que, em plenas férias de verão, com todo o calor que está fazendo, o sorvete tenha acabado, mas todos os outros ficam em silêncio. É impossível não sentir que algo grande está prestes a acontecer.

Ir ao mercado também é uma atividade cada vez mais deprimente. As prateleiras estão bem mais vazias, e tenho a impressão de que todas as pessoas na fila estão levando mais produtos enlatados do que precisam. Dimitri e Rubi começam a fazer conservas com as verduras que compramos, além de fazer um estoque de batatas e começarem a trocar a geleia feita com as ameixas do nosso quintal por outras compotas vindas das casas dos nossos vizinhos.

Zorya não consegue autorização para ir até Prometeu conosco para alugar vestidos para a festa, nem mesmo com a ajuda de Fenrir. Passamos uma tarde inteira no closet exageradamente grande dos pais de Andrei, provando vestidos, sapatos e penteados. Acho engraçado como as roupas se dividem claramente entre as que pertencem à mãe de Andrei, as que são do figurino de Madame Charlotte e as roupas masculinas do pai de Andrei. As perucas de Madame Charlotte são fascinantes, com cabelos que parecem de verdade, e faço um penteado trançado em uma delas com a autorização de Zorya. Sofia e Naoki se divertem muito mais que eu porque meus pensamentos estão em outro lugar. Não consigo abandonar o sentimento de que há algo de errado acontecendo, e que não deveria me preocupar com essas frivolidades enquanto existem outras coisas bem maiores acontecendo.

Por fim, apesar de provar cinco vestidos diferentes, escolho um preto, bem simples e sem alça, com alguns detalhes brilhantes discretos e um par de luvas pretas que cobre meus braços até acima dos cotovelos. Eu e Zorya somos praticamente do mesmo tamanho, então nenhum ajuste é necessário. O sapato é uma luta à parte, pois Zorya quer me convencer a usar um daqueles saltos imensos, e eu quero calçar uma sandália baixa. Acabo cedendo e escolho uma sandália com salto médio quadrado e Naoki me faz andar com ela por três dias seguidos, porque eu não posso parecer uma "pata choca" no dia da festa.

Na manhã que antecede o evento, tento avançar um pouco mais para desvendar o que está escrito nos arquivos sobre o *Titanic III*. Vou até a biblioteca do bairro vizinho e consigo descobrir mais alguns símbolos com a ajuda de um dicionário, sendo que um deles se repete várias vezes, e sinto que obtive ao menos uma vitória nesse dia, que promete ser horrível. Eu ainda não tive coragem de procurar mais informações sobre os navios, mas não é como se eu estivesse correndo contra o tempo.

***

Quando chega a hora da festa e de me arrumar, o ritual mais parece como uma preparação para uma batalha. Não faço ideia do que acontecerá à noite, nem do que Fenrir quer, mas não posso deixar que isso me abale. Preciso de todas as ferramentas e de todas as forças para conseguir dançar conforme a música que ele tocar. Os últimos dias me fizeram perceber que, se eu permitir, Fenrir acabará me atropelando. Se eu fechar os olhos e deixar o medo me dominar, nunca vou encontrar uma saída.

Nosso ponto de encontro é a casa de Andrei, e, lá, um carro comprido, como se tivesse uma extensão no meio, está esperando por nós. É tão luxuoso que chega a ser ridículo, nunca vi nada do tipo. Somos oito pessoas, contando com os pais de Andrei. Leon, Brian, Andrei e o pai estão vestidos todos da mesma maneira, com ternos, variando só a cor das camisas por dentro. Por um momento, sinto inveja deles, por não serem obrigados a ficar dias treinando para andar direito com um que te obriga a praticamente se equilibrar na ponta dos pés. Nós estamos cada uma de uma cor: eu de preto, como na maior parte das vezes, Naoki de verde, e Sofia, de azul. O vestido de Sofia combina com a blusa de Andrei, e suponho que Zorya tenha obrigado o garoto a fazer par com a irmã adotiva.

Charles, o pai de Andrei, abre a porta do carro para nós, e não reparar no sorriso de Zorya é impossível. É como se ela estivesse muito orgulhosa pela existência do marido e, quando entramos no carro, ela se acomoda ao lado dele e os dois basicamente desaparecem em um mundo só deles. Eu vivo ouvindo Andrei falar sobre como a mãe quase nunca está em casa por causa do trabalho, mas é visível o quanto os dois se gostam.

Trinta e cinco minutos depois, entramos pelos portões dourados que demarcam a propriedade de Fenrir, que fica em um lugar afastado de Prometeu e de Pandora, onde as casas são imensas e os terrenos maiores ainda. Por algum motivo, não compartilho a surpresa dos outros quando percebem que a casa do nosso anfitrião é, na verdade, um castelo, daqueles que a gente vê nas fotos, heranças de séculos atrás.

O carro nos deixa em uma reentrância, onde outros automóveis igualmente elegantes deixam os convidados da festa. Meu vestido se engancha em algo e quase caio em cima de Andrei, que me segura pela cintura e me ajuda a sair sem maiores problemas. Por mais que tivesse me preparado antes de vir para cá, olhar para as portas abertas e ouvir os sons abafados que saem do prédio me deixam muito nervosa. Minhas mãos suam dentro das luvas e eu as arranco na primeira oportunidade, antes mesmo de entrar no castelo. Andrei as guarda em seus bolsos para que eu não perca nenhuma, revirando os olhos.

Na nossa frente, um grupo de pessoas também aguarda na entrada. Os pais de Andrei fazem um sinal para que nós os sigamos. Brian e Naoki se juntam a eles, de braços dados. Leon está parado, com uma expressão confusa, e eu me aproximo dele, encostando em seu braço para indicar onde estou. Ele se segura em mim com uma mão e arrumo sua gravata torta antes de seguirmos Andrei e Sofia. Nós vamos devagar e ele sussurra algo para mim, que é abafado pelo burburinho de pessoas.

Quando finalmente pisamos na antessala do castelo, três mulheres elegantes se aproximam de nós e perguntam se queremos guardar casacos ou bolsas, se já sabemos onde vamos nos sentar durante o jantar, e se há algum outro desejo que podem cumprir antes de entrarmos. Fico em silêncio porque estou atordoada com todo o barulho naquele espaço fechado. Quando finalmente passamos pelas grandes portas douradas que nos separam do local principal da festa, fico aturdida com o mar de sensações. Leon aperta meu braço com mais força, abaixando a cabeça com uma expressão de dor. Os sons são ainda mais altos aqui dentro, e uma música com uma batida pesada ecoa pelo salão. Oscilações esquisitas reverberam nas minhas costelas e o burburinho animado das pessoas conversando preenche meus ouvidos. Se eu estou completamente tonta, não consigo imaginar como Leon se sente, e aperto mais o braço dele, tentando reassegurá-lo.

O salão é imenso e a iluminação é fraca, com alguns holofotes azuis nas paredes e em pilares espalhados pelo local, onde pessoas com roupas douradas fazem acrobacias impensáveis. Os garçons passam com suas bandejas pesadas com copos e petiscos, se movimentando rápida e precisamente entre os convidados que se aglomeram em círculos pelo cômodo. Pisco várias vezes, incomodada por não conseguir enxergar tudo.

– Você está bem? – pergunto a Leon, ficando na ponta dos pés para me aproximar da orelha dele. – Você trouxe o protetor dos ouvidos?

– Eu estou com eles – responde em um quase sussurro. – Mas essa vibração... Eu não consigo entender o que está acontecendo.

– Bem-vindo ao clube – digo e o aperto com mais firmeza. – A gente precisa ficar aqui pelo menos um pouco, depois podemos ir a algum lugar mais calmo. Eu prometo que não vou deixar você sozinho.

– Obrigado. – Eu leio seus lábios mais do que escuto e, quando olho para a frente, nosso grupo já seguiu em frente sem esperar por nós.

Entre penteados trançados, vestidos longos brilhantes e uma multidão de homens vestidos iguais, consigo encontrá-los um pouco mais à frente, junto a um grupo não muito grande de pessoas. Conduzo Leon até lá, quase esbarrando em um garçom e tropeçando na barra do vestido de uma moça de branco, e só quando é tarde demais percebo que é Fenrir que fala com os pais de Andrei. O homem me vê e abre seu sorriso típico de tubarão. Sinto um calafrio na espinha, mas não abaixo a cabeça.

– Sybil! Eu achei que você tinha se perdido – Naoki diz quando me vê. – Leon, está tudo bem?

– Tive de parar um pouco para Leon se acostumar, desculpe a demora – respondo, e Leon só aperta meu braço, provavelmente sem saber o que está acontecendo. Me aproximo e sussurro no ouvido dele, explicando que achamos o grupo.

– Oh, aqui está ela. – Zorya finalmente me avista e faz um sinal para me aproximar de onde está conversando com seu marido, Fenrir, e uma mulher que não conheço. Olho para nosso grupo e Andrei sussurra algo para Sofia, que se aproxima de mim e toma meu lugar ao lado de Leon. A garota está com as bochechas coradas, e seus olhos absorvem todos os detalhes avidamente.

Eu me aproximo de Zorya, segurando meu vestido para não tropeçar, e paro ao lado dela, me esforçando para sorrir.

– Boa noite! Ótima festa – cumprimento Fenrir de forma educada e Charles apoia uma mão em meu ombro, me puxando mais para perto dele.

– Sybil, você conheceu Fenrir? – pergunta ele de forma casual, mas consigo ver que seus olhos estão atentos. Eu afirmo com a cabeça e ele me apresenta a mulher ao lado do anfitrião: – Esta é Petra Amani, a senadora da província de Bantu.

– Prazer em conhecê-la, senhora – cumprimento-a, sem saber exatamente o que fazer, mas ela estende a mão e aperta a minha com firmeza mostrando um sorriso radiante.

– O prazer é todo meu! – diz, com a voz um pouco alta, para se fazer ouvir além do barulho. Seu rosto bonito se contorce e ela se vira para o homem ao seu lado, com as mãos na cintura. – Minha nossa, Fenrir, o som precisa ficar tão alto assim?

– Se não nos deixar surdos, não é uma boa festa, Petra. Você sabe o que o cônsul diz – Fenrir responde, arrancando uma risada que soa um pouco falsa da mulher ao seu lado. – Nós estávamos conversando sobre o bloqueio aos anômalos, senhorita Sybil. Eu aposto que a senadora adoraria ouvir a opinião de uma moça inteligente como você.

– Eu não sei... – Olho para Charles, que está atrás de mim, pedindo socorro.

– É difícil saber que rumo as coisas vão tomar agora – o pai de Andrei interfere, levando a mão ao queixo, pensativo. – Minha preocupação atual é com a quantidade de pessoas que estão chegando em Pandora todos os dias! Onde vão colocá-las? E quando tudo acabar, elas vão precisar voltar para o lugar de onde saíram? É um absurdo fazer isso com elas.

– Isso não é nem o pior – Zorya responde secamente, parando ao meu lado. – Nós vamos ficar sem comida em algumas semanas se continuar nesse ritmo.

Olho para ela com uma expressão assustada e tenho uma pergunta na ponta da língua, mas a senadora é mais rápida:

– Bem, se eu fosse Fenrir, me preocuparia com o fato de que há a possibilidade de ser mantida em prisão domiciliar até que a situação com os anômalos seja resolvida. – Petra beberica da taça que está segurando, com seus olhos voltados para Fenrir. O homem parece extremamente desconfortável e afrouxa a gravata.

– Não vamos falar sobre isso. Estamos numa festa! – Ele abre os braços, mostrando o salão. – Precisamos nos divertir. Além disso, estamos assustando a menina.

– Bem, você não deveria ter puxado o assunto se não fosse aguentar, Fenrir – Charles zomba e consigo ver uma sombra de riso em seu rosto que me lembra bastante o de Andrei. Ao meu lado, Zorya disfarça uma risada com uma tosse seca.

– Você está se divertindo com tudo isso – Fenrir o acusa, mas me surpreendo ao ver que seu tom é amigável. Aqui, ele não se parece com o homem que conversou comigo durante a missão. Não se parece em nada com o monstro que construí em minha cabeça.

– É claro, você sabe que meu hobby é me divertir das situações absurdas em que você se envolve – Charles diz casualmente e pega um canapé da bandeja oferecida por um garçom. Ele morde e franze a testa, olhando para a esposa. – Qual cozinheiro vocês contrataram?

– Ele é o chef de um restaurante famoso para anômalos em Prometeu, o Monstrum. Lembra, aquele que eu falei outro dia?

– O nome é completamente idiota. – Charles revira os olhos. – Ele cozinha bem, mas faltou tempero.

– Você não vai dar nota para todas as comidas de hoje, vai? – Zorya pergunta, descrente. Petra ri e Fenrir a acompanha. – Charles, nós já conversamos sobre isso.

– Bem, é o meu trabalho, Zo. – Ele dá de ombros e pega dois canapés de outra bandeja, me entregando um. – Sybil, por favor, sua opinião é bem-vinda.

É minha vez de rir, e mordo o canapé. Quase me engasgo com o gosto forte de sangue e de algum condimento apimentado, mas engulo com uma careta. Charles cospe sua mordida em um guardanapo. Andrei se aproxima antes que eu absorva a ideia de que estou rindo em um grupo junto com Fenrir.

– O que está acontecendo? – Andrei pergunta, confuso.

– Isso é champanhe na sua mão? – a mãe dele pergunta, em um tom beligerante.

– Comida – Charles interrompe, entregando o que sobrou do canapé para o filho. – É uma delícia, experimenta.

Faço o possível para segurar a risada e Andrei olha para o pedaço de pão coberto por patê com desconfiança. Eu assinto animada para que ele experimente e observo com atenção. Ele o leva à boca e mastiga uma, duas, três vezes. O momento em que ele sente o gosto é óbvio pela careta que faz, então engasga e cospe a comida em um lenço que tira do bolso. É impossível não rir enquanto ele vira de uma vez a taça que está na mão.

– Você quer me matar? – ele exclama, revoltado, para o pai. – Que droga é essa?

– Você quer o meu? – eu ofereço e recebo uma careta como resposta.

– É que a comida do chef está acima do nosso paladar pouco refinado – Charles diz, colocando uma mão no bolso e olhando para Fenrir. – Mas acho que Fenrir e seus amigos do Senado gostam de *sangue*.

– Charlie. – Zorya apoia uma mão no braço do marido, em tom de aviso.

– Charles tem uma veia para a comédia, Petra. – É a resposta de Fenrir, se virando para a colega ao seu lado. – Ele apresenta um programa de culinária para anômalos muito engraçado. Já deve ter ouvido falar de Madame Charlotte.

– Ah. Eu adoraria ver algum dia. Não tenho muito tempo de cozinhar normalmente, mas gosto de experimentar algumas receitas cozinhando para meus filhos e minha esposa no tempo livre. – A mulher exibe um sorriso que parece genuíno. – A mais nova, Ida, tem 8 anos e adora qualquer coisa que tenha açúcar na receita

– Vem comigo. – Andrei me puxa pelo braço e eu o sigo, sem saber exatamente se eu podia sair de perto dos adultos ou não. Sinto os olhos de Fenrir me seguirem e seguro no braço do meu amigo com mais firmeza. – E joga esse negócio fora.

Ele pega o resto do canapé da minha mão e coloca na bandeja de um garçom que passa por perto, junto com sua taça vazia. Ele agradece com um gesto e me segura pela mão, me puxando pela multidão, com o som cada vez mais alto.

– Para onde estamos indo? Onde estão os outros? – Falo quase gritando e Andrei me puxa mais para perto.

– Lá fora! – Não o escuto, mas consigo ler seus lábios e seu movimento de cabeça aponta para as portas, do outro lado do salão.

CAPÍTULO 11

Andrei pega duas taças de outro garçom e me entrega uma antes de sairmos por um par de portas altas. É um jardim interno, com árvores e arbustos cheios de flores de todas as cores, e um aroma doce de rosas que se sobrepõe a todos os outros odores. É ainda mais difícil enxergar aqui fora, porque a única iluminação vem de algumas tochas espalhadas pelos caminhos. Conforme andamos, a música fica mais distante.

– Estamos tentando fugir, é isso? – pergunto quando olho para trás e vejo que as portas por onde saímos são pontinhos na lateral do castelo.

– Ah, não. Eu estou levando você para onde a diversão acontece. – Andrei faz uma curva em um arbusto alto, cortado para parecer um lobo.

É uma praça, com vários bancos dispostos ao redor de uma fonte. Vejo Leon e alguns garotos perto de um deles e, nos outros, várias pessoas mais ou menos da nossa idade estão sentadas conversando. No grupo mais perto de onde estamos, vejo que eles passam uma garrafa de champanhe entre si, tomando direto do gargalo.

– Andrei! – Uma garota acena de um grupo mais longe, e Andrei congela onde está, branco como uma folha de papel.

– Você está bem? – Eu puxo o tecido da camisa dele, e ele balança a cabeça em uma resposta que pode ser interpretada de qualquer maneira.

– Andrei! – a garota repete, dessa vez caminhando em nossa direção, com o tecido do vestido azul embolado em uma das mãos. Consigo ver seu sorriso de longe e sinto um aperto no peito. Ela é uma das garotas da escola antiga de Andrei? Por sua expressão amigável, está feliz em vê-lo. O mesmo não pode ser dito sobre meu amigo, que ainda está parado ao meu lado, como se estivesse em choque.

– Andrei – falo, em um tom bem mais baixo que o da garota, e ele parece sair do transe e fica corado. – É da sua escola antiga?

Dessa vez a resposta é afirmativa. A menina diminui o espaço entre nós e cumprimenta Andrei com um abraço não solicitado. Eu dou um passo para trás, tão surpresa quanto ele, e a garota o solta, com um sorriso radiante.

– Faz tanto tempo que não te vejo! Você praticamente desapareceu sem deixar nenhum vestígio, nem telefone, nem endereço novo... – ela diz, ressentida. – Eu senti sua falta.

Andrei abre e fecha a boca algumas vezes, com os olhos oscilando entre mim e a garota, antes de passar a mão no cabelo e se endireitar.

– Tatiana. – Ele enfia as mãos nos bolsos, tentando parecer casual demais, mas sem sucesso. – Eu não sabia que você estaria aqui.

– Porque, se soubesse, não viria? – Tatiana acusa, assoprando uma mecha de cabelo castanho que desprendeu de seu penteado elaborado. – Eu sei que você está me evitando. Faz dois anos e meio, nós deveríamos conversar sobre o que aconteceu.

– Não deveríamos, não – o garoto responde, de forma defensiva. – Não há nada para conversar.

Apesar da curiosidade, não sei se quero ouvir o resto dessa conversa. Andrei não parece estar confortável e eu até o tiraria daqui, mas me sinto intimidada pela expressão da menina, que parece capaz de me pulverizar. Eu sustento seu olhar, levantando o queixo de forma orgulhosa, cruzando os braços. Não faço ideia de quem ela é, mas a cara de pouca amizade com a qual ela me encara não me faz simpatizar com ela.

– Eu não quero falar aqui, na frente de todo mundo. – Nessa segunda parte, ela faz questão de olhar para mim e, se eu fosse Sofia, teria ficado invisível quase imediatamente.

– Que bom, porque não quero falar com você. Ponto final – Andrei insiste, segurando meu braço e me puxando para segui-lo.

– Eu não achei que você fosse desse jeito, Andrei. – A garota olha para baixo, decepcionada. – Sempre achei que fosse mais corajoso.

Prendo a respiração, me sentindo ofendida por Andrei. Eu não sei do que estavam falando, mas sinto que nada tem a ver com coragem.

Não querer relembrar algo não é covardia, é uma forma de sobrevivência. Eu sei disso melhor do que ninguém. Sob os olhos atentos de Tatiana, Andrei se vira, com o rosto vermelho.

– Quem é você para me chamar de covarde? – Ele praticamente cospe as palavras, de uma forma que nunca o vi fazer. – Não fui eu que fui embora no momento em que as coisas ficaram mais difíceis, Tatiana. Você é a última pessoa que pode falar isso de mim.

A menina cruza os braços e, com o queixo, aponta para mim. Andrei passa as mãos pelos cabelos, sem saber exatamente o que fazer.

– Você está certa, aqui não é o lugar para ter essa conversa – diz ele, finalmente. – Sybil, você consegue ver os outros? Vá para lá e não saia do caminho ou você vai se perder. Esse jardim é imenso.

– Andrei… – Eu apoio minha mão em seu braço, um pouco protetora, e ele a aperta, como quem diz que está tudo bem. – Você não precisa conversar com ela se não quiser.

– Infelizmente, preciso sim. – Ele me dá um beijo no rosto e sinto minha bochecha queimar na forma exata onde seus lábios encostaram na minha pele. – Não se preocupe comigo. Vá pra lá e toma conta do Leon. Melhor ele não se perder também.

Tento não me sentir ofendida por ele me dispensar. Quero dizer várias coisas, mas as palavras ficam presas na minha garganta. Da mesma forma que nunca, em nenhum momento, o menino forçou nenhuma informação sobre meu passado, eu não tenho direito de cobrar saber o dele. A escolha é dele, para quando quiser me contar. Se eu estivesse em seu lugar, gostaria de poder escolher o momento. Ainda assim, meu coração se aperta em um sentimento que não consigo decifrar.

Andrei parece tão derrotado quanto eu conforme segue Tatiana para o labirinto de arbustos em uma das laterais, e me sinto frustrada por não poder protegê-lo de alguma maneira. Ultimamente, tudo o que acontece ao meu redor está fora do controle, e me sinto impotente até nas ocasiões mais banais. Tenho vontade de gritar e, em vez de me juntar aos meus amigos, eu me afasto, na direção oposta à de Andrei.

Preciso de espaço para pôr a cabeça no lugar. Minha bochecha ainda queima no lugar onde Andrei encostou, como se ele a tivesse marcado, e sinto calor subir no meu corpo. Torço para que Fenrir se contente apenas com minha presença, para que eu possa passar a noite sentada, quieta, em um canto. No entanto, Áquila me alcança antes que eu possa desaparecer de vez, com um meio sorriso felino. O garoto parece mais alto do que o costume e o cheiro do seu perfume me enjoa. Ele mantém as mãos no bolso da calça social e para ao meu lado.

– Ex-namoradas são um inferno – ele confessa, apontando às minhas costas. – Espero que não esteja com muito ciúme.

– Ex-namoradas? Ciúmes? Do que você está falando? – respondo, irritada, me afastando do garoto. – Não fique perto de mim.

– O seu amiguinho não te contou nada? Parece que não é só você que tem segredos, hein? Quem sabe assim seus amigos não vão ficar com raiva de você quando descobrirem o que você esconde – Áquila graceja, fechando o espaço entre nós e colocando a mão em minha cintura. Tento me desvencilhar, mas ele me segura pelo cotovelo, e sinto seu toque gelado contra a minha pele. Minha respiração se acelera com o medo. Se ele quiser usar seu poder para me manipular, a hora é agora. – Shhh, não faça um escândalo. Eu não vou fazer nada com você.

– Então tire suas mãos de mim – exijo, séria.

Nós nos contorcemos um pouco mais, mas ele finalmente me solta. Eu dou um suspiro de alívio e a expressão do garoto se fecha, como se tivesse comido um daqueles petiscos horríveis que provei mais cedo.

– Várias garotas gostariam de ser tratadas com essa gentileza por mim – Áquila aponta de forma quase infantil.

– Então vá atrás delas e me deixe em paz. – Cruzo os braços, tentando manter a calma.

– Ah, como se eu pudesse. Hoje à noite meu pai me colocou como seu cão de guarda. – Ele continua parado no mesmo lugar, provavelmente para tentar ganhar minha confiança. – Então, se você não me der trabalho e me seguir, eu prometo que vou me comportar direitinho.

Não tenho a mínima vontade de ficar perto de Áquila, algo em seus olhos me dá calafrios. Todas as vezes que ele se aproxima de mim é quando ninguém consegue nos ver, sempre escondido, sempre em situações que me deixam insegura. Estamos longe das outras pessoas e, mesmo se eu gritar, ninguém vai me ouvir com todo o barulho da festa ofuscando o resto. Pelo menos estou de sapatos de salto alto e posso usá-los como arma se ele decidir ser engraçadinho e quebrar sua promessa.

Finalmente, concordo com a cabeça e recebo outro sorriso artificial. Com uma mão, ele me guia para um caminho diferente do que levava até a pequena pracinha no jardim. Deixo-o ir na frente, passando por canteiros e arbustos das mais diversas flores. Em uma situação diferente, eu até apreciaria aquele jardim.

Quando paramos, não consigo ouvir nenhum vestígio da festa. Áquila está com as mãos nos quadris, olhando para um alçapão na lateral do castelo. Algo na minha cabeça me alerta para sair logo daquela situação. Eu não quero saber para onde ele pretende me levar. Não parece uma boa ideia. A sensação de estar encurralada toma conta de mim e olho para o jardim, completamente perdida. Paro ao lado dele, apreensiva, e ele olha para mim, com um meio sorriso. É a primeira expressão verdadeira que já o vi fazer.

– Você está pronta? – pergunta e, antes que eu possa responder, abre as portas.

CAPÍTULO 12

Descer os degraus para as masmorras de Fenrir me leva a outro lugar ainda mais distante da festa. As paredes, iluminadas por uma luz azul, são repletas de prateleiras carregadas de objetos que nunca vi na vida. Uma delas tem o que parece ser um telefone, mas é grande e desengonçado demais. Em outra, vários objetos pequenos e finos se acumulam enfileirados. De alguma maneira, esse lugar me lembra a fortaleza da missão, e preciso me controlar para não dar a volta e sair correndo. Áquila parece uma criança no cômodo, olhando para trás e observando minha reação com frequência. O corredor se estende por alguns metros, parando em um par de portas metálicas enfeitadas com um lobo esculpido em posição de ataque.

– É aqui. – Áquila faz um gesto teatral.

– O quê...

– Não, espera. O melhor fica lá dentro – o garoto me interrompe, indo até uma das prateleiras e retirando um objeto que parece um controle remoto. – Mas precisamos esperar meu pai abrir.

Fico parada no centro do cômodo, me controlando para não alimentar minha curiosidade e bisbilhotar todas as prateleiras para saber o que é tudo aquilo. Por que Fenrir tem um pequeno museu de artefatos curiosos embaixo do seu castelo? Olho com desconfiança para Áquila, que está encostado em uma das prateleiras de forma relaxada, cutucando o objeto que tem em mãos. De certa maneira, me sinto um pouco mais aliviada em saber que ele não mentiu para mim.

Quatrocentos e vinte e cinco segundos se passam até que a porta desliza e Fenrir sai de lá, acompanhado por um casal de adolescentes mais ou menos da minha idade. Bom saber que parece ser prática comum do homem se encontrar com pessoas com idade para serem seus filhos em segredo. A moça tem uma altura mediana e está com um conjunto de calça e camiseta que é simples demais para uma convidada da festa, e, ao seu lado, o rapaz está vestido todo de preto, visivelmente tenso, e não há dúvidas de que ele é algum tipo de guarda-costas.

– Espero vê-los em breve – Fenrir diz, apertando a mão da garota e, depois, a do garoto. – Victor, você sabe encontrar a saída?

O garoto grunhe algo que soa como um sim e sua companheira oferece um sorriso radiante para Fenrir, como se estivesse muito satisfeita com a situação. Ela agradece ao homem mais velho e passa por mim como se eu fosse invisível. O guarda-costas segue atrás, e seu olhar se demora um pouco mais em mim, como quem avalia se sou uma ameaça ou não. Devo parecer patética, porque ele logo desiste e prossegue para ir embora.

Quando eles estão fora do campo de audição, Fenrir me convida para entrar na sala com um gesto e eu o sigo, olhando para trás mais uma última vez antes de as portas se fecharem, deixando Áquila do lado de fora. Sinto um arrepio ao perceber que estarei trancada sozinha com Fenrir. Não sei quem é pior, o pai ou o filho.

Áquila está certo: a sala é realmente muito mais impressionante que o corredor. Uma das paredes é coberta por televisões idênticas, com telas muito finas, cada uma exibindo uma imagem diferente. Reconheço algumas como os canais de televisão que existem na minha casa, e uma das telas exibe a milésima reprise de um episódio do programa do pai de Andrei. Quando desvio o olhar da receita de pato gratinado de Madame Charlotte, imagens de Kali chamam minha atenção. Meu coração dá um salto e prendo a respiração. É o canal a que costumávamos assistir no orfanato. Parece que estou a milênios de distância daquela época.

– Sente-se – ordena Fenrir, apontando para uma cadeira.

O resto do cômodo consiste em estantes de livros, uma escrivaninha de madeira enorme e outros objetos que não sou capaz de identificar. Quando me acomodo na cadeira, vejo que o tampo da mesa é uma tela como as da televisão, e exibe vários quadrados iguais com nomes e figuras. Com um gesto de Fenrir, o tampo fica escuro e não consigo ler mais nada.

– Que lugar é esse? O que são esses objetos? – pergunto antes de dar oportunidade de Fenrir falar primeiro e estabelecer algum tipo de jogo de dominância.

Fenrir abre o paletó que está usando e o tira com cuidado, visivelmente satisfeito.

– Meus brinquedos – responde. – Meu arsenal. Você escolhe o nome que preferir.

– O senhor está dizendo que tudo isso são armas? – falo, espantada. – Não parecem muito letais.

– Eu não tenho a intenção de matar ninguém – diz ele, acomodando o paletó no encosto da cadeira em frente à escrivaninha. – Pelo menos não com objetos.

– Ah. – Minha resposta é um som agudo, e limpo a garganta antes de voltar a falar. – Nossa, fiquei bem mais tranquila agora.

Isso o faz gargalhar e ele finalmente se senta, abrindo seu sorriso de dentes brancos e afiados.

– Isso é tecnologia, Sybil. Uma pequena amostra das coisas que a União não permite que tenham acesso. Uma ou outra coisa vinda diretamente do Império, algumas de fabricação nossa, outras eu mesmo mandei fazer... – Ele faz uma pausa dramática. – Mas não é para isso que estamos aqui, certo? Eu acredito que você está curiosa para saber qual sua parte nos meus planos.

Concordo e enxugo o suor das minhas mãos, tentando parecer despreocupada. A situação toda me faz lembrar das aulas de sobrevivência e do aviso de como agir se encontrar um animal selvagem: não demonstrar medo, não falar muito alto, não se mover bruscamente e não confiar em nada. Não posso deixar que nada do que ele diga me faça relaxar ou acreditar nele, não depois de ter orquestrado tudo isso para que eu aparecesse aqui.

– Você deve ter percebido que nas últimas semanas as coisas ficaram bem complicadas para nós – ele começa, se referindo aos anômalos. – E o culpado é esse homem.

Com um gesto em cima da mesa, a tela volta a se iluminar. Fenrir desliza os dedos por cima da superfície e, ao abrir a mão no centro da mesa, todas as imagens das televisões somem e são substituídas por uma tela preta, com uma foto no meio. É um homem de meia-idade, com entradas enormes em seu cabelo preto cacheado, sobrancelhas grossas e peludas e um nariz redondo que ocupa grande parte de seu rosto. É impossível não reconhecê-lo.

– O… cônsul? – Olho para Fenrir, confusa.

– Sim, nosso estimado cônsul Aurélio Fornace, em seu terceiro mandato consecutivo, da família mais tradicional da União. Seu tataravô paterno esteve na convenção de Yaoundé, quando a União foi formada – recita ele, com escárnio. – Seu avô, cônsul por seis mandatos consecutivos, por trinta anos seguidos, foi o responsável pela parte da lei que faz com que nós, anômalos, sejamos obrigados a nos vestir de forma diferente das pessoas "normais". O pai dele, cônsul por sete mandatos, foi o idealizador das missões nas quais crianças como você são enviadas, sem se preocupar com seu retorno.

– E ele vai ser responsável por nos prender nas Cidades Especiais para sempre? – digo, a boca seca. O rosto severo do cônsul me encara da tela, silencioso, como se estivesse nos observando.

Sinto um calafrio e desvio o olhar para Fenrir.

– Não, isso não basta. Se você acha que eu não tenho escrúpulos, é porque não o conheceu – Fenrir comenta, fazendo outro gesto na mesa.

A imagem nas televisões muda, exibindo o mapa da União. De cada uma das províncias saem setas que acompanham fotos de rostos diferentes. Reconheço uma delas como Petra, a mulher que Fenrir me apresentou mais cedo. Ao seu lado, há a foto de outra mulher. Arkai, a província onde fica Pandora e Prometeu, tem três fotos. Hari, ao leste de Arkai e mais acima, tem quatro rostos. Mais para o Oriente está Kali, com sua fronteira tênue e tensa com o Império, e um rosto que não me é muito familiar surge. Embaixo, a foto de Fenrir com um sorriso de orelha a orelha, um A amarelo dentro de um círculo estampado no canto da sua foto.

– Esses são todos os senadores? – questiono. Fenrir confirma com um aceno de cabeça e faz outro gesto, dividindo as fotos do mapa em dois grupos.

Me sinto ligeiramente indignada quando percebo que existem anômalos em *todo* o território da União e só temos um representante, enquanto Arkai, que é minúscula em território e em população por comparação às outras regiões, tem três. Nós temos apenas uma pessoa para lutar pelos nossos direitos e exigir que sejamos respeitados. E essa pessoa é Fenrir, que não pode ser exatamente descrito como confiável.

– A lei diz que o cônsul deve ser eleito se dois terços dos senadores votarem nele. As leis são aprovadas se metade dos senadores, e mais um, votarem a favor. Hoje, dos 127 senadores, 60 defendem uma flexibilização quanto aos anômalos ou são indiferentes. Comigo, são 61. Com 64, nós conseguiríamos aprovar leis sem nenhuma dificuldade. – Ele desliza as mãos pela mesa e arrasta o símbolo dos anômalos para o lado com menos fotos. – Mas Aurélio, como cônsul, pode tomar algumas decisões sem a autorização do senado, como a distribuição de comida para províncias mais remotas, e aprovar as compras de suprimentos feitas pelo governo, o que deixa 27 desses senadores vulneráveis à vontade dele.

Com outro gesto, nosso lado diminui consideravelmente e aí faz todo o sentido o cônsul ser a mesma pessoa, ou ao menos alguém da mesma família, há tanto tempo. Nós criticamos os dissidentes por terem um imperador que não é eleito pelo povo, mas qual é a diferença quando a mesma família está no poder há tanto tempo?

– Nenhum deles tem coragem de enfrentar o cônsul? Porque se eles não fossem flexíveis, ele nunca teria a maioria – digo, indignada.

– Para quê? Aurélio garante uma boa vida para todos na União, inclusive para os anômalos – Fenrir explica, com uma voz afinando, provavelmente imitando alguém que não conheço, mas que ainda assim é cômica. – "Não sei por que os anômalos reclamam tanto, vocês têm comida, moradia e trabalho, não têm? Para que querem mais?"

Fico zonza ao perceber que esse é exatamente o discurso que reproduziam para a gente em Kali: um dos motivos para lutar pela União era garantir que teríamos comida, moradia e trabalho. Querer mais do que aquilo era errado, pois quem precisa de mais que isso? E a mesma coisa acontecia com os campos de refugiados, nossa outra opção. Nós poderíamos ir para lá e, olha só, não morreríamos. Não é uma vantagem incrível, essa de *não morrer*? Teríamos abrigo, comida e trabalho, poderíamos formar uma família em paz... Por que iríamos querer algo além disso?

E anômalos têm um pouco mais de oportunidades, mas não muitas. A mãe de Leon precisa fingir ser uma pessoa "normal" para poder vender seus livros, o pai de Andrei apresenta um programa de televisão, mas a única audiência são outros anômalos. Além disso, nós não podemos ir a lugar nenhum sem autorização. Em inúmeros lugares, não é permitido nem que passemos pela porta. Como daquela vez na loja de chocolates em Monte Nevado, quando estávamos a caminho da missão.

Subitamente, me lembro de Ava e seguro com força na borda da mesa. As palavras sobre a dificuldade de ser anômalo, sobre como ela daria qualquer coisa para ser normal, finalmente fazem sentido. Se ela fosse humana, ainda estaria viva e feliz, porque não precisaria ser obrigada a participar de missões perigosas e sem propósito. Nós não podemos ter escolhas somente por termos nascido em uma condição diferente da deles. Aposto que sequer pensam nisso. Deitam suas cabeças nos travesseiros todas as noites e dormem tranquilos, sem se preocupar se seus filhos estão correndo perigo por existirem.

– As pessoas realmente dizem isso ao senhor? – pergunto, rangendo os dentes.

– Elas dizem pior, Sybil. – O senador suspira. – É uma vida difícil, essa que eu levo. É uma batalha constante para que o pouco que temos seja mantido. E é exatamente por isso que não posso permitir que alguém que não sabe lidar com essas pessoas tome meu lugar. É pelo bem de todos nós.

Congelo em minha cadeira, encarando-o com descrença. Ele estava me dando toda aquela explicação para dizer o motivo pelo qual precisa vencer as eleições? É uma forma de tentar me convencer a apoiá-lo, de parecer mais simpático aos meus olhos, mesmo depois de ter me obrigado a estar aqui? Mesmo depois de ter ameaçado a vida dos meus amigos e da minha família na cara dura?

É claro que sim. Quase me deixei levar na conversa novamente. Quebrei uma das regras: confiar demais.

– O senhor está dizendo que precisa ganhar a eleição para poder continuar lutando pelos nossos direitos, é isso? – pergunto, cuidadosa.

– Em partes.

– Então o almirante Klaus não tem nada a ver com isso?

É a vez dele ficar paralisado, olhando para mim como se eu tivesse me transformado em um animal selvagem.

– Do que você está falando?

– O senhor sabe do que estou falando. – Cruzo os braços, ciente do perigo que é desafiá-lo. Ao mesmo tempo, se eu ficar calada e aceitar tudo o que me disser, ele vai achar que pode fazer qualquer coisa comigo, e não é bem assim. – Um pouco depois que o senhor me avisou que eu teria de estar aqui, quando chamasse, alguém entregou um convite endereçado a Dimitri para a festa do Almirante. Imagino que uma versão bem parecida com essa sua.

Fenrir fica em silêncio por alguns segundos, como se tivesse sido pego de surpresa, e eu tenho que admitir que ele é um bom ator, porque quase me convence de que não sabe de nada.

– Você é inteligente. – Ele se recupera, retomando o controle. – Talvez inteligente demais para o seu próprio bem.

– Eu formulei uma teoria nesses dias que se passaram – minto, porque é um pensamento que surgiu à minha mente nos últimos cinco minutos. – Quando o senhor... errr... ajudou a gente, achou que eu poderia ser mais uma ferramenta no seu jogo, mas não sabia exatamente como. Então as coisas apertaram para o seu lado e o senhor está tendo de improvisar, porque toda essa história de bloqueio não vai pegar bem para seu lado se quiser ser reeleito.

Um sorriso de dentes afiados se forma no rosto de Fenrir, como se ele estivesse orgulhoso do meu raciocínio. Parece que ele imaginava que eu não era capaz de nenhum pensamento complexo e tenho vontade de chutá-lo. Coloco as mãos no apoio para braços da cadeira e continuo:

– Agora o senhor quer me fazer acreditar nessa bobagem toda para que eu pareça convincente quando pedir para que eu minta em público em seu nome.

– Você pensou mesmo que eu recorreria a isso? – ele pergunta, divertido. – Você acha que se eu quisesse forçar você a acreditar nisso tudo, eu não teria como obrigá-la?

– Não é melhor tentar me convencer antes de partir para a força bruta? Todos nós temos anomalias aqui, e ninguém sabe como uma briga pode acabar.

Fenrir me encara, e sua expressão presunçosa está estampada em seu rosto. Não desvio o olhar nem abaixo a cabeça, por mais que esteja assustada. Nesse jogo, uma disputa de olhares pode determinar o destino de toda uma conversa. Essa foi minha primeira lição.

– Você está certa em partes – ele quebra o silêncio, unindo as mãos e recostando na sua poltrona. – Eu realmente só arrumei um bom uso para você recentemente, e estou preocupado com o bloqueio. Mas isso tudo, essa explicação, é para que sua educação esteja completa. Pode não acreditar se quiser, mas a única prejudicada é você. Pode achar que tudo está ótimo e que todos os senadores querem o melhor para os anômalos, em vez de saber que cada um só se interessa pelo próprio umbigo. Pode olhar para tudo o que está acontecendo e pensar que a vida é sempre assim, que nós pedimos por isso. Ou você pode pensar por conta própria.

– O senhor quer que eu pense por conta própria? – questiono, um pouco duvidosa.

– Eu quero que você me ajude a acabar com tudo isso.

– Acabar com tudo o quê?

Em silêncio, Fenrir faz um gesto amplo, abarcando o telão atrás de si e os artefatos nas estantes, e fico boquiaberta. Ele quer destruir a União?

– Eu não vou fazer uma campanha voltada para a minha reeleição, Sybil. Eu vou fazer uma campanha voltada para a libertação – ele responde. – Você não fica indignada quando sai de Pandora e vai para Prometeu e não pode entrar em uma loja? Não se sente humilhada quando atravessam a rua porque você é algo que nem mesmo pôde escolher? Você não acha absurdo estarem nos prendendo dentro do único santuário que temos, cortando nossa comida aos poucos, e enviando todos os anômalos que moram em cidades mistas para as nossas? Você não se sente impotente, sem saber o que fazer para ajudá-los?

Concordo com a cabeça, sem entender exatamente o que ele está insinuando, nem o que deseja de mim considerando todo esse cenário.

– Estou oferecendo a você uma chance de fazer algo.

– O que eu vou precisar fazer? – pergunto, sentindo minhas mãos suarem. A pergunta parece simples, mas sei que envolve algo muito maior.

É a promessa dele, sendo cumprida.

– Primeiro? Convencer seus pais de que você realmente está nessa por conta própria. – Ele apoia os cotovelos na mesa, o olhar fixo em mim. – Mas isso é parte do nosso acordo. Imagino que não terá dificuldade.

Abaixo a cabeça, me sentindo acuada. Por mais que esteja irritada, por mais que queira fazer alguma coisa considerando todo nosso cenário, não posso me esquecer do motivo que me trouxe aqui, contra a minha vontade.

– Isso não é nenhuma novidade – comento, entredentes.

– Por enquanto, isso é tudo que quero de você. – Fenrir repousa o queixo nas mãos, em uma postura ameaçadora. – É pegar ou largar, senhorita Sybil.

Quero responder que ele já deixou bem claro que não tenho escolha. Penso no que pode acontecer com todos que amo caso recuse participar disso agora. Então, imagens dos últimos dias surgem em minha cabeça. O menino sendo espancado por policiais, Tomás e Sofia amedrontados no metrô, pessoas desalojadas de suas casas para viverem em barracas nas ruas. Não conseguirei ficar parada, inerte a tudo isso. Mesmo que seja ao lado de Fenrir, mesmo que eu o deteste com todas as minhas forças. Mesmo que não tenha outra opção, aparentemente. Algo está acontecendo, e Fenrir vai lutar pelos anômalos.

– Está bem – concordo, ciente de que ele virou a manivela certa para me fazer andar por conta própria. – Temos um acordo.

CAPÍTULO 13

Depois do que pareceram horas, Áquila me leva de volta ao castelo, me observando de soslaio. Não abro a boca, mergulhada em pensamentos. Fico me sentindo como uma mosca presa a uma teia, que, em vez de ficar na beirada e tentar voar, caminha para o centro, direto para a boca da aranha. Talvez uma mosca que admire a aranha, embora ainda tenha medo e questione seus métodos.

Não. Isso não é verdade. Não me sinto mais uma mosca. Pela primeira vez, desde que voltei da missão, estou cheia de confiança. A ideia de ter o controle do que pode acontecer de agora em diante é reconfortante.

– Impressionante! – o garoto comenta, com as mãos nos bolsos. – Você parece outra pessoa agora. O que meu pai fez para você ficar assim?

– Pergunte a ele – respondo, dando de ombros e ignorando os as insinuações da pergunta. – Eu quero encontrar meus amigos.

Áquila não diz nada, visivelmente irritado, embrenhando-se na frente por caminhos que desconheço do jardim. Tento chamá-lo, mas não sobra muita escolha a não ser segui-lo. É melhor do que me perder. Tenho certeza de que Áquila está tentando me matar, porque meus saltos afundam na grama a cada passo e preciso me equilibrar na ponta dos pés para não cair.

Após praticamente atravessar um grande arbusto, ouço vozes conhecidas e paro. Áquila também fica imóvel, tão curioso quanto eu.

Alguns segundos depois, Andrei e Naoki emergem do meio das plantas; Naoki reclamando sem parar, Andrei com cara de poucos amigos.

– Que ideia foi essa de andar no meio do mato, Andrei?! – ela exclama. – Eu quase torci o pescoço caindo! Meu vestido está sujo e cheio de folhas.

– Naoki, se nós seguíssemos todos os caminhos, não iríamos terminar tão cedo – o loiro responde, em um tom cansado. – Você não quer encontrar a Sybil?

– Sim, mas não acho que vamos conseguir nada disso com esse seu método louco! O que você foi fazer para perdê-la de vista? Que saco, você só tinha um único trabalho.

Naoki se apoia no braço que Andrei oferece e sai da grama para o caminho pavimentado, com cuidado para não cair. Eles ainda não nos viram e Áquila parece estar se divertindo ao meu lado.

– Eu já disse que não é da sua conta – Andrei retruca. – E não precisa encher minha cabeça pela décima quinta vez, eu sei que fiz cagada.

– E se ele a encon... – Naoki para de falar no meio da frase, depois de finalmente levantar o rosto e me ver parada na frente deles.

Andrei a solta de imediato, se empertigando todo, e finalmente me vê. Ele relaxa, mas só até reconhecer Áquila parado ao meu lado.

– Sybil! – minha amiga grita em um tom agudo demais, que faz todos nós nos encolhermos. Ela não se importa e me abraça, como se fizesse três semanas desde a última vez que nos vimos. – Onde você estava?

– Ela se perdeu e eu a encontrei vagando por aí – Áquila responde antes que eu possa elaborar uma desculpa. – Estava levando-a de volta para o salão.

– Sybil, por que você não esperou por Andrei? – Naoki diz, contrariada. Para Áquila, ela sorri de forma exagerada.

– Obrigada por encontrá-la, nós estávamos superpreocupados. Esses jardins são tão imensos, achei que ela iria desaparecer e ser obrigada a viver igual a um homem das cavernas.

Isso faz o filho de Fenrir gargalhar e a expressão de choque no rosto de Andrei é um espelho da minha. Nós trocamos olhares e ele faz uma pergunta silenciosa, que respondo balançando a cabeça. Eu sei tanto quanto ele sobre de onde surgiu aquele Áquila risonho.

– Se descobríssemos Sybil vagando por aí, com certeza nós a mandaríamos de volta por correio. Não precisa se preocupar – ele responde.

O processo de pensamento de Naoki é visível em sua mente: ele disse *nós*, então quer dizer que...

– AH MINHA NOSSA, VOCÊ É O FILHO DO ANFITRIÃO!? – ela exclama alto demais para o nosso bem auditivo. Seu rosto fica coberto por bolas vermelhas não uniformes e eu tenho certeza de que ela quer que o chão se abra e a engula. – Mil desculpas, os jardins são maravilhosos, ninguém nunca viraria um homem das cavernas morando aqui.

Isso arranca gargalhadas não só de Áquila, mas de mim e de Andrei também. Eu me aproximo de Naoki e apoio uma mão no cotovelo dela.

– Deixa eu apresentar vocês... Naoki, esse é Áquila. – Faço uma pausa depois de dizer seu nome, me questionando se há um sobrenome ou se eles não acham necessário, já que, bem, possuem um castelo e planejam destruir a o mundo atual como vivemos enquanto tomam café da manhã. – Áquila, essa é Naoki, minha amiga.

– Sua *melhor* amiga – ela corrige baixinho e eu me seguro para não rir de novo. Ela estende a mão, que Áquila aperta, enquanto eu o fuzilo com o olhar, em uma ameaça silenciosa. Se ele tentar usar um grama que seja de seu poder em Naoki, nunca mais vai usá-lo em outra pessoa.

– É um prazer conhecê-la – diz com um sorriso, parecendo sincero. – Agora, nós precisamos voltar para o castelo ou vamos perder o jantar.

Ele oferece um braço para Naoki, que aceita sem questionar. Andrei, parado ao meu lado, segura meu braço com força, como quem diz "olha o que está acontecendo, faça alguma coisa", mas Áquila se vira para nós e pergunta:

– Vocês não vão nos acompanhar?

– Talvez. Você vai nos levar para fazer aquele *tour* horrível pelas dependências do castelo? – Andrei pergunta, irritado.

– Eu não obrigaria suas amigas a passarem por esse tipo de tortura, priminho – Áquila diz, recebendo com satisfação minha expressão de horror e a expressão de confusão de Naoki. O garoto sabe como causar impacto dramático, porque imediatamente vira as costas e caminha com Naoki na nossa frente.

Andrei fica paralisado ao meu lado e eu cruzo os braços, contendo um sorriso quando vejo sua expressão petrificada.

– *Priminho*? O quê...? Você é parente dele? – questiono. – Você é parente do Fenrir!?

Andrei passa a mão pelos cabelos e abaixa a cabeça, estranhamente dedicado a analisar um arbusto florido na lateral do caminho onde estamos. Eu o cutuco e ele suspira.

– Não vai responder, é?

– A irmã da minha mãe era a esposa de Fenrir – diz ele finalmente, levantando as mãos em defesa. – Ela morreu antes de eu nascer, uma complicação de parto ou algo do tipo.

– Você é primo do filho do Fenrir! – eu repito, descrente. – Vocês são parentes. É por isso que sua mãe...?

– Sim, é por isso que minha mãe trabalha com ele. Sybil, vamos voltar? Nós vamos perder o jantar. – Andrei faz um sinal para o castelo e eu concordo, seguindo-o enquanto tento digerir a informação em silêncio.

Áquila e Naoki esperam por nós logo a frente em uma fonte, e o garoto está explicando algo sobre a estátua de sereia que jorra água e a faz rir. Antes de nos aproximarmos, sinto uma vontade súbita de perguntar para Andrei como foi a conversa com a tal da Tatiana, mas me contenho para não forçá-lo a falar sobre algo que não quer. No final, caminhamos atrás de Áquila e Naoki em silêncio, com minha mão apoiada no braço de Andrei para me dar maior apoio.

Não acredito que ele não contou sobre seu parentesco com Fenrir, por mais que fosse apenas pelo casamento da tia. Ainda assim era uma ligação com a família dele, uma proteção que Andrei certamente tinha nas missões sem sequer compreender. Seguro mais forte no braço dele, sem poder compartilhar o motivo pelo qual eu tinha desaparecido por tanto tempo, o acordo que tinha salvado a vida dele e de Leon. Ou talvez só de Leon, no fim.

O jantar acontece em um salão diferente do da recepção, cheio de mesas redondas com doze lugares, cobertas com toalhas azuis-escuras e douradas. Quase todas estão ocupadas e Áquila se aproxima de um dos mordomos para perguntar onde vamos nos sentar. Os dois conversam baixo por alguns segundos e Naoki se vira para mim, fazendo um sinal de joinha, extremamente feliz. É isso que ela sempre quis, não é? Que pessoas bonitas e ricas prestassem atenção nela. Quero avisar para que tome cuidado com Áquila, mas não consigo me aproximar o suficiente para sussurrar nada em seu ouvido.

O mordomo finalmente encontra nossos lugares e nos orienta. Naoki está na mesma mesa que Áquila, eu estou na mesa ao lado com Leon e Sofia, e Andrei, numa mesa com Brian, distante de nós. Andrei nos acompanha até nossos lugares, uma expressão sombria indecifrável. Naoki se acomoda ao lado de Áquila e posso ouvir os ruídos indistintos de conversa animada. Em nossa mesa, Leon e Sofia já estão sentados e eu puxo a cadeira para me sentar junto a eles. Andrei se acomoda ali também, por enquanto, e se inclina na minha direção, apoiando uma mão no meu ombro e comentando baixo perto do meu ouvido.

– Você está bem?

Afirmo com a cabeça, olhando para a nuca de Áquila, que está sentado de costas para nós. Me sinto um pouco estranha ao notar que é parecida com a de Andrei, apesar de o filho de Fenrir ter cabelo preto.

– Naoki vai ficar bem? – ele pergunta, mais preocupado que antes, virando o rosto na direção da mesa em que os dois conversam animadamente.

– Vai – digo, mesmo sem ter certeza. – Ele não vai fazer nada onde todo mundo está olhando.

– E ele? Vai conseguir sobreviver ao furacão Naoki? – Andrei comenta, com humor.

Rio baixinho, dando uma cotovelada nele.

– Não seja maldoso. Volte pro seu lugar, nós conversamos depois. – Dou dois tapinhas em seu braço e ele sorri, com o olhar perdido na multidão.

– Você não vai perguntar nada? – diz ele.

Procuro alguma pista no olhar dele, se tem alguma coisa que ele precisa confessar. Sou eu, no caso, que continuo escondendo segredos.

– O quê? Sobre seus familiares secretos? – eu o provoco e ele sorri, constrangido.

– Não, você sabe do que estou falando... – ele deixa no ar e estreito os olhos, até me lembrar da menina que veio conversar com ele. Desvio o olhar para a louça em cima da mesa, passando o dedo pelos talheres.

– É sua vida – falo, tentando parecer casual. – Se você não quiser comentar nada, é um direito seu.

Ele parece frustrado com isso e se levanta, se despedindo com um aperto no meu ombro antes de ir embora. Ao meu lado, Sofia está me encarando, como se eu tivesse um braço a mais saindo pelas costas.

– Você não tem noção nenhuma – ela declara e Leon a cutuca com o cotovelo, de forma nada discreta.

– Eu me perdi no jardim – digo, me defendendo com a história que Áquila inventou. – Quase não encontrei o caminho de volta.

Sofia se vira para Leon e revira os olhos, esforço que é perdido porque o garoto não a vê. O menino dá um suspiro pesado e repousa as mãos em cima da mesa, mudando de assunto para perguntar sobre Naoki. Aviso que Áquila é a nova vítima do furacão e os dois riem. Em poucos minutos, é como se eu não tivesse desaparecido e a conversa flui naturalmente.

Aos poucos, os outros nove lugares da nossa mesa são ocupados. Fico surpresa quando o casal de adolescentes que vi saindo do escritório de Fenrir se senta em minha mesa. Estão com roupas diferentes, muito mais arrumados do que os encontrei antes. O garoto se senta diretamente à minha frente e posso vê-lo melhor. Sua pele é escura, marrom profundo, entre o meu e o de Leon, com sardas visíveis em suas bochechas e no pedaço do pescoço fora da camisa social, e seus olhos têm uma cor entre castanho e mel que parecem mudar constantemente. Ele é uma figura diferente, e me pergunto qual será sua anomalia. Ao seu lado, a menina está com o cabelo escuro preso em um coque bagunçado e sua pele é quase transparente de tão branca. Posso notar várias veias azuladas em seu decote. Seus olhos são tão afunilados quanto os de Naoki, mas de um azul quase violeta, e o pouco de gordura infantil que ainda resta em suas bochechas denuncia que é mais nova do que pensei.

Quem são eles? O que será que Fenrir estava conversando com os dois? Será que estão envolvidos no mesmo plano que Fenrir me apresentou e me convenceu a fazer parte? Porém, meu raciocínio é interrompido porque quem senta logo ao meu lado é Hassam.

É a quarta vez que o vejo na vida e, em cada uma delas, ele esteve diferente. Dessa vez, está com um terno azul marinho e uma gravata da mesma cor, e parece outra pessoa. Ao lado dele senta uma garota que compartilha quase que inteiramente da sua aparência, com um vestido vermelho-sangue que chama atenção. Deve ser a irmã que ele mencionou e, ao contrário do que alegou, ela não se parece em nada comigo. Para começar, ela é infinitamente mais bonita, com os olhos verdes, quase felinos, que agraciam alguns dos filhos de Kali, e um nariz afunilado. Era o tipo de garota que normalmente conseguiria seduzir um soldado, se casava com ele e se mudava para o Continente Pacífico.

– Nos encontramos novamente – Hassam comenta, presunçoso. – Eu falei que iria acontecer.

– Mais uma vez e começo a suspeitar que você está me perseguindo – respondo, com rispidez.

Ao meu lado, Sofia se inclina para ver com quem estou falando e faz uma expressão de surpresa. Certamente o reconhece do centro de apoio no qual ficamos depois da missão. Assim que o vê, se esconde atrás de mim e se vira para Leon, sussurrando algo. Aposto que está contando tudo o que acontece para ele.

– Você conhece Hannah, minha irmã? – Ele faz um gesto para a garota ao seu lado. – Hannah, esta é Sybil.

– Oh. – A expressão dela fica menos fria e ela dá um sorriso contido. – Muito prazer em conhecê-la! Meu irmão me contou sobre o quanto já encheu seu saco. Não sei como você não bateu nele ainda.

Levo a mão para meu rosto para disfarçar o riso e Hassam parece envergonhado. A garota pega o guardanapo da mesa e o estende no colo, continuando:

– Você já viu o menu? – ela fala baixo para mim, ignorando seu irmão entre nós. – Eu nunca vi tanto nome de comida junto.

– Não – digo, me inclinando inconscientemente em sua direção. – Mas você provou os petiscos? Se estiverem naquela qualidade, não sei se boto confiança…

Hannah fica vermelha e parece engasgar, levando o guardanapo à boca para encobrir suas gargalhadas, mas sem muito sucesso. Do outro lado da mesa, os outros dois adolescentes nos encaram como quem gostaria de estar num lugar muito distante de nós.

– Eu quase morri quando comi um. Era de pensar que com tantas opções as pessoas fariam comidas mais gostosas, mas não é verdade – Hannah reclama, em um sussurro. – E eu só vim aqui pela comida, minha decepção é imensurável.

Conversar com ela é fácil e Hassam acaba trocando de lugar para deixá-la ao meu lado. Hannah é bem menos reservada que eu e tem opinião para tudo, e logo Sofia, que também adora dar pitaco, se junta à conversa. Hassam está ao lado de Leon e percebo que os dois também conversam, bem mais baixo que nós três, mas não me importo. Não vejo o soldado como uma ameaça, ao menos não nesse ambiente.

O jantar é servido e é uma delícia ("Ainda bem!", comenta Hannah, desencadeando uma crise de riso em Sofia) e só quando estamos esperando a sobremesa, percebo que, além de nós seis e do casal, o professor Z também está em nossa mesa. A noite fica cada vez mais surpreendente.

É a primeira vez que o vejo desde a missão, porque as aulas de TecEsp acabaram com a nossa convocação, e meu coração se acelera com as lembranças de tudo pelo que ele nos fez passar. O que ele está fazendo aqui? Será que tem alguma ligação com Fenrir? Eu nunca parei para pensar, mas ele pareceu bastante satisfeito em nos enviar para a missão. Será que ele concordava com tudo aquilo? A conversa com Fenrir volta à minha mente e não tenho como tolerar que um anômalo concorde com tudo isso. Sempre existem opções.

Hannah parece notar a direção do meu olhar e faz uma expressão de desgosto quando percebe meu alvo. Quase ao mesmo tempo, o homem levanta os olhos de seu prato e nos vê, com uma expressão de curiosidade. Só nos cumprimenta com um aceno de cabeça e volta a conversar com uma mulher ruiva ao seu lado.

– Você o conhece? – pergunto para Hannah, baixinho, e a garota revira os olhos.

– Infelizmente. Ele é professor de… uma matéria na minha escola e fica enchendo o meu saco para que eu me matricule para a matéria, mas eu não quero – ela responde, encarando o professor Z.

– Ele também dá aula na minha escola. Só que estou matriculada na aula dele – digo, e Hannah olha para mim com uma expressão suave, apertando minha mão.

– Hassam me contou – ela sussurra e balança a cabeça, compreensiva. – Mas não vamos falar sobre isso. Você já sabe o que pretende fazer no fim do ano que vem, depois do seu último ano de escola?

Dou um riso nervoso, porque nem sei o que vai acontecer até o fim do próximo ano. Quando digo isso, ela ri e nós continuamos a conversar, mas a ideia de que o professor Z dá aula em mais de um colégio martela em minha cabeça, sem parar. Será que ele é o único responsável por selecionar anômalos para as missões? Será que ele sabe o que acontece quando passamos para a próxima etapa?

Decido perguntar a Fenrir da próxima vez que nos encontrarmos. Se ele quer que eu pense por conta própria, é bom estar preparado para todas as perguntas que vou fazer.

CAPÍTULO 14

Minha primeira tarefa depois da festa é convencer Rubi e Dimitri de que fiquei emocionada com a causa de Fenrir e decidi fazer parte da campanha dele de reeleição. Não sou muito boa com mentiras, mas se eu conseguir me ater o mais perto possível da verdade, não terei problemas. Depois de pensar um pouco, percebo que a melhor forma de agir é falar primeiro com Dimitri. A anomalia de Rubi, a psicometria, faz com que ela consiga extrair imagens e impressões dos objetos em que toca. Normalmente, ela consegue se controlar, mas, além disso, é capaz de ler pessoas e o que estão sentindo. Isso faz de Tomás um pré-adolescente em apuros, já que não é fácil enganar sua mãe sobre o destino dos chocolates que ele devora escondido.

Fico três dias tentando juntar coragem para conversar com Dimitri e todo esse estresse é em vão, porque ele facilita as coisas ao dizer que precisa falar comigo, em particular. A festa do almirante Klaus é no fim de semana seguinte e, provavelmente, ele quer me dar recomendações sobre como ficar de babá de Tomás e sobre o horário que temos de dormir, ou perguntar o que vamos querer para o jantar nesse dia.

Ele me chama do quarto dele quando passo pelo corredor. Vou até lá e o encontro sentado no chão, rodeado por caixas, roupas e sapatos. A escrivaninha embaixo da janela está cheia de livros e o guarda-roupa está escancarado, vomitando seu conteúdo na cama. Meu pai adotivo normalmente não é desleixado assim e sinto um frio na barriga, com medo de que ele vá revelar que está se mudando de casa.

– Você pode me ajudar? – pergunta ele, empilhando alguns papéis em sua frente.

– Claro – digo, me juntando a ele no chão, com as pernas cruzadas. – O que você está fazendo?

– Limpando. Você já reparou a quantidade de coisas que juntamos ao longo dos anos? – Enquanto fala, abre uma caixa e começa a colocar sapatos lá dentro. – É como se tudo dependesse desse acúmulo de coisas, como se fizessem parte essencial da nossa vida, quando, na verdade, não. São só objetos, e objetos são descartáveis. Dá pra viver com bem menos.

– Você está filosófico demais.

Pego uma caixa preta, bem menor que as outras, e a abro. São fotos, e a que está em cima mostra um Dimitri bem mais novo, provavelmente da minha idade, em um uniforme azul-escuro da aeronáutica, na frente de uma parede branca com algumas rachaduras. O cabelo está cortado rente à cabeça e seu sorriso é imenso. Pego a foto entre meus dedos e sorrio também, mostrando para ele.

– Você era bonito novinho, hein? – brinco e ele solta uma gargalhada. – Aposto que todo mundo se jogava aos seus pés.

– Deixa eu ver essa foto. – Ele se aproxima, apertando os olhos e depois balança a cabeça. – Minha nossa, como eu estou jovem.

– Eu não sabia que você tinha sido da aeronáutica.

– Foi por pouco tempo. Eu não cheguei a ir para o campo de batalha. Tive logo que voltar para casa pra cuidar da minha avó enquanto minha irmã estava em serviço.

A próxima foto da pilha é de uma senhora e de uma garota com um corte de cabelo que havia saído de moda havia alguns anos em Kali, mas que estampava todos os pôsteres de propaganda e alistamento. Ela me lembra Hannah, a irmã de Hassam, com os traços delicados e uma estrutura longilínea. Eu viro a foto para Dimitri.

– Olha só, as duas! Cassandra, minha irmã, era sete anos mais velha que eu e era pilota da marinha. Eu decidi entrar na aeronáutica para tentar ser como ela, mas nossa avó adoeceu e ela não podia abandonar a missão em que estava – ele diz com um suspiro. Eu sabia que ele tinha uma irmã, mas ele não a mencionava com frequência, nem o que tinha acontecido com ela. – Minha avó,

Dafne, tinha uma venda de comida no mercado quando eu decidi me alistar, mas logo ela ficou muito doente. Cassie tentou voltar para casa, mas ela estava no *Varuna*, no meio do mar, e o navio não iria aportar tão cedo. Minha avó disse que conseguia se virar sozinha, mas todas as noites eu sonhava que Cassia morria em combate, que ficava presa no mar e minha avó definhava sozinha. Eu não podia deixar isso acontecer.

– Deve ter sido uma escolha difícil – eu digo, tentando consolá-lo, e coloco uma mão em cima de seu braço. Ele levanta o rosto para mim e balança a cabeça, pegando a foto das duas.

– Eu voltei pra casa e, alguns meses depois, Cassandra conseguiu voltar. Ela tinha conhecido um rapaz e o levou para conhecermos, e eu fiquei muito irritado – ele diz, as memórias deixando-o com um tom bem-humorado. – Muito mesmo. Ela havia dito que estava em missão, no meio do mar, e depois aparecia em casa com um namorado! Eu havia desistido do meu sonho para cuidar da nossa avó, e ela aprontava essa comigo! Aquele não era o primeiro pretendente dela, mas éramos sempre nós três, juntos. Arrumar outra pessoa seria trair a família. Eu era muito imaturo naquela época.

– E... – quero perguntar o que aconteceu com elas, o motivo pelo qual as abandonou tão pouco tempo depois, mas a verdade é bastante óbvia.

É uma típica história do lugar infernal que é Kali: as duas morreram de alguma forma, seja de doença, ou por causa de alguma bomba, ou alguma mina. Meu peito fica quente e respiro fundo, me consolando com a ideia de que talvez as coisas possam ser diferentes, logo.

– Bem, chega de historinhas por hoje, não? – diz ele, tomando a caixa de minhas mãos. – Eu só quero que você veja uma foto antes...

Ele passa alguns minutos separando fotos da caixa e uma delas cai. Eu a pego sem olhar direito, mas antes de devolvê-la, algo me chama a atenção. São quatro pessoas na foto. Dafne, a avó, com o cabelo bem mais branco que na outra foto, encurvada sobre uma bengala. Ao seu lado, Dimitri, um pouco mais velho, com o cabelo escuro penteado para trás. Ao lado do irmão, Cassandra, com um vestido amarelo desbotado coberto por uma jaqueta azul-escura e um homem que é inegavelmente o almirante Klaus. Mesmo estando com vinte e poucos anos na imagem, e mesmo que só o tenha encontrado uma única vez, sua fisionomia é marcante, com o nariz proeminente e lábios finos. Então Klaus era o namorado da irmã de Dimitri? É por isso que os dois se conheciam?

Largo a foto dentro da caixa sem que Dimitri perceba e ele finalmente levanta o rosto, com uma expressão triunfante. Ele me entrega a foto e vejo que contém três pessoas. Um Dimitri um pouco mais velho que nas fotos de Kali, Rubi e um terceiro rapaz, todos adolescentes. O cabelo vermelho de Rubi está num corte curto, espetado, e ela está toda de preto e amarelo. Dimitri usa uma calça jeans e uma camiseta preta, e seu cabelo ondulado também está desgrenhado. Entre os dois há um garoto de cabelos castanhos que me lembra bastante Tomás.

– Esse é...? – pergunto, curiosa.

– O pai de Tomás. Essa foto foi tirada um pouco antes dele sumir – responde ele, com um suspiro. – Júlio. A gente não faz ideia onde ele foi parar, acho que ele não conseguiu se conformar com a ideia de ser pai. Mas não é isso que quero que você veja. Estou te mostrando pra você ver como o cabelo de Rubi era horrível nessa época.

– Ah! – Eu dou um sorriso e devolvo a foto. – O seu também não está lá muito bom.

– Ainda bem que a gente melhora com o tempo, não é? Tudo já ficou para trás. – Dimitri sorri e me devolve a caixa. – Se a gente se apega demais ao passado, nunca vivemos o presente.

– Você me chamou aqui para contar que decidiu virar um filósofo peregrino e vai se mudar para as montanhas? – pergunto, esculachando um pouco.

– Não – ele responde, levando na brincadeira. – Eu chamei você para perguntar se vê algum problema em dividir o quarto com Tomás por um tempo.

– Dividir o quarto...? Não, não tem problema. Mas nós vamos receber visitas?

– Você viu que o governo está expulsando os anômalos das cidades mistas, certo? Vários deles estão acampados no centro de Pandora. Faz dois anos que meu departamento tenta criar mais um bairro para desafogar a periferia da cidade, sem sucesso, e agora não temos como alojar toda essa gente – explica ele, enquanto continua a juntar suas coisas nas caixas. – Então sugeri que nós fizéssemos uma campanha para que as pessoas dividam suas casas com outras até que o problema seja resolvido.

Encaro-o com admiração e não consigo conter um sorriso. É uma ideia tão generosa e tão prática que me deixa orgulhosa de saber que vem de Dimitri, e que ele também se preocupa com a situação.

– Então vamos dividir nossa casa com outra família?

– Com duas outras famílias. Temos o quarto de hóspedes, o de Tomás e o meu. Eu vou ficar temporariamente com Rubi, no quarto dela. Vamos ficar apertados por um tempo, mas ninguém vai morrer por causa disso.

Subitamente, me ergo um pouco e o abraço, pegando-o de surpresa. Em Kali, gestos de afeição muito abrasivos como esse são mais raros, mas não posso deixar de mostrar minha admiração por Dimitri. Ele está fazendo o que pode, olhando para além das próprias necessidades.

Assim como eu estou tentando, acho.

Meu pai adotivo se afasta de mim sorrindo com sinceridade. Ele me entrega alguns livros para eu organizar em ordem alfabética antes de encaixá-los na pequena estante do quarto. Decido que é um bom momento para abordar o meu próprio assunto.

– A propósito, eu também queria falar com você – aviso, me sentindo um pouquinho culpada por usar um momento íntimo como esse para despejar mentiras, mas não sei quando vou ter outra oportunidade perfeita como essa. – Então, na festa de Fenrir Aconteceu que...

– Na festa de Fenrir? Por que essa frase não parece que vai terminar de uma forma agradável?

Imediatamente, ele larga os livros empilhados e se vira para me encarar.

– Não foi um bom jeito de começar. Mas é que estou irritada – digo, passando uma mão pelo rosto. – Estou irritada por não conseguir fazer nada, Dimitri! Nós estamos presos como se fôssemos animais aqui e tem um monte de coisa em falta quando vou ao mercado comprar comida para nós. Quanto tempo vai se passar até só sobrarem migalhas? E tudo isso depois... – Preciso sorver uma grande quantidade de ar para tomar coragem e continuar. – ...depois da missão, depois do que aconteceu com a Ava... eu não sei. Eu vim pra cá achando que ia ser diferente de Kali, mas é só a mesma coisa com umas casas melhores e uma embalagem mais bonita.

– E o que a festa de Fenrir tem a ver com isso?

Respiro fundo. Hora de contar mais da verdade, ou ao menos parte dela.

– Eu andei conversando um pouco com ele e Zorya sobre a campanha que estão fazendo – respondo, com cuidado, medindo as palavras. Encaro Dimitri nos olhos, tentando não vacilar, e sentindo a mentira me corroer por dentro. – Estão procurando voluntários mais jovens, e estão tentando fazer alguma coisa sobre isso tudo.

Dimitri me estuda por um tempo.

– E você acha que Fenrir pode ter uma solução para esse problema? – questiona por fim, inclinando-se na minha direção.

– Não acho que tenha a solução, mas que pelo menos... é minha chance de tentar fazer alguma coisa, sabe?

– Sim, eu sei. Eu entendo bem esse sentimento, Sybil. E acredito no seu discernimento, mas, às vezes, as coisas não são bem o que parecem ser.

– Eu sei. – Olho para baixo, e solto antes que perca a coragem: – Mas quero ajudá-lo na campanha.

Dimitri fica em silêncio, e a cada segundo que passa fico mais nervosa. Não acho que ele vá dizer não, mas deixá-lo chateado é a última coisa que quero. Abraço minha perna, encostando o queixo nos meus joelhos e aguardando o que vem em seguida. Por fim, ele suspira e balança a cabeça.

– Você pode fazer o que você quiser. Eu e Rubi vamos sempre apoiá-la. Mas só peço que tome cuidado. – Dimitri volta para suas caixas, sem olhar diretamente para mim. – Qualquer problema que você tenha, de qualquer tipo, não hesite em pedir ajuda.

Agradeço com outro abraço e ele murmura algo no meu cabelo que não compreendo, antes de me colocar para trabalhar. Enquanto eu o ajudo a limpar o quarto e a retirar objetos velhos e gastos, a ligação entre Dimitri e o Almirante Klaus ronda minha mente. Então era Klaus o namorado da irmã? Será que os dois haviam ficado amigos? E como os dois continuavam aqui, mas não a irmã?

Quero fazer essas perguntas e mais umas vinte, mas quando vejo como Dimitri está concentrado em limpar o quarto com urgência, escolho ajudá-lo enquanto conversamos sobre amenidades. Se ele não quer contar, não vou falar mais nada. Cada um tem direito a seus segredos e seu passado.

CAPÍTULO 15

No dia em que Dimitri e Rubi saem para ir para a festa de Klaus, Naoki dorme lá em casa. Passamos a noite conversando, ela tagarelando como sempre e eu fazendo pequenos comentários quando necessário. Minha amiga me conta como Dimitri convenceu seu pai a abrigar uma família na casa deles. A casa dela é do mesmo tamanho da nossa, e são apenas os dois morando lá. Quando pergunto o motivo de não abrigarem mais gente, Naoki me explica que o pai não queria nenhum estranho morando com eles, mas que, com o bloqueio a Pandora, o pai não consegue ir para a fábrica em que trabalha, em uma região mais ao sul, e parou de receber um salário. Eles estão com pouco dinheiro, e o pagamento e a comida oferecidos pelo governo para quem abrigar outras famílias será suficiente para eles sobreviverem até o bloqueio terminar.

Ela diz isso com a maior naturalidade, como se estivesse irritada com o pai por não ter arrumado uma solução para o problema que não envolvesse pessoas morando na casa deles. Respiro fundo para não comentar nada que possa ofendê-la e aí ela começa a falar, mais uma vez, sobre como a festa e o jantar de Fenrir foram fenomenais. Me desligo da conversa incessante, entrando naquele modo automático de concordar e parecer chocada nas partes certas.

– Áquila me ligou hoje! – ela exclama, me balançando e me tirando do meu estupor. Eu olho para ela, genuinamente surpresa.

– O quê?

– O Áquila! Ele me ligou hoje! – ela guincha, me abraçando. – Sybil, eu nunca imaginei que um menino tão bonito quanto ele fosse olhar para mim, imagina então me ligar pouco depois da festa... Eu nem sabia que ele tinha meu telefone! Aposto que pediu pra mãe de Andrei e ficou perguntando tudo da minha vida. Eu nunca fiquei tão chocada na minha vida. Áquila! Filho do senador! Com aqueles cabelos escuros e olhos azuis, ele parece até um mocinho de livro!

Me sinto gelada por dentro, mas tento não transparecer minha desconfiança para Naoki. Esse interesse súbito de Áquila por ela não me parece coisa boa e não quero avisar para minha amiga que ele pode estar se aproximando dela para me vigiar, por mais que eu tenha dado minha palavra a Fenrir. Além de magoar o coração dela, e se isso não for a verdade? E se Áquila estiver realmente interessado nela, e eu que estou sendo paranoica?

– O que ele queria? Só conversar? – pergunto casualmente, forçando um sorriso.

– Sim! Não é legal? Ele também quer marcar de me encontrar – Naoki diz, enrolando uma mecha de seu cabelo liso no dedo, pensativa. – Mas não sei se eu quero. Por mais que tenha sido legal, não acho que temos um futuro junto.

– Hum. – Faço um som neutro, porque se eu concordar com essa percepção, talvez ela se sinta ofendida.

– Mas talvez seja legal sair com ele. Você e Andrei podem vir com a gente! – Ela parece animada e bate palmas. – Ia ser muito legal. Podemos ir a uma lanchonete.

– Naoki, eu acho que não tem nenhuma lanchonete aberta – digo, com um suspiro. – Lembra da sorveteria que estava fechada por falta de sorvete?

– Ah, tanto faz. – Ela faz um gesto de indiferença com os ombros. – Podemos ir a algum parque ou qualquer coisa.

– Podemos chamar todo mundo. Faz tempo que não vejo Brian – falo, tentando concordar de um jeito que não me comprometa.

Naoki desvia o olhar e balança a cabeça.

– Ele anda esquisito. Desde aquele dia da prova, quase não fala com a gente. Leon tentou entrar em contato e nunca o encontra em casa. Eu não sei o que está acontecendo com ele.

– Talvez ele esteja tendo problemas com a ideia de não nos ver mais todos os dias e quer se preparar pra isso com antecedência? – sugiro, mas Naoki faz que não e muda de assunto rapidamente.

Faço uma anotação mental para tentar descobrir o que está acontecendo com Brian. Se é realmente medo de não nos ver com frequência, já que estava prestes a se formar, posso dar alguns conselhos sobre o assunto. Não é como se não fosse nos encontrar nunca mais, é? Não havia motivo para ele agir dessa forma.

No dia seguinte, Dimitri e Rubi dormem até tarde, então eu, Naoki e Tomás preparamos o café da manhã. De tarde, nós vamos até a casa de Andrei e é Zorya que nos recebe, com um sorriso de orelha a orelha. O pai de Andrei nos fez uma torta e, depois, enquanto ajudo Zorya a lavar a louça, ela me entrega um papel escrito "Apareça" com uma letra descuidada que suponho não ser a dela, acompanhado de um endereço e um horário, dali a quatro dias.

Todo tipo de esperança vem desse bilhete. Por algum motivo, tenho a impressão de que ela quer falar sobre o que deixou de dizer quando foi nos buscar depois da missão, sobre como, talvez, meu pai exista e esteja vivo em algum lugar.

Não é como se eu não tivesse pensado nisso todos os dias desde que ela tinha me dito aquilo, mas também não é como se eu *pudesse* fazer algo sobre esse assunto. Passei tanto tempo no orfanato de vovó Clarice que me acostumei com a ideia de ser órfã – e agora eu tenho pais adotivos, uma família inteira.

Se meu pai biológico está vivo em algum lugar e sabe quem eu sou, e por alguma razão, não veio atrás de mim, então isso deveria ser motivo o suficiente para eu não me importar e não querer fazer nada sobre esse assunto. Quanto mais penso nisso, mais meu coração se aperta. Não sei se sinto alívio por descobrir que não sou sozinha no mundo, ou se sinto raiva por terem me deixado para trás por tanto tempo, sem nada a que me apegar.

No entanto, provavelmente é uma artimanha de Fenrir para me deixar vulnerável e aceitar suas instruções sem questionar. Se ele ameaça tirar a vida de adolescentes, pode ser capaz de tudo. Pode querer me manipular ao esfregar a possibilidade na minha cara, sabendo que para uma parte de mim, é impossível resistir a essa isca, por mais determinada que esteja. É melhor ignorar. Não é como se outras coisas não estivessem ocupando meu tempo.

Enquanto o dia da reunião não chega, tento decifrar os arquivos sobre o *Titanic III*, sem muito sucesso. A suspeita sobre a União querer que os navios afundem fica ainda mais forte com as informações que Fenrir me deu sobre o cônsul e o Senado. Se Fenrir, figura tão persuasiva (a seu modo, claro), não consegue o apoio do qual precisa, imagino que o senador de Kali obtenha ainda menos sucesso, visto que as pessoas mal o conhecem.

O dia do encontro com Zorya é o mesmo em que recebemos os novos moradores da nossa casa. Uma das famílias é composta por quatro pessoas, uma mulher baixa e encorpada chamada Helena e seus três filhos: Eric, de 9 anos, Erin, de 8, e Eduardo, um bebê de pouco mais de 1 ano. Eles carregam duas malas com poucas roupas. Descubro que o pai das crianças é humano e ficou em casa com o resto dos pertences deles. É bem diferente da situação da outra família, composta por Irina, uma mulher de mais idade, e Miriam, sua filha adotiva de 5 anos. Elas trazem várias malas, panelas e caixas com tudo o que conseguiram juntar antes de serem expulsas do apartamento onde moravam em Prometeu.

O número de crianças de várias idades me faz lembrar do orfanato, e pensar em vovó Clarisse e todas as outras meninas abandonadas em sua porta. Enquanto as mulheres e meus pais adotivos acomodam as coisas no andar de cima, fico vigiando as crianças. O calor do bebê em meu colo me leva para longe dali e eu o aconchego, sentindo uma pontada esquisita no peito. Como será que estão as garotas que deixei para trás quando vim para cá? Como será que está vovó Clarisse? A última carta que recebi dela foi no início das férias, e não consegui enviar uma resposta a tempo. Com o bloqueio nas Cidades Especiais, o correio também parou de funcionar. É angustiante pensar que estamos presos, isolados do resto do mundo.

Olho para todas as crianças brincando na sala, em silêncio. Como deve ser estranho vir para cá na pressa, deixando para trás amigos e familiares. É uma situação tão diferente da que me trouxe para Pandora. Eu escolhi deixar para trás a vida que eu odiava, ciente de todos os riscos. Eles, não. Essas famílias foram expulsas de casa, obrigadas a abandonarem suas vidas. E por causa de quê?

Tomás me observa com atenção do chão, onde brinca com as crianças mais novas, e se senta ao meu lado, visivelmente preocupado. Me acalmo um pouco quando ele começa a fazer caretas para o bebê, mas fico inquieta até o horário de sair para me encontrar com Zorya no endereço que ela me deu.

A mentira sai fácil quando digo que visitarei Andrei. Nem mesmo Rubi desconfia. Eu não sei exatamente onde fica o endereço que me foi dado, só que é do outro lado da cidade, em um lugar onde nunca fui. O papel dá instruções detalhadas de como chegar lá pelo metrô. É um bairro afastado do centro, com galpões enormes parecidos com os hangares que havia perto da minha cidade, em Kali. Desde que os bloqueios começaram, meus pensamentos sempre voltam para lá. Quando cheguei em Pandora, tudo que queria era esquecer a minha vida passada.

Agora, era tudo que eu lembrava, sem parar.

Só sei que estou no lugar certo porque Charles, o pai de Andrei, está na frente de um dos galpões, vestido como Madame Charlotte. Está com sua peruca preta e cacheada, que nem parece falsa, e um vestido azul escuro com a cintura marcada. Ele está fumando um cigarro. Me aproximo com passos rápidos e quando me vê, ele joga o cigarro no chão e apaga com a ponta do sapato, pisando com força o salto na calçada.

– Sybil! – ele exclama e me surpreendo com sua voz normal, não com a versão mais fina que costuma usar quando é Madame Charlote. – O que você está fazendo aqui?

– Eu não sabia que você fumava – é a única coisa que consigo dizer, já que não sei mesmo o que estou fazendo aqui.

– Não na frente das crianças – ele responde, de forma bem-humorada. – Zorya me mataria se visse isso.

– Ela está aqui? – tento sondar mais alguma informação. Charles suspira pesadamente, como se apenas essas três palavras bastassem para adivinhar o que eu estava fazendo ali.

– Sim, ela está. – Ele balança a cabeça, os cachos pretos acompanhando seu movimento. – Eu só não esperava...

Olho para ele com curiosidade e ele faz um sinal com a mão para que eu o siga, deixando a última frase pela metade. Não completar frases parece ser uma tendência comum na residência dos Novak, mas não o pressiono. Charles abre a porta do galpão para mim e caminha ao meu lado, os ombros eretos. O espaço em que estamos é todo aberto, cheio de câmeras e pessoas caminhando de um lugar para o outro. No centro, há um cenário com um fundo azul e uma cadeira e entendo que faz parte de um estúdio de gravação. Todos que passam cumprimentam o pai de Andrei e passam os olhos por mim, curiosos. Paramos em uma das laterais, onde várias divisórias de pano separam a equipe de gravação do figurino e da maquiagem, com uma divisória de cortina. Que lugar é esse? Zorya me chamou para gravar um programa com Madame Charlotte?

Charles para na frente das divisórias e coloca as mãos na cintura, me lembrando muito de Rubi quando fica irritada e está prestes a começar uma bronca.

– Eu vou chamar o responsável pelo figurino – ele diz, se recompondo. – Fenrir deve chegar a qualquer momento.

O cenário começa a fazer sentido, e percebo que estou aqui para gravar algo para a campanha de Fenrir. Talvez uma propaganda? Como esperam que eu faça minha parte se estão me dando informações incompletas? Minhas mãos começam a suar, eu não acredito que terei que aparecer na televisão. Parece um pesadelo.

– Você está aqui para gravar um comercial para ele também? – pergunto, chutando para conseguir uma confirmação.

– É. Eu acredito na causa – Charles responde, com um suspiro.

– Mas não em Fenrir? – pergunto, abaixando o tom de voz.

– Eu não vou responder essa pergunta, mocinha. – Ele ri, e o sorriso dele me lembra tanto Andrei que me sinto culpada por estar aqui sem contar nada ao meu amigo.

– Tudo bem. – Dou de ombros, contendo um sorriso. – Eu acho que já sei a resposta.

Ele me examina por alguns segundos, ainda com um sorriso no rosto, e ergue uma das cortinas para que eu entre, me conduzindo com uma das mãos no meu ombro. O local tem quatro cadeiras, cada uma em frente a um espelho, e uma mesa cheia de potinhos de maquiagem. Duas delas estão ocupadas e Charles me direciona para uma terceira, dizendo que vai pedir para alguém trazer algo para eu beber.

Agradeço baixinho, esperando até que ele saia para olhar furtivamente para as outras pessoas. Lá estão, o mesmo par que vi na festa.

É coincidência demais eles estarem aqui, e me pergunto se eles estão presos a Fenrir por um acordo, assim como eu. Mesmo que ele tenha me convencido a participar voluntariamente, eu sei que ele me obrigaria a estar aqui se ele precisasse fazer isso.

A garota, mais uma vez, não gasta dez segundos olhando para mim e volta os olhos para a revista que está folheando. O garoto, porém, me encara demoradamente, me deixando desconfortável. Eu sustento o olhar dele. Em vez de desviar o olhar, ele levanta uma sobrancelha como quem diz "qual é a sua?". Eu só cruzo os braços e finalmente ele quebra o silêncio:

– Você sentou na nossa mesa na festa – o rapaz comenta e sua voz tem um timbre grosso.

– Boa capacidade de observação – ironizo. Para quem está com pinta de valentão, ele não consegue intimidar de maneira alguma e quase começo a rir.

– E você estava lá quando... – Ele não completa a frase, mas o resto é óbvio.

– Também. Sim. – Respondo, olhando para a garota ao lado dele. Ela não parece nem estar ouvindo a nossa conversa, apesar de estar presente fisicamente. – Engraçado, né?

– Qual é seu nome? – pergunta, não se importando com meu comentário.

– Sybil. E o de vocês?

A expressão que o garoto faz me deixa um pouco intimidada, e ele olha para sua parceira, que faz um gesto para que ele continue.

– Ela é Felícia. Eu me chamo Victor – ele diz e os observo. Felícia obviamente manda em Victor, apesar de parecer mais nova. Aqui, fora da festa, ela parece ter algo entre a minha idade e a de Sofia.

– Vocês são irmãos?

Isso faz a garota rir e largar a revista, apoiando os cotovelos nos joelhos.

– Não. Victor é meu cão de guarda – ela responde, com um sorriso angelical. Victor olha para ela com uma expressão indecifrável e passa a mão na cabeça, como se estivesse incomodado. – Ele é forte e nunca deixa nada de ruim acontecer comigo. Ele é formidável. O melhor cãozinho do mundo.

Com isso, ela dá dois tapinhas na perna de Victor, como se ele realmente fosse um cachorro, e volta sua atenção a mim.

– Onde está o seu? – ela pergunta e eu fico confusa, encarando-a. Ela explica: – Seu cão de guarda. Você não deveria estar aqui sem um. Não é apropriado.

– Eu não trato pessoas como animais – respondo, e só depois que as palavras saem da minha boca percebo o efeito que as palavras podem causar. Victor se empertiga ao lado dela, tenso, pronto para defendê-la, mas Felícia solta uma gargalhada aguda, como quem está se divertindo muito.

– Você não sabe o que está perdendo. Victor fica muito feliz em me servir, não é? – Ela olha para o rapaz ao lado com uma expressão de adoração e ele olha para baixo, visivelmente incomodado. – Victor.

O tom dela é de ameaça e ele assente, parecendo genuinamente feliz. Não consigo entender o que se passa, mas não é um relacionamento normal. Felícia pega a mão de Victor e o garoto relaxa na cadeira, com os olhos vidrados. A menina se vira para mim.

– Eu gostei de você – Felícia declara e fico no mínimo surpresa, porque ela não prestou atenção em mim em nenhum outro momento. Será que os dois têm algum tipo de laço mental, permitindo que conversem e troquem impressões? – Fenrir escolheu bem em colocar você em um comercial na televisão. Vai ficar ótimo! As pessoas vão simpatizar muito com você! Você não acha, Vic?

Victor concorda com um murmúrio e ela parece satisfeita, pegando a revista e voltando a ler. De todas as pessoas que conheci desde que cheguei aqui, incluindo Fenrir e Áquila, essa menina é a mais estranha. Não tenho tempo de responder e questionar o que ela quer dizer, porque uma mulher e um homem entram no cômodo e se debruçam em cima de mim e de Felícia. A mulher cuida da minha maquiagem e parece satisfeita quando eu murmuro que ela pode fazer o que bem entender. Do outro lado, Felícia parece ter instruções bem específicas de como sua maquiagem e cabelo devem ser feitos, principalmente porque seus olhos não podem parecer muito pequenos e ela precisa realçar a cor violeta deles. No final, minha maquiadora coloca um espelho na minha frente e fico satisfeita com o que vejo. Tirando o fato de meu nariz parecer menor e do batom cor de tijolo, nem parece que estou maquiada.

Na minha frente, Felícia sai das mãos do seu maquiador parecendo outra pessoa e me lembra uma princesa como a das histórias, com as bochechas rosadas e os cílios imensos. Seu cabelo está solto, igual ao meu, mas cai em cachos bem marcados pelo seu ombro. Passo a mão no meu cabelo liso e sem graça e sinto saudade de quando ele era comprido o suficiente para fazer uma trança.

Depois, somos levados para uma sala com uma arara cheia de roupas. Um rapaz entrega um vestido para Felícia, e Victor fica ao lado dela, exatamente como um bom cão de guarda. Depois, o encarregado pelo figurino se vira para mim e me analisa por alguns segundos, antes de me entregar uma blusa preta, uma calça jeans e um lenço enorme, colorido com vermelho tijolo e amarelo. Olho para ele em dúvida e ele faz um sinal na sua cabeça.

– Você quer que eu use esse lenço na cabeça? – pergunto, cruzando os braços.

– É, você não é de Kali?

Preciso de todo meu autocontrole para não revirar os olhos e jogar as roupas de volta na cara dele. Respiro fundo antes de responder:

– Sim, mas nem todo mundo usa isso em Kali.

– Vai dar um ótimo efeito em vídeo – ele responde. – Principalmente com sua fala.

– Eu não vou usar esse lenço na cabeça. – Estendo o braço, tentando devolver.

– Não discuta com o figurino! – O homem se irrita. – É o que temos para você e pronto. Não tem escolha!

O figurinista me dá as costas e sai da sala. Quase vou atrás dele, mas Felícia parece estar me julgando do canto do cômodo e tenho vergonha de fazer uma cena por causa de um lenço. Resignada, entro em um dos provadores e troco meu vestido pela blusa e pela calça, abrindo o lenço na minha frente sem saber o que fazer.

No final, visto a roupa da maneira como me mandaram, mas uso o lenço como um cachecol, em volta do meu pescoço. Com meu cabelo solto e a maquiagem, nem pareço a Sybil que me cumprimenta no espelho todas as manhãs. Tenho certeza de que Naoki aprovaria, mas o restante dos meus amigos iria estranhar. Não gosto de parecer quem não sou.

Como ovelhas, somos pastoreados até o cenário onde a gravação acontecerá. Finalmente encontro Zorya andando para um lado e para o outro dando ordens com uma voz firme e controlada. Quando nos vê, faz um gesto para nos aproximarmos e percebo Fenrir sentado com as pernas cruzadas na cadeira, parecendo relaxado. Seu sorriso é enorme quando me vê, mas treme um pouco quando Felícia entra em seu foco.

– Minhas meninas de ouro! – ele exclama, como se nós fôssemos suas filhas. – A equipe fez um ótimo trabalho. Zorya, mande meus cumprimentos.

– Certo – ela diz sem muito entusiasmo e anota algo em uma prancheta. – Você contou a Sybil qual o plano?

– Ela é inteligente, já deve ter deduzido – ele responde, com um tom de aviso na voz. Não sei se é dirigido a mim ou a Zorya, mas me sinto incomodada. – Você tem o texto que vai ser lido?

– Sim, aqui. – Zorya entrega dois papéis para ele. O senador lê, dando um sorriso presunçoso, provavelmente pensando em como seja lá o que está escrito é genial. Aposto que foi ele mesmo quem escreveu.

Primeiro, entrega o papel de Felícia, que lê o texto e concorda com a cabeça.

– Exatamente como combinamos – ele diz, e a garota parece satisfeita.

– Estou muito feliz que você tenha feito tudo direitinho. Você não está também? – ela fala, e isso faz Fenrir sorrir e, pela primeira vez, não parecer um tubarão.

Isso é um sorriso genuíno? Zorya desvia o olhar, visivelmente perturbada com a cena. Eu entendo. É perturbador mesmo.

– Sybil, esse é o seu. – Ele entrega para mim e enquanto leio, consigo sentir Felícia e Victor parados atrás de mim, espionando sobre meu ombro.

Chego ao final, quase engasgando ao ler o restante, e escuto Victor fazer um barulho de desaprovação. O que Fenrir acha que está fazendo?

– Eu não acho que eu deva gravar isso. – Praticamente cuspo as palavras, amassando o papel na minha mão.

Fenrir me encara e cruza os braços. Ao seu lado, Zorya olha para o chefe com uma expressão de triunfo, significando que ela já teve essa discussão antes com ele. Por um momento, eu e Fenrir nos encaramos. Por fim, desamasso o papel para recitar o que estava escrito.

– "Nós não podemos aceitar isso de cabeça baixa, como burros de carga" – leio em voz alta. – "Nós não somos armas de uma guerra, nós somos cidadãos, e merecemos ser tratados como tal. Vamos demonstrar a nossa força quando clamarmos por mudança".

– Eu não vejo problema nenhum – Fenrir rebate. – Sou o autor do texto.

– Eu tenho quase certeza de que o cônsul consideraria isso traição, no mínimo. E ele não vai se importar se foi você que fez o texto ou não, se for eu que estiver proclamando isso – respondo, precisando de toda a minha coragem para dizer o que vem a seguir. – Eu não vou gravar.

– Sybil – ele diz, sua expressão séria. – Você concordou.

– Eu não concordei com *isso* – digo, apontando para o papel. – Você tem sua ideia maluca e eu concordei em te ajudar, mas não dessa forma. Como isso vai ajudar, no final? Se os anômalos usarem a força para clamar por mudança, as pessoas vão acabar se machucando.

– Elas estão se machucando independente do que está escrito aí, senhorita Sybil – Fenrir explica, sem alterar a voz. Ele repete, falando cada palavra separadamente e com ênfase: – Você concordou em fazer parte disso.

Eu consigo entender a ameaça por trás do seu tom de voz e fecho os olhos, lembrando das suas palavras quando nos livrou da missão. Não somente eu iria pagar por quebrar o acordo, mas também minha família e meus amigos. Sinto meu corpo tremer, então afundo minhas unhas na palma das minhas mãos.

– Você nunca nem quis... – começo a dizer, e balanço a cabeça, decidindo que não é a melhor abordagem. – Eu não concordo com isso.

– Entendo sua objeção. – Ele cruza os braços. – Se você não quiser, pode voltar para casa.

Ele me dá escolha sabendo qual vai ser a minha resposta. Sinto meu rosto queimar e meus olhos ficam embaçados. Estou prestes a chorar de raiva, mas só dou as costas e caminho para longe de Fenrir.

Escolho um lugar escondido e encosto a cabeça na parede, respirando fundo para não me descontrolar. Precisa haver outra forma, outro jeito para contornar esse problema. Não posso ficar desesperada e me curvar, isso só vai me levar para lugares piores.

Me sento no canto em que estou, abraçando os meus joelhos, e abro o papel para reler o texto. Fenrir quer incendiar as pessoas porque não viu o que aconteceu na estação, porque não sentiu o desespero que é ver as pessoas sendo pisoteadas e machucadas sem terem feito nada demais. Como será a resposta do governo se diversos grupos começarem a se rebelar? Precisa existir outro jeito de fazer com que os humanos nos aceitem e nos respeitem. Nem todo mundo é como o cônsul, e tenho certeza de que se eles nos conhecessem melhor, veriam que não existem diferenças reais entre anômalos e pessoas normais. Nós somos todos iguais. Eu achava que era uma humana até alguns meses atrás. Que diferença fez descobrir uma anomalia idiota? Eu continuo sendo a mesma pessoa.

Passos se aproximam e levanto o rosto. Victor para na minha frente, as mãos rentes ao corpo e, com um sinal, pergunta se pode se sentar ao meu lado. Dou de ombros e amasso o papel novamente, procurando por Felícia.

– Cadê a outra que não larga do seu pé?

– Empolgada demais com o que está prestes a fazer para perceber que fugi – ele responde enquanto se senta ao meu lado, com as pernas esticadas. Seu rosto está virado na direção de onde a gravação vai acontecer. – Eu percebi que você ficou chateada.

– Você é bem perceptivo – falo em um tom sarcástico. Passo as mãos nos olhos só por precaução, para ver se não tem nenhuma lágrima rebelde.

– Eu acho que você deveria saber que não importa o que você decidir fazer – ele continua e vejo que me observa pelo canto do olho –, Fenrir vai dar um jeito de provocar o cônsul com ou sem a sua fala.

– Mas eu posso fazer a minha parte para minimizar os danos – digo, irritada.

– O que é uma formiga para um elefante? – ele questiona, fechando suas mãos em punhos. – Ninguém vai se importar com você.

– Ah puxa, que discurso motivador – eu digo, esticando minhas pernas também, perdendo a paciência.

– Entendo seu ponto de vista – ele continua. Aparentemente, Victor tem algum problema em escutar os outros, já que ele não parece ter ouvido nada do que eu disse. – Pelo menos eu posso fazer minha parte.

– Ah, fico muito feliz por ter ajudado você de alguma forma. – Balanço a cabeça, sussurrando "é cada uma", e tento me levantar.

Victor me impede, segurando meu braço e me puxando de volta para o chão com uma força surpreendente. Ele me encara, seus olhos sérios de cor indefinida, e sua expressão é visivelmente de dor. Fico preocupada e apoio uma mão em seu ombro e ele se encolhe, como se tivesse sentindo uma pontada.

– Não temos muito tempo. Me escute – ele diz e fica óbvio que não sabe meu nome. – Com atenção.

– Eu estou escutando. – Me aproximo mais ainda. – Você está me machucado.

– Felícia... ela é filha do cônsul – ele ofega, falando com certa dificuldade. – Ele vai cair matando em vocês quando souber o que Fenrir está fazendo, e vocês vão precisar se unir, como um punho ou...

– Ou? – Eu o incentivo e ele olha para o outro lado, ganindo de dor. A respiração está acelerada, uma gota de suor escorre em sua testa e tenho a impressão de que vai desmaiar a qualquer momento. – Você não parece bem, vou chamar alguém...

– Não! – ele exclama assustado e segura meu braço novamente. – Não deixe isso acontecer. Não deixe...

Ele é interrompido por uma dor que é praticamente visível, e algumas lágrimas escorrem de seus olhos. Victor abaixa a cabeça, a respiração audível, e eu me aproximo mais ainda, segurando-o pelo ombro.

– Eu vou chamar alguém. Não posso te deixar ass...

– Shhh – Victor responde. – Eu já vou ficar bem.

Fico em silêncio, observando-o se recuperar aos poucos. Ele encosta na parede com os olhos fechados e a mão no peito e, depois de alguns minutos, quase parece que voltou ao normal. Uso o silêncio para pensar sobre o que acabou de acontecer. Por que ele estava sofrendo tanto? Será que alguém o controlava a distância para dizer aquelas coisas? Mas que motivo teria para mentir? Decido confiar em meu sexto sentido, que diz que ele está falando a verdade, e, se eu estava com raiva antes, agora estou furiosa. A única coisa que me impede de ir até Fenrir exigir explicações está na minha frente, ofegante.

E da mesma maneira súbita como veio, o sofrimento desaparece. Fico boquiaberta quando Victor levanta de forma quase robótica, como se nada tivesse acontecido. Antes de voltar para onde estão os outros, ele olha para mim e diz, de forma quase inaudível:

– Faça a sua parte.

Fico olhando enquanto ele dá meia-volta para se juntar aos outros, como se nossa conversa não tivesse acontecido.

CAPÍTULO 16

Não demoro muito para retornar ao grupo, fazendo o possível para não fazer um escândalo. Quanto mais penso no assunto, mais me sinto traída. Não é só o texto... mas se Fenrir ia levar as coisas para o âmbito pessoal em relação ao cônsul, eu gostaria de ter sido avisada com antecedência. E por que ele iria colocaria uma humana como Felícia na campanha? A única explicação é que ele quer mostrar para todos que pode ameaçar o cônsul. Pesando os dois perigos, a ameaça de Fenrir não é nada comparada ao que pode acontecer se o homem mais poderoso desta metade do mundo decidir que nós, anômalos, somos seus inimigos.

Quando volto para a parte mais cheia do estúdio, um assistente me puxa para a lateral do local onde estão gravando. O pai de Andrei está sentado em um banco alto, falando com sua voz de Madame Charlotte diretamente para a câmera, com uma expressão séria. Não presto atenção ao texto que ele repete várias vezes, de vários ângulos diferentes, mas capto algumas palavras como "nossos filhos" e "mundo melhor".

O diretor o libera e Charles aperta meu ombro antes que eu o substitua ao sentar no banco. Alguém grita "gravando" e eu encaro a câmera com uma expressão meio embasbacada, sem saber direito o que fazer. Eu estava tão irritada antes que só agora começo a entender de verdade o que significa essa gravação. Eu vou aparecer na televisão para todo mundo ver. Todos os anômalos vão assistir, talvez até pessoas que não estão em Pandora. Quantos milhares de pessoas são isso? A ideia me deixa muito nervosa e abro e fecho a boca várias vezes, sem saber o que falar. Não decorei o texto. Mesmo se tivesse decorado, tenho certeza de que esqueceria tudo no instante em que me sentasse no banco e olhasse para a câmera. Balbucio o que lembro e outra voz grita para parar a gravação.

Um homem surge na minha frente e me explica, como se eu falasse outro idioma, o que eu devo fazer. Abro o papel no meu colo e tento ler enquanto estou sendo gravada, mas aí recebo outra bronca sobre como eu deveria olhar para a câmera enquanto falo. Na quarta tentativa, Fenrir caminha até a mim e cruza os braços, com uma expressão de desgosto.

– Você está fazendo isso de propósito – acusa.

– Eu tive três segundos para decorar esse texto imenso – respondo, irritada e trêmula.

– Nós não temos mais tempo do que isso.

– Então me deixe falar o que eu quiser – desafio ele, e toda a equipe olha para Fenrir com expectativa, sabendo que está em uma sinuca de bico. – Ou me dê mais tempo.

– Se eu não aprovar o que você disser, nós vamos ter uma conversinha depois – ele vocifera baixo, arrancando o papel da minha mão e enfiando no bolso.

– Eu não sabia que você tinha um temperamento tão ruim – falo mal-humorada, enquanto ele se afasta e sai do estúdio abruptamente, não sem me lançar um olhar mortal.

Quando Fenrir finalmente se retira de vez, ainda estou tremendo. Apoio minhas mãos no colo e peço um minuto para organizar meus pensamentos. Não fiz de propósito, mas também não me esforcei para fazer o discurso proposto. Pelo menos, havia conseguido uma vitória. Agora, preciso de um texto que tenha impacto, mas que apazigue a fúria do cônsul caso decida tomar alguma medida drástica. E preciso me controlar para não vomitar enquanto falo.

Fecho os olhos e respiro fundo algumas vezes, pensando em Ava. Se ela estivesse aqui, o que ela diria? Se não tivesse ficado para trás para me salvar, o que faria nessa situação? Ela tinha dito para mim com todas as letras que faria qualquer coisa para ser uma humana, para ser respeitada como uma. Daria qualquer coisa para que as pessoas na escola a vissem como quem ela era, e não só julgá-la pela sua anomalia. Ava não está aqui para dizer tudo isso, mas eu posso falar por ela.

Quando finalmente organizo meus pensamentos, faço um gesto para o moço da câmera, que chama o diretor. A expressão do homem é de desgosto quando se senta em sua cadeira e manda que retomem a gravação, preguiçosamente.

Eu me endireito na cadeira, encaro a câmera e tento falar da forma mais natural possível, como se estivesse conversando com um dos meus amigos:

– Escolha é algo que todos nós deveríamos ter, independentemente de onde viemos ou do que somos. Todos nós deveríamos começar com as mesmas oportunidades, com as mesmas possibilidades. Uma... – Eu hesito, meu estômago revirando. Minhas mãos começam a suar e minha tremedeira piora. – ...uma criança que nasce em Pandora, ou em Prometeu, ou em Kali... todas elas deveriam poder ser o que quiserem, quando crescerem. Mas não é isso que acontece atualmente.

Faço uma pausa, segurando minha mão com mais força para que ela pare de tremer, juntando-as no colo.

– Dizem que nós, anômalos, somos cidadãos, mas como, se não temos o mesmo direito das outras pessoas? Como, se não podemos fazer as mesmas escolhas? Nós nos adaptamos à vida que levamos e não exigimos o respeito que merecemos, como seres humanos. Nós nos desrespeitamos no dia a dia, considerando que existem anômalos melhores baseado somente na ideia do que são capazes de fazer. Se não nos juntarmos, se não nos respeitarmos, nunca seremos respeitados. – Respiro fundo, tensionando as costas para que elas não fiquem trêmulas diante da câmera. – Precisamos mostrar que sendo anômalos ou não anômalos, somos todos iguais. Todos temos sonhos, esperanças e expectativas, todos nós sangramos quando nos cortam. Todos choramos se perdemos algum ente querido. Nós batalhamos por algum reconhecimento e Fenrir está no Senado, todos os dias, lutando a batalha mais difícil. É nossa vez de mostrar o que queremos. Precisamos levantar a cabeça e dizer, com uma só voz: nós estamos aqui. E nós exigimos respeito!

Quando termino, o estúdio fica em silêncio. O diretor demora um pouco para reagir e manda a gravação parar. Eu desço do banco, sentindo vontade de vomitar, e Charles me encontra na beirada do cenário, me fazendo sentar em uma cadeira. Ele me entrega um copo de água gelada. Abaixo a cabeça e respiro fundo várias vezes para tentar me acalmar, mas não consigo parar de tremer. Charles se abaixa na minha frente e passa a mão nas minhas costas, murmurando algumas palavras de conforto. Ele inclina o copo na minha direção, sussurrando:

– Você foi muito bem, querida.

Balbucio qualquer coisa em resposta, e então vejo o diretor se aproximar do pai de Andrei e falar algo. Charles se levanta, ficando na minha frente, e conversa com raiva com o outro homem, que levanta a voz. Demoro um pouco para entender o motivo da briga, até que o diretor vira para mim e diz:

– Nós precisamos fazer outra tentativa, por precaução!

Olho para ele, piscando várias vezes, até entender o que aquilo significa. Eu nunca vou conseguir repetir meu discurso improvisado de novo, e só de pensar que pode dar errado e acabar precisando gravar a versão de Fenrir, caso a minha não seja aprovada, me dá calafrios...

– Você vai ter de passar por mim se quiser fazer isso. – Charles cruza os braços, se endireitando para ficar mais alto que o diretor. – A gravação ficou ótima e, se não ficou, é melhor se virar na edição.

– O senhor Fenrir disse que...

Charles levanta a mão e impede o homem de continuar.

– Se Fenrir reclamar, diga pra vir brigar comigo.

O diretor parece contrariado, mas nos dá as costas e decide não continuar.

Charles se abaixa na minha frente mais uma vez e segura minhas mãos, enxugando-as no tecido do vestido, e me encara em silêncio por alguns instantes.

– Se você esperar uns dez minutos enquanto troco de roupa, levo você de volta para casa. Tudo bem?

Concordo com um aceno de cabeça e ele sorri antes de se levantar e desaparecer dentro da sala de figurinos. Felícia está no banquinho agora e parece muito mais segura que eu falando para a câmera. Victor está ao lado do diretor de braços cruzados, tão quieto e silencioso quanto uma estátua. As demais pessoas me deixam em paz, passando por mim como se eu não estivesse ali.

Zorya vem junto com Charles e aperta meu ombro de forma maternal, me entregando minha bolsa e as roupas com que cheguei.

– Venha, querida. Charlie vai te levar para casa – avisa ela com um sorriso gentil. – Nos vemos no próximo evento, e pode ter certeza de que não vou deixar Fenrir fazer você falar em público.

– Obrigada – sussurro para ela, enquanto os dois me conduzem para o lado de fora.

– Você não deveria agradecer – Charles resmunga, e eu olho para ele com alguma expectativa, mas o assunto morre logo quando caminhamos até a estação do metrô.

CAPÍTULO 17

Com toda a tensão dos últimos dias, é fácil esquecer que o Festival da Unificação se aproxima rapidamente, e que o novo ano começará em breve. Meu aniversário e o de Andrei estão cada vez mais próximos: o garoto faz aniversário uma semana depois da virada do ano e o meu é duas semanas depois do dele. A aproximação do Festival me deixa ansiosa porque logo a eleição começará pra valer. Não sei o que vai acontecer agora – não sei nem como explicar para a minha família como gravei um comercial para a campanha sem avisar nenhum deles. Só comentei com Dimitri o que estava fazendo, e torcia para que ele tivesse repassado a informação a Rubi sem que eu precisasse me aprofundar no assunto.

O Festival da Unificação é a comemoração anual do início do ano. Como vários países e culturas formaram a União, muito tempo atrás, o primeiro governo decretou que a melhor maneira de respeitar essa diversidade era criar uma data para comemorá-la. Não deveríamos esquecer de nossas origens, porque elas determinavam o que desejávamos para o nosso futuro. Normalmente, as pessoas se vestem com roupas típicas de seus antepassados, e há paradas, desfiles e grandes comemorações em todas as regiões, até mesmo em Kali. É um dia de mesa farta e esperanças renovadas. Como também é a data do Ano-Novo no Império do Sol, é considerado o único dia de paz mundial, o único em que podemos respirar aliviados e há um cessar-fogo obrigatório.

Na véspera do Festival, encontro Andrei na biblioteca do nosso bairro com a minha parte dos arquivos sobre o *Titanic III* para ver se conseguimos fazer alguma evolução. Ele e Leon avançaram bastante na tradução, mas Andrei não me conta o que descobriram. Da minha parte, não consigo quase nada porque todos os símbolos parecem iguais e sempre fico com uma dor de cabeça insuportável depois de encarar o papel por muito tempo. Encosto a cabeça na mesa e fecho os olhos, soltando um gemido de frustração.

– Eu achei que vocês aprendiam o idioma deles em Kali – Andrei comenta. – Ou você só finge ser boa aluna aqui em Pandora, e quando morava lá prestava tanta atenção quanto eu?

– A gente odeia os dissidentes, por que perderíamos tempo aprendendo essa droga que não tem pé nem cabeça? – eu resmungo, apoiando os cotovelos em cima da mesa e olhando para ele. – Você, por outro lado, está tendo facilidade demais para alguém que alega não prestar atenção em nada.

– Nossa, que ataque. – Ele olha para a folha de papel na sua frente com um sorriso, abaixando a cabeça de uma maneira que, alguns meses antes, faria seu cabelo cobrir o rosto.

– Eu sinto saudade do seu cabelo grande – suspiro, arrumando o meu atrás da orelha.

– Eu também – Andrei responde e passa a mão no cabelo curto, arrepiando-o. – Mas não era eu que ficava enchendo o saco para que eu cortasse direto.

– Não, você ficava enchendo o *meu* saco para que *eu* cortasse seu cabelo – digo, chutando-o por debaixo da mesa. Ele segura meu pé e me puxa, quase me derrubando da cadeira. – Ei!

– Da próxima vez você vai pro chão. – Ele dá um aperto no meu calcanhar antes de me soltar e eu chuto a canela dele com o outro pé. – Ai!

– Shhh, estamos em uma biblioteca – sussurro, e Andrei me encara em desafio.

– Esse não é o fim, mocinha – ele me responde, no mesmo tom sussurrado. – Lembre-se que da última vez fui eu que ganhei.

– Sorte de principiante – provoco, com um sorriso. – Ei, eu estava pensando: onde vamos nos encontrar amanhã para o Festival?

Andrei se endireita, fechando o dicionário de *Idiomas e gráficos do Oriente*. Eu também me endireito, imitando a postura estranha repentina dele.

– Eu não vou para o Festival – explica. – Eu nunca vou.

– Você não...? – franzo a testa, confusa. – Onde você passa a virada de ano?

– Em casa. Fazendo algo mais útil do que me vestir de forma idiota e ver um desfile sem graça com fogos de artifício. – Ele cruza os braços, de forma defensiva.

– Você assiste pela televisão? – questiono, bem-humorada. – Eu não achava que você fosse dessas pessoas que...

– Não, Sybil. Não importa o que você disser, eu não vou. – O garoto guarda na mochila as folhas em que estava trabalhando, sem olhar para mim. Ele estica a mão para as minhas páginas e bate o dedo no canto de uma delas. – Vou levar isso aqui também porque, se depender de você, vai demorar mil anos para decifrar uma frase.

Antes dele se afastar, eu seguro a mão dele. Ele olha para mim, e depois desvia o olhar, como se não quisesse me encarar.

– Andrei – eu o chamo, mas ele continua olhando a mochila. – O que aconteceu? Andrei, olhe para mim.

– Nada – ele diz, desvencilhando a mão. – Não aconteceu nada. Eu só acho estúpido como todo mundo esquece toda a merda que acontece o ano inteiro por um dia e aí se vestem com roupas que ninguém mais sabe o que significam para comemorar uma data que é completamente arbitrária. Você sabia que eles comemoravam a virada do ano um mês antes do que acontece atualmente? É imbecil.

– Bem, as pessoas precisam de pelo menos um dia de esperança. – Cruzo os braços, sem entender qual é a revolta. – Não machuca ninguém.

– Mas é idiota, Sybil – ele diz, me encarando de frente. – Eu não vou usar em público uma roupa típica de... siberiano ou de tcheco... ou sei lá de que lugares de onde meus ancestrais vieram.

– Você ia ficar bonitinho.

Andrei me encara por um momento com descrença, as bochechas corando de leve, e balança a cabeça, segurando um sorriso.

– É uma questão de princípios. Eu não vou, mas, olha, não estou impedindo ninguém de ir. Eu só não quero fazer parte disso.

– Tá bom, então. – Dou de ombros. – Eu vou comer toda a comida que tiver por nós dois.

Isso o faz gargalhar e, para a nossa sorte, a biblioteca está quase vazia e ninguém reclama.

– É impossível ficar com raiva de você, é impressionante – ele comenta, balançando a cabeça como se isso fosse uma afronta pessoal. – Você já pensou o que nós vamos fazer para o nosso aniversário?

– Um bolo, imagino? A única coisa boa do meu aniversário era vovó Clarisse me liberar de todas as tarefas domésticas que eu tinha.

Andrei percebe, assim como eu, que é uma das primeiras menções de Kali e da minha vida antes de Pandora para ele. Eu fico um pouco constrangida com sua expressão de curiosidade dele, mas continuo:

– Você deve estar se perguntando como a gente fazia bolo se em Kali não tem comida farta e tudo o mais, mas não é como se não existissem os ingredientes, sabe? Eles só são caros. A gente podia escolher entre comer bolo ou ganhar um presente, porque vovó Clarisse sempre fazia questão de guardar um pouco de dinheiro para os nossos aniversários.

– Você sempre escolhia o bolo – Andrei decreta.

– Não, às vezes eu escolhia o presente. Ano passado eu escolhi o presente – digo, olhando para as minhas mãos em cima da mesa e respirando fundo.

Só fazia um ano, mas mais parecia uma eternidade.

Andrei fica em silêncio e sua mão encontra a minha em cima da mesa, envolvendo-a.

– Ah, você deve estar achando que eu perdi o presente... quando o navio... quando o acidente aconteceu, né? – digo, tentando fazer as coisas parecerem mais leves. – Mas não. Meu presente foi usado depois que fui sorteada. Usei o presente para pagar a taxa que cobram pra fazer a viagem.

– Ah, então é assim? As pessoas de Kali são sorteadas para vir trabalhar aqui sem remuneração e ainda precisam pagar para poder tentar participar?

A raiva na voz dele é palpável e, pela primeira vez na minha vida, sinto vergonha de ter fugido de Kali. Eu poderia ter feito alguma coisa quanto a isso se tivesse ficado lá? Se tivesse decidido que era melhor lutar do que fugir?

A mão de Andrei aperta a minha e me acalmo, respirando fundo. Eu estou aqui agora e é isso o que importa. Eu não vou fugir novamente.

– Morar em Kali é um milhão de vezes pior do que ser anômalo – digo, soltando o ar devagar. – Eu não gosto de falar sobre isso, não gosto de me lembrar e tem dias que desejo que ninguém nunca nasça lá. Às vezes, me pergunto… como teria sido minha vida se eu tivesse nascido aqui.

– Não faça isso – ele diz e sai da sua cadeira na minha frente para se sentar ao meu lado. Desvio o olhar, mas ele estica a mão, colocando um dedo embaixo do meu queixo, erguendo-o para que eu o olhe de frente. – Syb, se você tivesse nascido aqui, você não seria como é hoje. Nós provavelmente nunca teríamos nos conhecido. Eu sei que dói, mas foi o que trouxe você até aqui. Você precisa valorizar isso.

Respiro fundo mais uma vez, e sou quem me mexo primeiro. Puxo Andrei para mais perto, encostando minha testa contra a dele e fechando os olhos.

– De onde veio toda essa sabedoria? – eu pergunto. Sinto seu dedão na pele da minha bochecha e meu coração está na garganta, batendo como um tambor. A mão dele some, e então é o nariz dele contra a minha bochecha, e sua respiração quente faz cócegas na minha pele. – Andrei?

– Sim? – ele diz, a voz baixa.

– Você quer me beijar?

O sorriso dele reverbera no meu peito e, como resposta, seus lábios encostam nos meus. Consigo ouvir o som do meu coração como um trovão em meus ouvidos quando abro a boca de leve, retribuindo o beijo. Andrei me puxa mais para perto pela cintura, respondendo com entusiasmo, enquanto envolvo seu pescoço com meus braços, sentindo seus lábios macios contra os meus. Meu peito está prestes a explodir e meu sangue parece estar em chamas, espalhando calor por todo o meu corpo. Não é nada parecido, nem um pouco, com nenhum outro beijo que eu já tenha dado, e estou ciente de cada movimento, de cada toque de Andrei. Eu o quero em todos os lugares, cada centímetro da minha pele demanda a mesma atenção que ele dá aos meus lábios.

– Hum. – A voz da bibliotecária me assusta e Andrei pula para longe de mim, mais vermelho do que eu jamais o vi. – Se o estudo de vocês terminou, podem ir para outro lugar.

Olho para o meu colo, minhas bochechas queimando de vergonha. Pisco algumas vezes, espremendo os lábios, mas todas as sensações boas são substituídas por um vazio, por um medo de que nada vai ser como antes entre nós depois desse beijo. Não sei o que deu em mim pra fazer essa sugestão, praticamente do nada. Eu não podia... Eu não tinha tempo para me preocupar com essas coisas, ainda mais... se Andrei decidisse que foi um erro e parasse de falar comigo, o que é que eu ia fazer?

Andrei pede desculpas à bibliotecária e junta o resto das coisas, um tanto sem graça, se levantando sem esperar por mim. Eu o acompanho. Nós dois parecemos estar em uma dança ridícula para evitar olhar um para o outro. Enquanto atravessamos a rua em direção à estação de metrô, dou uma espiada de canto de olho. Andrei tem não só suas bochechas vermelhas, mas os lábios também, e o cabelo está todo bagunçado. Ele parece mais bonito do que nunca. Sinto uma mistura de orgulho, vontade e medo, e respiro fundo para não simplesmente começar a gritar, querendo agradecer e amaldiçoar a Sybil de segundos atrás por ter tomado essa decisão.

– Eu... me desculpa? – Andrei diz, em voz baixa.

– Quê? – pergunto abruptamente, e ele para de andar, me impedindo de continuar. O garoto se aproxima e passa a mão no meu cabelo, olhando para meu nariz ou para minha boca, qualquer outro lugar que não meus olhos.

– É melhor não deixar nada disso atrapalhar nossa amizade. A gente... – Ele balança a cabeça. – Isso foi um erro.

– Um erro? – pergunto, cruzando os braços, e de repente sei bem o que sentir. Raiva, como sempre. – Um erro?

– Vamos só esquecer que isso aconteceu, tá bem? – Andrei se vira, arrumando a mochila nas costas. – Vamos?

Eu o sigo, a raiva florescendo sob minha pele. Deveria ter ignorado o ímpeto de sugerir qualquer coisa na biblioteca, de ter sem querer causado uma mudança que nem eu mesma entendia. Seguimos os dois em silêncio o caminho todo para casa, sem trocar mais nenhuma palavra.

CAPÍTULO 18

De todos os meus problemas, é Andrei que me faz passar a noite em claro, encarando o teto enquanto escuto a respiração tranquila de Tomás no colchão ao lado de minha cama. Meu rosto fica quente quando relembro o beijo, e me escondo debaixo da coberta, sentindo meu peito borbulhar. Todas as outras vezes em que beijei alguém – um garoto da minha antiga escola cujo nome não lembrava mais, alguns soldados sempre bem vestidos e nunca muito mais velhos que eu –, nenhum deles me fez sentir o mesmo que esse beijo de Andrei. Todos os beijos foram tão de improviso quanto esse da biblioteca. A diferença óbvia é que eu teria de encará-lo de novo e agir como se nada tivesse acontecido. Sinto uma pontada no peito e coloco o travesseiro no rosto, me sentindo uma idiota. Andrei é meu amigo, eu não posso deixar que uma coisa boba como um beijo atrapalhe nossa amizade. Um beijo é só um beijo, e não precisa ser mais do que isso.

Quanto mais eu penso no assunto, menos entendo o que estou sentindo. Quando chega a hora de levantar, estou com o pior humor da vida. É o dia do Festival, então todo mundo está animado e isso já é o suficiente para me irritar. Como distração, escolho ajudar Dimitri a preparar a comida para o piquenique da noite, no centro da cidade, quando formos assistir ao desfile. Fico com dor de cabeça com o barulho das crianças correndo pela casa e brincando, e tomo um analgésico, me ocupando o máximo possível na cozinha. Se meu pai adotivo percebe que algo está diferente, ele não comenta.

Naoki chega para nos arrumarmos juntas e o fluxo constante de palavras da sua tagarelice só me faz ficar revirando mais e mais meus pensamentos. No fim do dia, gastei várias horas me odiando, odiando Andrei, odiando a biblioteca, odiando a bibliotecária, odiando o Festival (que me leva a lembrar que Andrei o odeia, o que me faz lembrar de Andrei e, argh, dor de cabeça e ódio!), odiando as crianças e também odiando o futuro da nação. Aposto que se Fenrir tivesse me chamado para gravar hoje, eu gravaria não só seu texto com facilidade, como também exigiria que ateassem fogo no mundo imediatamente.

Não discuto quando Naoki tira o sári que comprou para mim de uma prateleira alta do meu armário e tento vesti-lo por cima do meu conjunto de calça jeans e camiseta preta da melhor maneira possível. Minha amiga também insiste em me maquiar e eu permito, sem forças para odiar mais alguma coisa.

A celebração acontece no centro da cidade e todos os moradores da minha casa e da de Naoki vão juntos de metrô, que dá passagens de graça para todo mundo durante o dia de hoje. O clima é de festa, mesmo com todos os problemas do último mês, e o trem está lotado de pessoas com todos os tipos de roupas: vestidos rodados com bainhas coloridas, coletes floridos, vestes de algodão branco, chapéus felpudos, turbantes, quimonos... O metrô parece um desfile próprio de história do mundo. A atmosfera consegue me contagiar e fico menos aborrecida enquanto nos aproximamos do centro.

Com dificuldade, navegamos entre a multidão que preenche a estação e conseguimos sair na praça principal, onde a confusão do metrô fica multiplicada por um milhão. Parece que todas as pessoas da cidade decidiram descer lá e me pergunto como seria a comemoração em Prometeu, onde todos os anômalos e não anômalos comemoram igualmente. A cada duas ruas há um telão, e as pessoas vão se acomodando em cadeiras ou em tecidos estendidos no chão, armando um grande acampamento. No coração da cidade, na praça diante da Prefeitura, há um palco com um telão imenso e um local elevado com autoridades. Dimitri nos leva até um parque, atrás do prédio da prefeitura, onde também há um telão, e, embora esteja cheio, há espaço para nos acomodarmos. Montamos nosso piquenique onde é possível ver tudo.

– Quando seus amigos vão vir? – Dimitri pergunta para mim e para Naoki depois de tudo arrumado, e Naoki balança a cabeça.

– Leon não pode vir por causa dos fogos, e Brian e a família vão ficar com a avó, já que ela não pode mais sair de casa – ela explica, e já sei qual é a próxima pergunta, aquela que sempre é direcionada a mim.

– E Andrei? – pergunta meu pai adotivo.

– Ele não "concorda com a ideia" e não participa por princípios morais – respondo ríspida, depois balanço a cabeça. – Não sei se Sofia vem, mas, se vier, será com os pais de Andrei.

Dimitri e Naoki trocam olhares e me sinto paranoica, porque tenho a impressão de que sabem o que se passou entre mim e o garoto. Não tem como eles saberem do que aconteceu, e não preciso ficar pensando nisso. Eu tenho preocupações maiores!

Acabo me juntando às crianças porque elas querem brincar com as velas-estrela que trouxemos, mas Rubi diz que só podem se alguém maior estiver por perto. Eu não me sinto muito qualificada, mas pelo menos me distraio e rio com o susto que levam com os estalos e com seu fascínio pelas faíscas que saem do pavio. Tomás é o único entediado, porque aquilo não é nada comparado ao que ele consegue fazer quando treina com Dimitri. Bem, ele sobreviverá ao tédio.

Quando a música começa anunciando o início do desfile, voltamos correndo para a toalha onde nossas famílias estão. Me surpreendo ao ver Hassam e Hannah sentados em nossa toalha de piquenique.

– Sybil! – Hannah acena, com um sorriso. – Eu estava falando com seus pais como é esquisito que nós tenhamos nos encontrado na festa do Almirante quando a havia conhecido uma semana antes, na festa do Fenrir!

– É realmente uma coincidência fascinante – Rubi concorda, olhando para mim com um sorriso indecifrável. – Hannah estava contando que eles conseguiram o convite porque o Almirante não pôde ir, e sua família foi convidada para substituí-lo.

– Ah, sim. Ele não pôde ir, então enviou a mim, meu irmão e Lupita para substituí-lo. Lupita ainda fala incessantemente sobre como foi horrível aturar Fenrir por um jantar inteiro, mas eu me diverti. Você não, Sybil? – A garota se vira para mim quando me sento ao seu lado.

– Foi um bom jantar, talvez a melhor parte da festa inteira – eu digo, com um meio sorriso.

– Garota, você está com um sári? – ela pergunta, quando percebe o que estou vestindo, com uma sobrancelha levantada. – Celebrando as origens em grande estilo, uau!

– Naoki me deu de presente, eu não poderia recusar – falo em minha defesa, reparando em seu vestido laranja com um bordado extremamente bonito e uma calça por baixo, uma das roupas típicas de um dos países que compunham Kali antes da unificação. – Sua roupa também está bem estilosa.

– Bem, mamãe se reviraria no túmulo se soubesse que a filha dela não honra a memória dos seus alfaiates punjabi, nossos ancestrais – Hannah diz com leveza, arrumando o cabelo preto e curto atrás das orelhas.

– Pelo menos você sabe de onde veio – respondo com uma amargura inesperada.

Hannah vira para mim, piscando surpresa.

– Ah, toda essa animação e clima de bobo alegre também me deixa superamarga – ela revida em um tom seco, e depois a covinha de sua bochecha aparece quando segura um sorriso. – Eu não achei que você fosse do tipo que ficava emburrada com facilidade. Mas se bem que eu vi você, o quê? Duas vezes na vida?

– Eu não sou emburrada. É que hoje não é um bom dia – respondo, me esticando na toalha do piquenique. Abaixo o tom de voz e confesso: – Tem umas coisas acontecendo.

– "Tem umas coisas acontecendo" – Hannah repete, com um tom mais sombrio que o meu. Ela se acomoda ao meu lado, olhando para onde Rubi e Dimitri estão conversando entre si. – Quer falar sobre isso?

Eu olho para onde Naoki e Hassam estão gargalhando e conversando sem parar. Hassam consegue acompanhar Naoki, o que é bastante impressionante. Eu me sinto confortável o suficiente para conversar com Hannah, mas, em vez disso, balanço a cabeça.

– Não é nada demais.

– Tudo bem. – Hannah dá de ombros, mas ainda parece curiosa. – Se quiser conversar sobre isso, eu estou aqui e não vou julgar você.

Agradeço e, com uma precisão tremenda, a imagem do telão brilha, e o palco aparece. A multidão se movimenta como uma só, virando-se para ter uma visão melhor. Nosso grupo se aglomera no lugar mais alto do elevado em que estamos, e Naoki se encosta em mim para apoiar as costas. No palco, uma figura solitária e franzina entra e para em frente a um microfone minúsculo diante de toda a grandiosidade do palco.

– Olha, o prefeito! – Naoki anuncia, curiosa. – Ele nunca aparece publicamente assim.

– Também, é a primeira vez que o Festival é aqui em Pandora, né? – Hannah diz, sentada com as pernas cruzadas ao lado do irmão. – Eu nem sabia que cara tinha esse homem. Ele parece uma ameixa seca.

Naoki e eu começamos a ter uma crise de riso, e minha amiga engasga com o suco de uva que havia acabado de tomar, que jorra todo pelo nariz, manchando seu yukata amarelo. Isso faz o grupo inteiro rir e eu tampo meu rosto, não conseguindo controlar a risada toda vez que olho para o prefeito. Nós quatro – eu, Naoki, Hassam e Hannah – não conseguimos parar nem quando ele começar a falar, porque cada vez que abre a boca, suas rugas ficam mais aparentes e ele parece mais ainda com uma ameixa. Minha barriga está doendo, e eu sou a primeira a parar de rir, respirando fundo e olhando para baixo, tentando me controlar. Nos acalmamos, mas, quando levanto a cabeça, o riso corre frouxo. É a parte mais esquisita de uma crise de riso: depois de um tempo, você não consegue nem mais lembrar do motivo de estar rindo, você só não consegue parar.

Só conseguimos parar quase cinco minutos depois, mas minha mandíbula dói e ainda há alguns sorrisos quando volto a prestar atenção ao telão. O discurso do prefeito é imenso, e apesar do tempo que ficamos sem prestar atenção, ele não parece estar nem perto de acabar. É algo sobre origens e futuro, sobre esperança, destino e a missão da nossa nação. Parece mais um dos discursos motivacionais pró-guerra que ouvi a vida inteira em Kali e, ao olhar para o rosto de Hannah, Hassam e Dimitri, vejo que eles também compartilham do meu desgosto.

Quando se aproxima do final, o prefeito discursa sobre o dever cívico e a campanha para escolher nossos representantes, e é tão entediante que as pessoas ao nosso redor estão mais ocupadas conversando e comendo quitutes de suas cestas e sacolas. Como um governante espera que as pessoas se importem com a escolha do novo senador, mesmo com o bloqueio, se não faz com que isso pareça importante? Esse era o principal motivo de eu nunca ter dado mais de um minuto da minha atenção aos candidatos de Kali, pois todos eram extremamente enfadonhos, e nunca uma mudança entre eles parecia representativa. E não lembro de vovó Clarisse ser engajada em uma eleição nenhuma vez na minha vida inteira. Se nós nos importássemos mais e fizéssemos algo, será que as coisas não seriam diferentes?

As últimas palavras do prefeito são sobre o cronograma para a noite. Por motivos extraordinários, este ano não haverá o desfile, mas várias atrações no palco principal. Antes, nós teremos uma pequena apresentação dos ilustres candidatos à heroica cadeira no Senado destinada a nós, cidadãos tão bem vistos da União, marcando o início desta festa de democracia – a característica intrínseca do nosso país, desde as nossas origens. O discurso é o de sempre: que ninguém vai tirar nossos direitos porque é isso que nos separa da selvageria do Império do Sol. Essas são precisamente suas palavras.

– Ainda bem que acabou, nunca pensei que uma ameixa pudesse falar tanto – Hassam comenta, e o empurro com um cotovelo, segurando o riso mais uma vez.

– Sem menções à ameixa pelo próximo milênio, por favor. Minha barriga ainda está doendo!

– Com certeza a anomalia dele é ser incapaz de falar frases diretas e sem firulas – Naoki opina, com seus lábios virados para baixo, em um esforço visível para não voltar a rir. – Ainda bem que a gente não ouviu nem metade.

– Acho que todos nós merecemos uma rodada de sanduíches por termos sobrevivido – Hannah sugere, com dois embrulhos na mão. Ela passa o prato para o irmão, que pega só um sanduíche e depois me entrega.

– Pega mais – eu digo para Hassam, me sentindo um pouco mais confortável com sua presença.

O rapaz parece surpreso, mas abre um sorriso, e eu sorrio de volta enquanto o observo pegar mais dois sanduíches.

Subitamente, as luzes diminuem e o telão fica todo escuro. Quando a imagem volta, é uma tela azul, com as palavras "Transmissão Nacional" escritas e, logo depois, começa um clipe de várias províncias da União, ao som instrumental do nosso hino. Eu só sei o que está acontecendo porque existem nomes abaixo de cada imagem, ou nunca conseguiria identificar cada região. A primeira é Arkai, como sempre, com seus campos verdes, seus círculos de pedra antigos e seus penhascos. As imagens vão mudando, exibindo lugares belíssimos e completamente diferentes uns dos outros. Imagino o mapa na minha cabeça e percebo que a sequência desce até chegar a Mzansi, a província mais ao sul. Depois, a transmissão volta indo até o extremo leste, na província perdida de Sakha, e por fim acaba em Kali. É engraçado como só exibem os monumentos antigos que estão caindo aos pedaços por causa dos anos de guerra, como se fossem belíssimos e conservados, representativos do nosso estado. No final, há uma animação de uma árvore crescendo, com suas raízes se acomodando no leito da terra e a copa frondosa atingindo alturas impossíveis. É o símbolo da nossa bandeira, o que caracteriza a nação: a União.

Quando termina, estou enjoada. As pessoas realmente compram isso? Será que Helena e Irina, expulsas de suas casas só por serem anômalas, acham esse tipo de transmissão confiável? Será que elas acreditam que, como nosso hino diz, somos *fortes por sermos um só*, de Nordkin a Mzansi, de Dakar a Sakha, somos vistos da mesma maneira pela face gentil da República?

O vídeo muda e, em vez das belezas naturais da União, o rosto do Almirante Klaus preenche a tela. Em vez de estar com o uniforme da marinha, ele veste uma blusa de manga comprida preta enrolada até os cotovelos e uma calça jeans, bastante casual. O cabelo, o brilho na pele marrom clara, a forma como se senta, tudo isso mostra como ele não pode ser muito mais velho que Dimitri. Com certeza é mais novo que Fenrir e os pais de Andrei. Antes mesmo de abrir a boca, ele passa uma postura de ser alguém jovem e com disposição para mudanças.

E então ele começa a falar.

– Boa noite a todos! O dia de hoje me lembra um pouco da minha história. Eu tinha 5 anos quando meus pais decidiram sair de Ankara, a capital da província de Anatólia, para morarem em Medusa, a cidade recém-construída na província para pessoas como nós. Prometeram um emprego melhor à minha mãe, e meu pai tinha uma loja de roupas, então poderia trabalhar em qualquer lugar. – Seu tom é tão intimista que parece estar sentado na cozinha da casa de alguém, contando um caso, em vez de num telão para milhares de anômalos na nação inteira. – Esta deve ser a história de muitos de vocês: alguns se mudaram, pois queriam dar uma educação melhor para seus filhos, alguns receberam propostas de emprego, outros escolheram sair de cidades hostis, que os tratavam como aberrações. Nós escolhemos fazer das Cidades Especiais os nossos lares, na esperança de que a vida se tornasse melhor.

Ele faz uma pausa e a câmera dá um close em seu rosto.

– Mas alguns escolheram ficar lá fora e conviver todos os dias com o preconceito, morando em bairros com condições piores que os das províncias mais pobres da nossa nação, com medo de serem acusados injustamente só porque são o alvo mais fácil, recebendo salários miseráveis e aguentando todo tipo de abuso. Essas pessoas são punidas por nossa covardia. – Suas palavras são bem claras e são como um tapa na cara. Vejo Rubi abaixar a cabeça um pouco mais à frente, com Tomás em seu colo, e apertá-lo contra ela. – Mas chegou a hora de mudar. A mesma motivação que levou meus pais, há mais de 30 anos, a se mudarem para Medusa, é a que me faz estar aqui hoje falando com vocês: quero um futuro melhor para seus filhos, um futuro melhor para nossos netos. E esse futuro começa agora.

Quando ele termina o discurso, o silêncio no parque é tão intenso que consigo ouvir a respiração de Naoki ao meu lado. Consigo entender o motivo por Fenrir estar atrás de todas as ferramentas possíveis para derrotar esse homem, porque ele vai precisar. É tão mais simples que o que Fenrir aparenta querer fazer, atingindo o cônsul diretamente. Klaus oferece esperança e disposição, oferece mudança. Ele torna as coisas interessantes.

E, então, é a vez do vídeo de Fenrir. Eu não faço a mínima ideia se minha gravação irá aparecer e meu coração acelera só de pensar em todas aquelas pessoas me vendo. Eu não contei a ninguém sobre meu pequeno discurso. Não me preparei para os olhares curiosos e para as perguntas da minha família. Fecho os olhos, implorando mentalmente para ser outra coisa, quando escuto a voz de Felícia. Me encolho e abro os olhos lentamente, reconhecendo o fundo azul do estúdio. Sinto gosto de bile na boca e me levanto repentinamente, quase derrubando Naoki no chão.

Não. Não pode ser.

– A pior coisa que você pode fazer à outra pessoa é aprisioná-la – ela declara, de forma extremamente cordial. – Prendê-la em celas, impedi-la de andar e agir como quer, cortar suas asas antes mesmo de estarem prontas para voar, exigir que se enquadre a um molde predeterminado.

A imagem muda para Madame Charlotte, filmada só da cintura para cima, com o figurino do dia da gravação. Ah, não, ah, não! Começo a dar pequenos passos para trás, abraçando meu corpo. Por um momento, torço para que minha única gravação tenha ficado uma porcaria e no fim das contas, eu tenha sido descartada.

– É isso o que estão fazendo conosco, com nossos filhos – Madame Charlotte diz, de forma expressiva. – A cada dia que passa, nossos direitos são diminuídos. Somos expulsos de nossas casas, impedidos de trabalhar. Qual será o próximo passo? O que acontecerá se não fizermos nada para impedir isso?

E então, a cena corta para mim e eu escondo o rosto nas mãos, sentindo minhas bochechas queimarem. Eles deviam ter me avisado onde esse vídeo passaria, que eu também daria um jeito de ficar em casa ou me enfiar em um buraco, qualquer alternativa que fosse mais razoável.

– Dizem que nós, anômalos, somos cidadãos, mas como, se não temos exatamente o mesmo direito das outras pessoas? Como, se não podemos fazer as mesmas escolhas? Precisamos mostrar que sendo anômalos ou não anômalos somos, todos iguais. – Ouço minha própria voz reverberar por toda a cidade e dou uma espiada entre os dedos da mão. A edição não deixa transparecer minhas outras falas.

Fenrir toma meu lugar na tela, sentado em uma poltrona confortável, em frente ao mesmo fundo, com um terno cinza-claro e sua gravata amarela característica.

– Hoje é um dia de festa em toda a União, mas não temos muito o que comemorar: estamos encarcerados, com um estoque cada vez mais baixo de comida, impedidos de agir. Fomos expulsos, removidos como o lixo que o Senado pensa que somos. – Suas palavras são ríspidas, e a tensão na multidão é palpável. – Todo o trabalho que tivemos nos últimos anos, todas as pequenas vitórias que conquistamos juntos foram jogadas fora de forma arbitrária por nossos compatriotas. É hora de nos juntarmos e mostrarmos a eles o que queremos, e fazê-los ouvir nossa voz. Chegou a hora de mostrar a eles que estamos prontos para batalhar por nossos direitos, com unhas e dentes, até que sejamos livres.

E, da mesma forma súbita que começou, o discurso termina. Consigo sentir os olhos do meu grupo inteiro em mim, e Rubi limpa a garganta, se espreguiçando de forma descontraída até demais.

– Adorei seu lenço na gravação, Sybil – ela comenta. – E o que você falou foi bem interessante, foi uma surpresa ver você ali.

Cubro meu rosto com as mãos novamente e digo qualquer coisa que nem faz sentido. Hannah ri e, logo depois, todos os outros sorriem também. Menos Naoki. Consigo sentir os olhos da garota em mim como agulhas, e ela está com um bico que deixaria uma gaivota com inveja.

– Eu não sabia que você tinha gravado algo para Fenrir, Sybil. – Naoki se levanta também, com os braços cruzados. – Quando foi isso?

– Eu estava na casa de Andrei e a mãe dele me convidou – respondo sem olhar para ela.

Hassam balança a cabeça ao lado de sua irmã, que dá uma cotovelada nele. Esqueci completamente que é um sensor de mentiras ambulante. Os dois trocam olhares e Hannah aperta os olhos, em desafio. Desvio a atenção dos dois, encarando o telão que exibe o palco novamente.

– Ah, e agora você vai para a casa de Andrei sozinha? – Naoki pressiona e me viro para ela, séria.

– E se eu for, qual o problema? – eu a encaro de volta, tentando não fazer minhas bochechas queimarem, nem meus pensamentos desviarem para o que aconteceu da última vez que estava sozinha com Andrei.

– Nenhum. – Naoki fica mais emburrada ainda, e não entendo a insistência dela no assunto. – Só que sou sua amiga, e amigas não escondem coisas umas das outras.

– Eu não estou escondendo nada de ninguém! Eu sabia tanto quanto você que isso ia aparecer nesse telão – levanto a voz, irritada.

– Você poderia pelo menos mencionar que estava trabalhando na campanha, sei lá! – a garota diz, com a voz alterada. – Você sabe! Ah! Eu falei para você sobre o Áquila, eu poderia ter ido com você!

A menção a Áquila, o fato de ela parecer estar mais irritada porque eu não a levei comigo por causa da porcaria de um *garoto*, do que por eu não ter dito nada é a gota d'água para mim.

– É por isso que você está com raiva? – eu berro de volta. – Porque eu não levei você para encontrar esse menino idiota? É isso que você considera amizade?

– Sybil, eu… – Naoki percebe o erro que cometeu e dá um passo para trás, pálida. – Não é isso…

– Você sabia que no dia em que você ficou em Prometeu *fazendo compras*, logo depois de sair da prova, eu estava morrendo de preocupação por sua causa? – Eu levanto o dedo na cara dela, sentindo meu peito arder de raiva. – Você nem ligou para dizer que estava bem! Aí você volta para casa como se nada tivesse acontecido e fala um monte de coisas, sem nem se preocupar se estou ouvindo ou não. Se fosse o contrário, você teria se preocupado comigo?

– Sybil… – Naoki abaixa a cabeça, mas não a deixo continuar.

– Quer saber? Você pode ser babaca assim com outra pessoa, já chega. Eu é que não aguento mais. – Eu me afasto e pego minha bolsa. As outras pessoas têm a decência de fingir que não estão ouvindo, mas eu não me importo mais. Ao menos deu para descontar a raiva que estou sentindo em alguém. – Rubi, Dimitri, eu estou voltando para casa. A gente se vê depois.

Na agonia, tropeço na barra do meu sári, e quando lembro que só o estou vestindo por causa de Naoki, eu arranco as dobras do tecido presas na calça e o atiro no chão, virando de costas e indo embora. Escuto Naoki me chamar algumas vezes, mas não olho para trás.

Depois que me afasto um pouco, já caminhando em meio à multidão, Rubi me chama e eu paro, sentindo meus olhos arderem.

– Você esqueceu a chave – ela avisa, me alcançando. Ela me entrega um chaveiro e uma vasilha com um pouco de cada comida que trouxemos. – Dimitri mandou isso também.

Eu agradeço e ela me abraça.

– Toma cuidado na volta para casa – ela diz, me dando um beijo na testa como despedida.

Faço um aceno de cabeça, sem poder confiar em palavras, e caminho de volta para a estação do metrô, contra o fluxo das pessoas que enchem cada vez mais o centro de Pandora. Uma música começa a soar e eu imagino que alguma banda tomou conta do palco, iniciando as comemorações. Com certeza era melhor não ter vindo, se era para ser assim. Ainda estou com raiva demais para sentir qualquer tipo de remorso por deixar todos para trás, e lembro de Andrei comentando como acha toda aquela festa estúpida. Fico ainda mais irritada e contenho uma vontade louca e súbita de chutar a calçada, e as pessoas esbarram em mim. Ai, o universo inteiro está me dando raiva. Não sei quando as coisas ficaram tão complicadas. Que ódio.

CAPÍTULO 19

Rubi tenta conversar comigo sobre o ocorrido alguns dias depois, mas eu me esquivo das perguntas até ela desistir. Naoki também tenta falar comigo, mas sempre peço para Tomás mandá-la embora sem que ela entre para me ver. Não estou com humor para perdoá-la e Andrei também não dá notícias. Brian é praticamente um fantasma desde que voltou da prova, e a última vez em que o vi foi na festa de Fenrir, e mesmo assim mal nos falamos. De nossa turma, só me resta Leon. Eu tento ligar para ele várias vezes, mas ou a ligação cai, ou a sua mãe diz que ele não está em casa.

Eu até ligo para a casa de Andrei para falar com Zorya, mas é ele que atende e eu desligo o telefone quase imediatamente. Começo a desejar que Fenrir me chame logo para fazer seja lá o que for que ele ainda precisa apenas para me tirar de casa antes que eu comece a subir pelas paredes. Meu desejo é realizado quatro dias depois do Festival da Unificação, três antes do aniversário de Andrei, quando a mãe do garoto me liga e combina de me encontrar na estação de metrô mais perto da minha casa para irmos a uma reunião. Dessa vez, sou sincera com meus pais adotivos e aviso onde estou indo. Rubi suspira, visivelmente contrariada, mas não diz nada. Dimitri pede que eu tome cuidado.

Encontro Zorya na estação, esperando pelos trens com uma bolsa enorme, e quando percebo que está acompanhada, meu coração acelera. Se for Andrei, não sei o que vou fazer. No entanto, quando me aproximo, avisto uma pessoa mais baixa que Andrei e com o cabelo cacheado... Sofia! A garota acena para mim animada e me sinto aliviada.

– Feliz Ano-Novo! – a menina exclama e me dá um abraço, parecendo muito feliz por me ver. – No dia da festa, Charles fez um monte de comida e eu achei que vocês iriam passar lá depois. Mas aí me contaram que todos vão para a praça ver o Festival, menos a gente, porque é contra os nossos princípios. – Ela olha de relance para a mãe adotiva, como se tivesse decorado o texto.

– Tudo passou na televisão, então você nem perdeu nada – Zorya explica e eu seguro uma risada, me lembrando do discurso de Andrei na biblioteca. Assim que lembro disso, fico amarga, porque não quero pensar no assunto. – Bem, vamos logo porque não podemos atrasar! Nós vamos até a República e é longe, mesmo de metrô.

– República? – pergunto, incrédula. – Não é... fora de uma Cidade Especial?

– Sim, querida – ela responde, com um sorriso travesso. – República é uma Prefeitura dentro de Prometeu, onde fica o Senado. E, sim, não me olhe com essa cara. Eu não pedi para você vestir amarelo.

– Nós vamos fazer uma contravenção – Sofia diz em voz baixa para mim, animada.

– Shhh, Sofia. Alguém pode ouvir – a mãe dela ralha.

– Mas como nós vamos...? – Fico extremamente confusa e Zorya faz um sinal pedindo silêncio quando o barulho do trem se aproxima. – Zorya...

– Acredite em mim, eu sei o que estou fazendo, ok? – ela me reassegura no momento em que o trem para em nossa frente. A mãe de Andrei apoia uma mão no meu ombro e a outra no de Sofia e nos guia para dentro do vagão. – Primeiro as crianças.

Nós fazemos exatamente o mesmo caminho para ir a Prometeu, só que descemos em uma estação antes da cidade dos humanos, ainda em Pandora. Fico chocada quando saímos na superfície, pois o bairro não parece em nada com os outros da cidade. Vários prédios cinzentos da mesma altura, idênticos entre si, com janelas e portas quebradas, se aglomeram um ao lado do outro, e as ruas são mais estreitas, mal dando espaço para que eu, Zorya e Sofia andemos lado a lado nas calçadas. Zorya segura a mão de Sofia, caminhando com segurança, e eu me aproximo delas, com meus sentidos atentos. Em um dos prédios, um bebê chora. Em outro, alguém fecha uma janela com mais força que o necessário. Apesar de ser verão e as crianças estarem de férias, não tem ninguém além de nós na rua.

– Que lugar é esse? – sussurro para Zorya, com medo de falar alto demais e perturbar o silêncio do bairro.

– Chama-se Pecado, e é o bairro mais próximo de Prometeu – ela responde num tom sério.

– É bem silencioso – Sofia comenta, olhando para os prédios que se erguem ao nosso redor. – Está vazio?

– Não. É um dos bairros mais povoados de Pandora – Zorya responde e olha para mim. – Sybil, você tem alguma teoria do motivo de tudo estar tão parado aqui?

Em uma das janelas à minha direita, vejo a cabecinha de uma menina que está nos observando da janela. Quando ela me percebe, se esconde, e sinto um aperto no peito. Eu fazia exatamente a mesma coisa em Kali quando era pequena e aparecia alguma pessoa nova na rua, andando perto do orfanato. Se esse é um dos bairros mais populosos de Pandora e a comida está cada vez mais escassa, só há uma explicação.

– Falta de comida – eu respondo, levando uma mão à barriga. – Não é? A comida que chega aqui não é suficiente.

– Mesmo que fosse suficiente, a maioria das pessoas daqui trabalha em Prometeu. Com o bloqueio, eles não conseguem ir trabalhar e pararam de receber seus salários. – Zorya balança a cabeça, caminhando mais rápido. – Venham, meninas, não podemos nos atrasar.

Eu apresso o passo e Sofia olha para baixo, e vejo suas bochechas vermelhas. Não faço ideia do motivo dela estar por aqui hoje, mas sinto um pouco de pena. Ela deixou de ser cobaia para passar a essa situação terrível, e não havia nada que eu podia fazer para melhorar a vida dela.

Chegamos a uma cerca, onde as casas de Prometeu aparecem, a uma rua da divisa entre as cidades. São casas boas, melhores do que a que eu moro, com jardins imensos e bem cuidados. Zorya nos leva ao longo da cerca e, ao longe, avisto uma pessoa parada do outro lado, apoiada na estrutura.

Zorya levanta o braço em um cumprimento e a pessoa responde com outro gesto. Quando nos aproximamos, vejo que é uma senhora mais ou menos da mesma idade que vovó Clarisse, com o cabelo grisalho e uma expressão suave.

– Venham, meninas! Nós só temos dez minutos antes da patrulha passar novamente – ela nos chama, e Zorya anda um pouco mais rápido.

– Obrigada por esperar, dona Nora – Zorya agradece quando para na frente da cerca.

– Ah, querida, eu sabia que você viria – a senhora responde com um sorriso. – Mas vamos, teremos tempo para conversar depois. Deixa só eu…

Ela se abaixa e para de falar, aproximando-se do concreto que sustenta a cerca e puxando algo. Sinto o chão embaixo dos meus pés tremer e dou um passo para trás. Zorya empurra Sofia para minha direção e observo, fascinada, quando a tampa de um dos bueiros perto de nós desaparece, dando lugar a uma passagem para o outro lado. Dona Nora nos chama com um sinal e atravessamos pelo buraco, descendo um lance de escadas e subindo outro, passando por debaixo da estrutura que divide os dois bairros. A cidade normal da cidade especial.

Zorya passa por último e aperta uma alavanca do lado de dentro. Escuto um barulho de pedra deslizando contra pedra e, quando olho através da cerca, o bueiro está exatamente no mesmo lugar de antes. Zorya e a senhora fecham a passagem do outro lado e dona Nora se endireita, começando a caminhar. Tenho a impressão de que alguém está nos seguindo e, quando comento com Zorya, ela faz um sinal para que eu fique quieta.

Nós seguimos dona Nora pelas ruas em silêncio até a senhora parar no portão de uma casa e fazer sinal para entrarmos, atravessando um jardim bastante verde e florido. Zorya fica parada no portão por alguns segundos, e seus olhos estão atentos na rua antes de entrar. Ela parece preocupada com algo, mas não comenta nada conosco. Somos recebidos por cachorrinhos de várias cores e pelagens diferentes, com narizes curiosos nos cheirando com afinco. Sofia pega um no colo, apertando-o contra si. A porta da casa se abre e uma garota mais ou menos da idade de Sofia nos chama para dentro, com certa pressa.

Quando passamos pela porta, mal consigo analisar o lugar, pois a menina já dispara:

– Achei que tinha acontecido algo com você! Quase fui procurar. Você ainda vai matar a gente de susto!

– Eu sou *macaca velha*, menina – Dona Nora responde, encostando a ponta do indicador no nariz da garota. – Onde estão os outros, Nena? Nós temos visitas! Isso significa limonada.

– Eles foram para o porão, porque ficaram com medo de a polícia trazer você para casa e encontrar todo mundo aqui – Nena avisa e se vira para nós. – Vocês vão ficar aqui com a gente por enquanto? Podem ficar no meu quarto!

– Não, não dessa vez. – Zorya diz, com um meio sorriso. – Mas eu trouxe bolo para vocês.

– Eu ouvi bolo? – Um garoto de uns 7, 8 anos e sardas no nariz surge do corredor e dá um sorriso sem os dois dentes da frente. – Bolo mesmo?

– Leve todo mundo para a cozinha que nós vamos comer como pessoas, não como monstrinhos – diz dona Nora, com um sorriso no rosto. O garoto desaparece por um corredor. – Venham, venham, não fiquem parados aí. Nena, me ajude a colocar a mesa.

Elas nos levam até uma cozinha enorme, na parte dos fundos da casa, com uma mesa de madeira que tem quinze lugares. Zorya para ao lado da mesa e tira uma vasilha de dentro da bolsa, que reconheço como o bolo de chocolate maravilhoso de Charles, uma das receitas do programa de televisão. Quando penso no bairro pelo qual acabamos de passar ainda em Pandora, me sinto culpada por ainda conseguirmos ter esses pequenos prazeres enquanto tanta gente não tem mais o que comer.

O garoto volta com mais oito crianças de idades, aparências e gêneros diversos. Nena é a mais velha e ajuda dona Nora a fazer os litros de limonada necessários. A casa é muito maior do que a que eu morava em Kali, mas tudo ali me faz lembrar de vovó Clarisse. As crianças tagarelando sem parar e tentando pegar o bolo, a dinâmica entre a garota mais velha e a senhora, e até a toalha xadrez da mesa. Em uma das pontas, dois garotos começam a brincar e um dá um choque no outro. Para revidar, a primeira vítima coloca fogo no cabelo do seu atacante e, sem querer, a barra da toalha começa a queimar também. Os dois entram em pânico e apagam como podem, mas o cheiro de fumaça ainda paira no ar. Escondo o riso, olhando para o outro lado.

– Meninos! O que eu disse sobre usar anomalias na hora da refeição? – Dona Nora reclama, com as mãos na cintura. – Não é educado.

– E se alguém descobrir, seus cabeças de minhoca, nós estamos ferrados – uma garota diz ao lado deles, chutando-os por baixo da mesa, e os dois mostram a língua para ela.

– Você acha que a gente não vê você gelando o suco todo dia, Kira? – um deles diz. – Pare de tentar parecer boazinha!

– Chega! – Dona Nora repreende as crianças e todos se calam. – O que nossas visitas vão pensar se os virem assim?

– Desculpe, dona Nora – eles dizem em uníssono, olhando para baixo.

Desvio o olhar para Zorya, curiosa. Nós estamos em Prometeu, mas essas crianças são todas anômalas. Será que dona Nora também é? Se sim, faz sentido terem tanto medo da polícia. Como será que vieram parar desse lado da cerca?

– Venham, venham, sentem-se. Vocês não têm muito tempo, sempre há o medo de algum vizinho as terem visto. Só precisamos que a patrulha passe. – A senhora faz um sinal para nos sentarmos e eu me acomodo entre Zorya e Sofia.

– Você é... que nem a gente também? – Sofia pergunta para dona Nora, fazendo todas as crianças emitirem um barulho de horror.

Dona Nora ri e entrega um copo de limonada para a menina.

– Não, querida. Eu só acho que é completamente bárbaro o que estão fazendo com vocês. Olhe só para a carinha desses anjinhos! Pensar que todos eles estão passando fome lá do outro lado me parte o coração – ela diz, enquanto serve seus anjinhos. – Não é todo mundo desse lado que concorda com o que o governo está fazendo.

– Minha mãe disse – o primeiro garoto que conhecemos começa a falar, com a boca cheia de bolo de chocolate –, que se o cônsul não fizer nada em breve, ele vai ter uma *revelião* nas mãos dele.

– Rebelião, seu idiota – um garoto retruca ao seu lado. – E não fale de boca cheia.

– Mas ela tem razão! – o menino do fogo concorda, ficando em pé em cima do banco. – Se eu pudesse, queimava todos os policiais de uma vez e, pronto, problema resolvido.

– Minha nossa, como vocês estão revolucionários hoje! – Dona Nora brinca, dando uma risada.

Zorya ri e termina de beber seu suco, olhando para o relógio pendurado na parede, tensa.

– Bem, nós temos de ir, crianças. Acho que a patrulha já passou. – Ela faz um sinal para nós a seguirmos e Sofia vira a limonada de uma vez, fazendo uma careta. Eu bebo a minha um pouco mais devagar que ela. – Vocês se comportem, ouviram? Cuidem dos seus disfarces e não saiam de casa.

– Certo – o garoto diz, desanimado, e senta no banco. Dona Nora sorri e nos acompanha até a porta, dando recomendações de qual caminho devemos pegar para chegar à estação de metrô mais próxima sem o perigo de encontrar os policiais que rondam o bairro à procura de anômalos fugitivos. Zorya dá um abraço nela e, antes de sairmos, diz:

– Muito obrigada pelo que você está fazendo por nós e por essas crianças.

– Não se preocupe. Só faça seu trabalho e não deixe o cônsul levar a melhor nessa história – Dona Nora diz, com um sorriso carinhoso.

Zorya sorri e nos apressa para seguirmos o percurso. Eu me viro mais uma vez e vejo dona Nora parada no portão de casa. Ela acena e eu aceno de volta, me sentindo reconfortada. É bom saber que existem pessoas como ela, que arriscam a vida pelo bem dos outros. Ela está fazendo a parte dela, pelo menos, e acho que isso é a única coisa que importa.

CAPÍTULO 20

Nós atravessamos Prometeu de metrô, e eu e Sofia ficamos em estado de alerta o tempo todo. Zorya parece bastante tranquila, lendo um jornal como se fizesse aquilo todos os dias. Talvez ela faça, não sei.

– Fiquem calmas, ninguém vai suspeitar de nada – ela sussurra para nós enquanto trocamos de linha em uma estação. – Mas, se continuarem olhando pra todos os lados, é a mesma coisa de colocar um letreiro neon na cabeça dizendo "estamos fazendo coisa errada".

No trem seguinte, ela entrega uma folha de jornal para cada uma de nós e eu leio a minha com cuidado, sentindo nojo ao perceber que é uma matéria sobre anômalos. É algo que praticamente incita as pessoas normais contra nós e, claro, fala mal dos dissidentes. Toda e qualquer oportunidade deve ser utilizada para inflar o ódio contra eles. Um parágrafo em particular me chama a atenção: "Os dissidentes, com seus princípios equivocados, ficam cada vez mais degenerados enquanto se misturam aos anômalos. Desde a criação das Cidades Especiais, nossa nação só prosperou, enquanto o Império, com sua população majoritariamente híbrida, está cada vez mais empobrecido e sem condições de continuar. Será que realmente queremos esse futuro para nós?".

Os jornais desse lado são uma porcaria.

– Eu acho que vocês realmente têm um complexo com o Império – Sofia sussurra para mim, apontando para a folha que está com ela. – A cada três linhas, alguém fica falando mal do outro lado.

– Não é assim lá? – pergunto, curiosa.

Sofia balança a cabeça.

– Nossa abordagem é que vocês são uma mosca incômoda que não precisa de atenção e logo será pisada – ela fala, e é minha vez de balançar a cabeça.

– Eles se acham demais.

– É verdade. – Sofia olha para as próprias mãos. – Mas pelo menos eles não se definem com base em outro país, né?

– É... – eu digo, lembrando de Ava.

Não foi mais ou menos o que eu tinha dito a ela, no trem, tanto tempo atrás na missão? Que não era o que os outros achavam de você que importava, mas o que achávamos de nós mesmos? Nossa nação tinha problemas de autoestima?

De todos os lugares da União em que já fui, República é o mais diferente. É um bairro coberto por verde e por canteiros floridos, com prédios de no máximo três andares que seguem o mesmo estilo. O prédio mais alto é o do Senado, que fica na frente da praça central e tem uma fachada branca, com telhado triangular e enormes colunas extremamente trabalhadas na entrada. Na praça, há uma estátua de mármore gigantesca de uma mulher com uma balança em uma das mãos e uma espada na outra, com os seios desnudos e uma posição de prontidão para a batalha: a patronesse da república uniense. De um de seus pés cresce um ramo que representa a União em seu início.

Zorya nos leva para um prédio em uma das laterais do Senado, e, quando nós entramos, fico ainda mais impressionada. As paredes são cobertas de um tecido verde-escuro parecido com veludo pincelado de detalhes prateados. A recepção é feita de uma madeira escura, pesada. Do teto, pende um lustre de cristal imenso, com gotas decorativas pendentes, e fico alguns segundos parada, observando a luz se refletir em cada uma dessas gotas. Sofia me empurra para que eu continue, mas viro o pescoço para continuar a observar.

– Jacques – Zorya cumprimenta o recepcionista e ele levanta os olhos, cumprimentando-a de volta.

– Tem um homem esperando pelo senador na sala dele – Jacques informa. – O senador disse que demoraria um pouco; o cônsul acabou de chamá-lo e pediu para você entreter o convidado.

– Ah, muito obrigada –diz ela, em tom sarcástico. – O que *mais* quero nesse momento é *entreter o convidado*.

O recepcionista ri e balança a cabeça, olhando para mim e para Sofia.

– As duas precisam de identificação? – pergunta, em um tom mais baixo.

– Não – Zorya responde, com um gesto de mão. – Elas nunca estiveram aqui.

– Certo. – Jacques volta a se acomodar em sua cadeira. – Tudo bem. Só não as deixe andar por aí pelos corredores, vai ser um horror limpar a gravação depois.

Zorya faz um sinal para nós a seguirmos e entramos em um elevador. Seu painel mostra três andares para cima, como eu havia visto, e quatro andares no subsolo. Zorya aperta o último e o elevador desce, fazendo um zumbido baixinho.

Saímos em um corredor de paredes bege e caminhamos um bom pedaço até passarmos por um conjunto de portas de madeira escura. O outro lado do corredor é bem diferente desse, tão luxuoso quanto o saguão de entrada do prédio: as paredes são cobertas por um tecido macio vermelho e dourado, e todas as luminárias estão acopladas na parede e parecem ser feitas de ouro. Passamos por algumas portas e Zorya aponta para uma, dizendo que é onde ela normalmente trabalha. Entramos na sala ao lado, que tem as paredes cobertas por painéis escuros de madeira maciça. Eu nunca vi tanta preocupação em decorar paredes quanto nesse lugar.

Assim que entramos na sala, escuto os sons de uma pessoa se engasgando e, quando levanto o rosto, fico surpresa ao ver o almirante Klaus sentado em uma das poltronas. Ao seu lado, uma mulher negra bate em suas costas para ajudá-lo e ele levanta a mão, tossindo algumas vezes antes de se recuperar. O almirante toma mais um gole d'água e olha para a mesa, visivelmente constrangido pelo acidente.

Zorya faz um sinal para que eu e Sofia nos acomodemos no outro sofá e sorri para Klaus.

– Que surpresa encontrar vocês aqui! – ela anuncia, mas não identifico sinal de sarcasmo em sua voz. Talvez fora do cenário político, é possível ser amigável com candidatos rivais. Zorya sorri e se dirige à mulher: – Lupita! Eu não estava esperando visita hoje.

– Foi de última hora – Lupita responde, cruzando as pernas e acomodando as mãos no colo. – Mas seu chefe pediu que estivéssemos aqui com urgência. Você sabe o que poderia ter aconteci…

– Sim, eu sei – Zorya interrompe a mulher com um gesto. – Mas não controlo tudo o que Fenrir faz, você sabe.

– Infelizmente. – Lupita suspira, passando a mão pela longa trança que prende seu cabelo.

Percebo Zorya olhando para nós com o canto dos olhos e Lupita fica mais tensa e cabisbaixa, como se pedisse desculpas. Por fim, Zorya nos apresenta cordialmente, mesmo já tendo feito isso no dia em que fomos liberados do centro de apoio depois da missão, e pede que os dois aguardem enquanto ela verifica se há alguma informação sobre a reunião na agenda e sai por uma das duas portas laterais.

Sinto o olhar de Klaus em nós duas, e Sofia se encolhe ao meu lado, como se quisesse usar sua anomalia e desaparecer. Seguro a mão dela e olho para todos os lados, menos para o homem que nos encara. A conversa entre Lupita e Zorya não me passou inteiramente despercebida e várias perguntas surgem em minha mente. Seria Lupita a Zorya de Klaus? As duas parecem compartilhar de certa intimidade, será que era só por causa da campanha ou por algum outro motivo?

– O que estão achando do Senado? – Klaus puxa conversa, voltando a ficar confortável. Ele é do tipo de pessoa que exala confiança, e que prefere falar do que ficar em silêncio.

– Eu já tinha vindo aqui antes – Sofia responde, a voz baixinha, e eu fico surpresa. – Eu precisei vir para falar sobre o que aconteceu comigo.

Aperto mais sua mão e ela retribui. Klaus não pressiona mais sobre o assunto, mas continua a conversa:

– A primeira vez que vim aqui pensei: "Minha nossa, eles usam essas paredes para dormir?", porque praticamente todo cômodo daqui tem paredes cobertas com os tecidos mais macios que já vi na minha vida.

Sofia ri, e eu e Lupita abrimos um sorriso. Acho engraçado como tive o mesmo pensamento há poucos minutos. Ele parece satisfeito e relaxa na cadeira, cruzando as pernas.

– E, então, parece que quem construiu esse lugar era obcecado pela República – continua, em tom de confissão. – Não basta a estátua gigante lá fora, em cada corredor há um busto, um quadro, uma moeda comemorativa...

– Você acha que a modelo para a estátua foi a esposa do primeiro cônsul? Isso explicaria a obsessão – sugiro, e os outros três dão risada.

– Minha nossa! – Lupita exclama. – Imagina só você trabalhar e ter o rosto de sua esposa em *todos os lugares* do prédio? Que doença!

– Assim você vai deixar sua esposa chateada, Lupita – Klaus brinca.

– Alex, eu não nasci grudada em Maritza. Se eu a visse o tempo todo, com certeza enjoaria dela em uma semana – a mulher responde, cruzando os braços.

– Você era mais romântica quando te conheci.

– Querido, você tem sorte de eu não enjoar da *sua* cara sem graça. – Lupita dá dois tapinhas carinhosos na bochecha do homem. Me sinto intrusa nessa conversa. Klaus e Lupita parecem grandes amigos e trocam brincadeiras como se não estivéssemos na mesma sala que eles. Penso em como será no futuro, com Andrei e Leon velhinhos se provocando, e abro um sorriso quase sem querer.

Então a confusão que vem sempre que penso em Andrei aparece, e sou obrigada a engolir minha raiva de novo.

– Então, seu nome é Alex? – Sofia pergunta, curiosa, interrompendo meus pensamentos.

– Alexander Klaus – Lupita responde, em um tom pomposo falso. – O primeiro almirante anômalo da história.

– Por que você não usa seu nome completo? – É minha vez de perguntar, fascinada com a figura à minha frente.

– Por que Fenrir não usa o nome completo dele? – o almirante rebate, dando de ombros.

– Porque ninguém consegue pronunciar meu sobrenome!

Eu dou um pulo ao ouvir a voz de Fenrir, vinda da direção da porta, e sinto meu coração prestes a sair pela boca. Sofia se encolhe ao meu lado, escondendo o rosto, e Klaus e Lupita ficam tensos em seus lugares. Fenrir dá um sorriso de satisfação ao ver as reações.

Zorya abre a porta de onde está, que parece ser um pequeno escritório, e coloca a cabeça para fora, confusa.

– Jacques disse que você iria demorar.

– Eu achei que iria demorar. Mas a reunião foi extremamente rápida – o senador diz, sem se abalar. – E eu tenho péssimas notícias.

Fenrir abre a segunda porta, fazendo um sinal teatral para que Klaus e as mulheres o acompanhem. Ele segura um encadernado preto em um dos braços e fico sentada até que ele aponta para mim e para dentro da sala também. Quando Sofia se levanta para me seguir, ele balança a cabeça e diz:

– Não, a senhorita pode esperar aqui fora. Chamaremos quando for a hora, certo?

A menina levanta as sobrancelhas e depois estreita os olhos, visivelmente contrariada, mas não abre a boca. Klaus espera que eu passe primeiro, com cavalheirismo, e lança um olhar gelado a Fenrir quando entra na sala. Ignoro esse embate sem sentido, olhando ao redor e parando por alguns segundos para entender onde estou.

É uma sala de reuniões: há uma mesa em formato de "U", rodeada por cadeiras de couro preto. Em uma das paredes há uma tela, como a do escritório de Fenrir no porão de seu castelo. Presto atenção aos detalhes, reparando em vários aparelhos da coleção de Fenrir espalhados pelo cômodo. Em cima da mesa, em frente a cada um dos lugares, há um equipamento fino, plano, como uma televisão pequena sem fio. E em uma das cadeiras, Áquila está sentado com um sorriso no rosto e com os dedos encostados na tela de uma das televisõezinhas.

Quando vê que tem companhia, o garoto se ajeita na cadeira com uma expressão de quem não estava fazendo nada demais. Zorya se senta ao lado dele, Klaus e Lupita se acomodam do outro lado do contorno, e hesito alguns minutos antes de me sentar perto de Lupita. Provavelmente, Fenrir se sentará próximo ao filho, e nem morta vou me sentar com eles. A assessora do almirante parece se divertir com a situação dos assentos e eu ganho dois tapinhas no joelho como recompensa.

Fenrir se senta no centro, entre Zorya e Klaus, e aperta um botão na mesa. Alguns segundos depois, uma porta localizada às suas costas se abre e um grupo de pessoas entra na sala, se acomodando nos lugares restantes. Reconheço a mulher que se senta ao lado de Zorya como Petra, a senadora que conheci na festa de Fenrir.

– Como todos aqui sabem, hoje o cônsul me chamou para conversar sobre a situação dos anômalos. Desde o início do bloqueio, minhas tentativas de negociação foram refutadas e faz algumas semanas que já não tenho permissão para vir até o Senado desempenhar meu papel – Fenrir explica, e sua voz ecoa pelo cômodo. – A senadora Amani tomou para si a missão de conseguir uma reunião para chegarmos a um acordo e chegar a uma solução, mas, infelizmente, nosso excelentíssimo cônsul não compartilha da nossa opinião.

Ele faz um sinal para Áquila, que pega o aparelho à sua frente e mexe os dedos algumas vezes. A tela atrás da mesa acende, mostrando vários gráficos, números e estatísticas que não entendo. Na minha frente, o meu pequeno monitor também se ilumina, mostrando a mesma tela. Por toda a sala, as pessoas – que suponho serem outros senadores – os manuseiam com extrema naturalidade. Não faço ideia do motivo de estar aqui recebendo as mesmas informações que os outros políticos.

– Como podem perceber nos gráficos, a quantidade de comida distribuída a cada Cidade Especial está cada vez menor. Hades, na Sibéria, está se limitando a um pão e 40 gramas de arroz por pessoa, pois não é abastecida desde antes da virada do ano. Pandora está resistindo, mais pelo que produz sozinha do que pelos repasses de comida.

Ao meu lado, Lupita encara a tela à sua frente com receio, e Klaus passa o dedo em sua tela de um lado para o outro com a expressão fascinada, parecendo uma criança. Mexo na minha e percebo que ela é como a que encontrei na fortaleza, durante a missão, e que reage ao toque. Observo Áquila com o canto do olho e o imito, aproximando a imagem. Eu não entendo metade do que os gráficos significam, mas a informação de que a comida está cada vez mais escassa para os anômalos me preocupa.

– Pandora está se virando muito bem, na verdade – um homem diz, do outro lado da mesa, sem levantar os olhos da tela. – Eles conseguiram realocar uma parte dos anômalos expulsos das outras zonas e ainda estão conseguindo alimentar os que pararam de trabalhar porque não podem sair da cidade.

– Pandora tem a sorte de ter um bom departamento de população – Zorya explica. – Um dos funcionários surgiu com a solução de pagar com comida às famílias que hospedarem as que estão desalojadas, e por isso a distribuição ficou bem mais igualitária.

Me sinto orgulhosa por saber que Dimitri foi o responsável pela solução e aperto meus lábios para conter um sorriso, olhando para a tela.

– Mas não é por isso que estamos aqui hoje – Fenrir aponta, interrompendo a conversa. – Todos nós estamos cientes de como a situação está crítica, mas o cônsul se recusou a mover um dedo quanto a essa situação. E não é somente isso.

Ele entrega o livro preto que tinha em mãos a Klaus. O almirante folheia sem prestar muita atenção, até chegar a uma página marcada, abrindo o encadernado de vez. Seu rosto fica pálido e Lupita se inclina em sua direção, lendo por cima do ombro do chefe.

– Eu entendi errado, ou isso é verdade? – ela pergunta transtornada.

– O quê? – uma das senadoras humanas exclama, e Klaus passa o livro para ela. Observo sua expressão mudar enquanto lê. – Eu...

– Você pode parar com o suspense e dizer logo de uma vez? – Petra exige, olhando para Fenrir. – O que tem nesse livro que é tão chocante?

– Este livro é um relatório de testes – Fenrir explica, se levantando. – Todos vocês sabem que todo ano o cônsul apresenta uma proposta de plano diretor das missões que serão realizadas por anômalos. Teoricamente, existe uma exposição de intenções e um cronograma para todas essas missões, além do responsável pela realização de cada uma.

A menção às missões, ao fato de que todas essas pessoas aqui sabem que elas existem e as aprovam me deixa enjoada. Flashes de tiros, gritos, dos olhos de Ava surgem embaralhados na minha mente. Respiro fundo, olhando para tela à minha frente, tentando não colocar a culpa em cada uma dessas pessoas. Em cada pessoa que compactua com o horror que acontece do outro lado das fronteiras.

– E... – Petra faz um sinal para que ele continue.

– E... quantos de vocês leram os últimos planos?

– Eles são sempre a mesma coisa – um homem diz, com indiferença. – "Com o objetivo de enfraquecer e desestabilizar o Império, as missões visam fazer pequenas incursões em seu território só para mostrar que, se nós quiséssemos, já teríamos vencido essa guerra."

– Isso quer dizer que você não lê os planos – Fenrir insiste. – Porque se vocês tivessem lido, se vocês não tivessem me ignorado todas as vezes em que bati à sua porta para falar sobre o assunto, não seria uma surpresa a notícia que o cônsul me deu hoje.

Eu sento na beirada da cadeira, e meu coração bate acelerado. Acho que sei a resposta e, se for o que estou pensando... Preciso me conter para não levantar e começar a gritar com todos aqui.

– Ah, vejam. Ela já entendeu. – Fenrir aponta para mim. – Sybil, você pode explicar para os nossos queridos colegas senadores?

Olho para todos na sala, com seus olhos curiosos pousados em mim. Meu estômago se revira e Fenrir faz um sinal com a mão, me encorajando. Eu me ajeito na cadeira e falo, olhando para Zorya do outro lado da mesa.

– Eles encontraram uma forma de nos curar? – Sai mais como uma pergunta que como uma afirmação, e o silêncio que se segue pede uma explicação. – Na missão... alguns meses atrás, eu e meus amigos fomos para uma missão e... trouxemos alguns arquivos relacionados a isso. Também salvamos uma das cobaias dos dissidentes.

O silêncio fica mais pesado e, ao lado de Zorya, Petra apoia os cotovelos na mesa e cobre o rosto. Sinto meu coração afundar na barriga e o sentimento de culpa me sufoca. Se tivesse que refazer tudo, eu não deixaria Sofia para trás, mas nunca, *jamais* deixaria que ela falasse qualquer coisa sobre essa droga de cura.

– Não é possível – diz um dos homens, pegando o livro de cima da mesa e folheando. – Isso não existe. Curas existem para doenças, e ser anômalo não é doença.

– Para os dissidentes, é. – É Klaus quem explica dessa vez, com uma expressão de extremo desgosto. – E vocês sabem que a tecnologia deles é bem mais avançada que a nossa.

Os senadores ficam em silêncio, todos eles, incluindo Fenrir. Por fim, ele balança a cabeça e pega a tela à sua frente, fazendo alguns comandos.

– Há ainda outro agravante.

– Ah, você jura? – Petra diz, com os braços cruzados. – Porque já não temos problemas suficientes, precisamos de mais um.

– Petra – ele alerta, com tom de aviso. – O cônsul fez questão de me mostrar isso aqui.

O telão atrás de Fenrir se preenche com uma imagem congelada de uma apresentadora de televisão. Ele encosta no seu monitor e ela começa a se movimentar, falando com o mesmo sotaque aberto de Sofia:

– Hoje é um maravilhoso dia para todo o Império do Sol. Por anos, nossos cientistas vêm pesquisando uma forma de curar todos os nossos cidadãos que sofrem com essa doença maligna posta pelo Inimigo na Terra – a mulher anuncia, com um sorriso radiante. – E, finalmente, com a graça e a benção do Criador, e a aprovação do nosso senhor, o imperador Wu Xiang, um milagre aconteceu. Finalmente descobriram o remédio para essa peste que assola nossa tão gloriosa nação.

Várias imagens aparecem na tela, explicando a trajetória dos anômalos do Império até chegar naquele momento, todas as tentativas frustradas de cura e uma cena tosca retratando a guerra com a União, com todos vestidos de amarelo e uma expressão muito mais malévola do que é razoável. Por fim, a imagem mostra uma coletiva de imprensa, com um homem vestido com um jaleco falando sobre detalhes técnicos e, em seguida, apontando para a sua "obra-prima".

Eu praticamente salto da cadeira, que cai atrás de mim com um estrondo. O ar some de meus pulmões e eu quero gritar, mas esqueço como se faz para comandar meu corpo. Isso não pode ser verdade. É a piada mais sem graça que alguém pode fazer comigo.

Eu reconheço a obra-prima dos dissidentes. Eu a reconheceria entre um milhão de pessoas, pois é seu rosto que me assombra nos meus piores pesadelos.

Ava.

As bochechas redondas, o nariz fino e olhos brilhantes são os mesmos, mas todo o resto está completamente diferente. Ela está bem menor, mais magra, com o corpo curvilíneo e um sorriso de orelha a orelha, muito satisfeita com a mudança. A tela mostra imagens de

Ava antes, derrubando vários soldados, quebrando paredes de tijolos e carregando sacos pesados. Depois, na coletiva de imprensa, a obrigam a levantar vários pesos. Ela não consegue nenhum e, a cada falha, fica mais feliz.

Sinto lágrimas escorrerem pelo meu rosto, e um bolo se forma na minha garganta. Meu coração está batendo alto e não ouço mais nada. Não acredito que Ava está viva. Não acredito que ela substituiu Sofia e que – pior ainda – está sendo exibida como um macaco adestrado e como garota-propaganda da "cura". E a pior parte é que se existe alguém que ficaria satisfeito com o fato de não ser mais anômala, essa pessoa é Ava.

Sinto alguém tocar meu ombro e enxugo os olhos com as costas da mão, fungando, sem conseguir parar de chorar. Eu não sei o que estou fazendo, não sei por que estou aqui, não sei por que concordei com tudo isso. Tudo o que fiz até agora parece em vão, tudo o que está acontecendo agora parece minha culpa. Desejo que Andrei estivesse aqui comigo, porque ele conseguiria me acalmar. Não sei se consigo parar sozinha.

A mesma mão que me toca no ombro me oferece um lenço e levanto o rosto, ficando envergonhada ao ver que é o almirante, que mal conheço, e está mais preocupado em me confortar que os outros. Eu aceito e escondo o rosto no lenço, meus olhos ardem e minha respiração é curta. O homem passa a mão pelas minhas costas, murmurando algo para me acalmar e, aos poucos, me recupero.

– Se seu objetivo era deixar uma garota de 16 anos se sentindo culpada por algo que ela não poderia evitar, parabéns, você conseguiu – Klaus fala entredentes para Fenrir, apoiando a mão nas minhas costas de forma protetora.

– Eu preciso da ajuda de vocês. De cada um de vocês – Fenrir diz, olhando para mim. Minha visão está embaçada e eu pisco algumas vezes, me sentindo patética. – Se o cônsul conseguir o que quer, tudo o que nós fizemos até hoje terá sido em vão.

– Quem mandou você provocá-lo? – um dos outros senadores reclama, exaltado. – Quem mandou usar a filha dele na campanha? Quem mandou você – ele aponta para Klaus, que está atrás de mim –, incitar as pessoas a quererem mudanças? Não adianta tentar balançar o barco se for pra ficar chocado quando se molhar!

– Não faria diferença, ele odeia os anômalos – Petra responde, se levantando.

– Ele nos odeia – escuto Klaus falar para si mesmo. – Mais que qualquer cônsul antes, mais que qualquer outra pessoa. Por quê?

– Não importa de quem é a culpa, nós não podemos deixar que isso aconteça – Fenrir insiste. – Precisamos nos mobilizar para impedi-lo.

– E como você pretende fazer isso? – uma senadora diz, em tom de zombaria. – Como você pretende conseguir algo que ninguém antes de você conseguiu?

– Ahhh! – Klaus solta uma exclamação baixa, atrás de mim. – Agora eu entendi.

Olho para o almirante pelo canto dos olhos, curiosa, e ele aperta meu ombro, com um sorriso tenso.

– É bem óbvio, na verdade – Klaus responde à mulher. – Eu e Fenrir não vamos competir um contra o outro. Nós vamos nos juntar e usar nosso espaço de campanha para evitar um desastre ainda maior.

– E quanto a vocês, humanos… – Fenrir explica, satisfeito. – Precisamos de vocês. Vocês precisam convencer as outras pessoas do quão desumano, do quão brutal, do quão selvagem é isso que o cônsul está fazendo. Precisamos dos anômalos clamando por liberdade de dentro das cidades, e dos humanos clamando para que o cônsul nos liberte. Nós precisamos fazer isso juntos.

– Como um punho… – acrescento, em um quase sussurro, me lembrando do que Victor disse no dia da gravação.

A sala fica em silêncio novamente e quase consigo ver o raciocínio dos outros senadores. Fenrir está pedindo que eles façam algo condenável pelo cônsul. Será que realmente vale a pena se arriscar por causa de pessoas anormais? Minhas bochechas queimam de raiva e eu me desvencilho de Klaus, virando-me para eles.

– Eu não conheço nenhum de vocês e vocês não me conhecem, mas até um ano atrás eu achava que era exatamente como vocês – digo com minha voz mais oscilante do que eu esperava. – Eu cresci em Kali e nunca na minha vida, nos meus sonhos mais loucos, achei que vestiria amarelo e seria considerada uma pessoa "especial". Eu nem sabia que existiam cidades específicas para pessoas como nós até chegar aqui. Qual… – Minha voz falha e eu preciso inspirar fundo antes de continuar. – Qual a diferença entre nós? A diferença de verdade? Vocês podem ser anômalos que nunca descobriram sua habilidade e nunca fizeram um teste. Eu poderia ser filha de qualquer um de vocês.

Há um momento de suspense em que não sei qual será a reação, mas Petra se levanta e diz:

– Para o inferno com a cautela, nós estamos com vocês.

Todos os adultos anômalos do recinto compartilham a mesma expressão de alívio, e Klaus faz um sinal para que eu me sente entre ele e Lupita, me entregando um copo de água. Não sei o motivo, mas tenho a impressão de que ele parece orgulhoso do que eu acabei de fazer.

CAPÍTULO 21

A reunião toma rumos menos dramáticos depois da promessa de Petra, e Sofia é convidada a participar. É impressionante como todos tomam cuidado para não mencionar nada sobre a cura e sobre o papel que ela teve mantendo-se em campanhas, panfletagens e uma infinidade de outras coisas chatas. Fenrir quer meu rosto na televisão e nos comícios e em todos os lugares, mas Zorya e o almirante Klaus são teimosos o bastante para convencê-lo do contrário. No final, Fenrir concorda em me deixar na rua enquanto eles fazem o comício, entregando panfletos e conversando com as pessoas. Sofia, porém, ganha um lugar de destaque: apesar de os adultos quererem poupá-la, ela faz questão de falar sobre como os dissidentes tratam os *doentes*.

– Ninguém deve deixar que isso aconteça aqui também – ela explica, estufando o peito. – Eu gosto da ideia de não ter vergonha do que sou.

Os humanos são mais caóticos nas suas decisões, porque cada senador é de uma província diferente e tem influências distintas. Nesse ponto, temos a vantagem da eleição e o fato de que, com os bloqueios, todos os eventos em Pandora serão transmitidos para todas as Cidades Especiais, já que nenhum dos candidatos pode sair de Pandora de forma oficial. Eles precisam se aproximar das pessoas de modo que não chame atenção do cônsul e conseguindo mobilizá-las, e não consigo acompanhar o raciocínio da conversa por mais de cinco minutos sem me perder.

Eu me concentro em nosso lado da reunião e me impressiono como Fenrir escuta seu filho tanto quanto escuta Zorya, considerando opiniões e sugestões genuinamente. No final, saímos com uma agenda que me coloca com um grupo de pessoas que vai colar cartazes e entregar panfletos, além de acompanhá-las nos bastidores dos comícios.

Estou exausta quando terminamos, mas Zorya precisa comprar algumas coisas antes de ir para casa. Nós descemos em um bairro rodeado de lojas, onde as vitrines possuem o símbolo da proibição de entrada de anômalos. Todas elas são extremamente luxuosas e, em condições normais, não poderíamos entrar em nenhuma. Só que Zorya não se importa com aviso nenhum e entra em um mercadinho, passeando pelos corredores com a maior naturalidade do mundo. Sofia a acompanha sem problema nenhum, mas fico alguns minutos na porta, encarando o A amarelo cortado no aviso. As palavras que disse na reunião voltam à minha cabeça: qual é a diferença? Por que sem as roupas amarelas nós podemos entrar em qualquer estabelecimento sem que ninguém olhe para nós duas vezes e, com elas, seríamos expulsos quase imediatamente? Qual a lógica dessa aversão?

Zorya escolhe vários produtos não perecíveis e compra sanduíches de presunto para nós três. Quando dou uma mordida, fico mais chateada ainda, pois não é possível que um sanduíche seja tão bom, e somente humanos normais possam experimentar. Lembro-me de quando cheguei e fui recebida pela minha nova família. De como Tomás insistiu em comermos uma pizza aqui porque a comida nas Cidades Especiais é menos saborosa. O que mais é negado a nós?

Quando terminamos, ela nos leva até uma loja de roupas mais abaixo na rua, já que está atrás de algum presente de aniversário para Andrei. Por mais que eu esteja chateada com ele, procuro algo de que possa gostar na loja e que eu possa pagar. Fico espantada quando vejo que todas as roupas ali são do mesmo preço que as lojas de Pandora, ou das outras lojas que vendem roupas para anômalos. E elas são muito melhores, desde tecido até o corte.

Paro ao lado de uma arara cheia de jaquetas e pego uma preta, de couro, extremamente macia, considerando o material. Tenho quase certeza de que o dinheiro que juntei jamais daria para comprar uma roupa dessas, mesmo aqui sendo mais barato, mas me surpreendo ao ver que não. Ela é exatamente do mesmo preço da camiseta amarela que eu planejava comprar.

– Oi, querida! – Uma vendedora se aproxima e eu me encolho, esperando o pior. Ela deve ter percebido de alguma maneira que sou anômala e vai me expulsar aos gritos ou chamar a polícia. – Você precisa de ajuda?

– N-não, obrigada – digo, segurando a jaqueta contra o meu peito.

– Tem certeza? Você está procurando um presente? – ela pergunta, apoiando a mão nas costas. Mesmo com o uniforme dos atendentes, dá para ver que ela está com dor por causa da gravidez.

– Sim – digo, em uma postura menos defensiva. – Vai ser aniversário do meu amigo e…

– Ah, sim. – A vendedora dá um sorriso. – Do que ele gosta? Ele é estiloso como você?

– Estiloso? – pergunto, segurando o riso. – Como eu?

– Sim, menina! Olha esse seu visual de vestido preto rodado com coturno! É superpunk-chic – ela diz, apontando para a minha roupa. – E você foi direto para essa jaqueta, é óbvio que você entende de moda.

Contenho a vontade de rir e balanço a cabeça.

– Acho que vou levar uma dessas. – Entrego a jaqueta para ela. – Mas acho que para ele é tamanho médio. Ele não é muito alto.

– Hum… Ele é magro também?

– Não muito… – digo, franzindo a testa, me lembrando de Andrei com uma dorzinha no peito. Por que ele precisa ser tão frustrante? Não é como se o que aconteceu entre nós fosse o fim do mundo. – Sei lá, ele é tamanho médio?

– Talvez seja melhor levar um pouco maior, para ele ficar mais confortável. Ele pode trocar depois se quiser.

Paro um segundo, olhando para a jaqueta. Ele não pode trocar se quiser, mas não posso comentar isso com a mulher. Talvez seja melhor uma um pouco maior, por causa dos ombros de nadador. Concordo por fim e a mulher sorri, pegando uma do tamanho certo e colocando no balcão. Depois se vira para mim e pergunta:

– E para você? Não vai levar nada também?

– Não, obrigada.

– Ah, mas você tem uma cor de pele linda, ficaria ótima com um acessório mais colorido – ela diz, passando uma mão pela barriga. – Talvez uma coisa amarela…

Eu congelo no meu lugar, os olhos arregalados. Será que é uma indireta dela para dizer que sabe que eu, Zorya e Sofia somos anômalas? No entanto, a mulher prossegue, sem perceber minha reação:

– Ah, como se a gente pudesse, né? É tão ridículo que os anômalos tenham uma cor só para eles e que a gente não pode usar. É minha cor favorita, eu devia poder sair por aí usando se eu quisesse!

– Realmente – comento com sarcasmo, olhando para outro lado. – Tenho certeza que os anômalos estão roubando a cor de propósito.

– Ah, não, não quis dizer dessa forma – ela se defende. – Eu não sou desses imbecis que acham que eles são a pior coisa do mundo, sabe? Eu... – A vendedora olha para a loja e se inclina na minha direção, falando em segredo. – Meu primeiro filho, ele nasceu um deles, sabe? E se eu pudesse ficar com ele... Bem, meu marido disse que com a nossa filha, ele não vai deixar fazerem o teste. Ele não aguentaria me ver do jeito que fiquei da última vez...

– Eu sinto muito – digo, me sentindo culpada pelo comentário cruel anterior.

Eu nem sabia que essas coisas aconteciam até ela me contar. Eu achei que as crianças que iam para as Cidades Especiais, para serem adotadas como eu, eram todas crianças sem famílias por alguma razão. Não achei que eles faziam testes com bebês que vinham de uma família normal.

– Aconteceu com nossa vizinha ano passado também – a mulher diz, acariciando a barriga enorme. Não sei o motivo de ela estar me dando informações tão íntimas. – Ela ficou falando mal da gente e se exibindo, dizendo que seu código genético era perfeito, e aí, quando foi a vez dela, o marido disse: "Não tem problema, é óbvio que não vai dar nada alterado". E aí, o que aconteceu? O bebê era anômalo.

– Que coincidência! – comento, curiosa. – Será que tem alguma coisa no seu bairro que... você sabe de alguma coisa desse tipo?

– Não sei. A administração do bairro acha que deve ter algum resíduo radioativo embaixo do solo, sabe? – a vendedora comenta, a voz não ficando mais alta que um sussurro. – Mas ninguém quis cavar para procurar. Ia ser um inferno.

– Eu imagino, cavar todo o bairro atrás de algo que ninguém nem sabe se existe – comento, mais por educação do que qualquer outra coisa.

– Sim! – a mulher concorda, fazendo um sinal. – Vem comigo, deixa eu mostrar uma coisa que você vai adorar.

Eu a sigo, morrendo de curiosidade para saber mais sobre sua vida e como os humanos lidam com essas questões. É tão bizarro pensar que minha experiência em Kali, quando eu ainda era considerada humana, e minha experiência em Pandora sejam tão diferentes da dela. Será que é um problema frequente para famílias normais as crianças nascerem anômalas? Será que sempre são tiradas de suas famílias?

Nós atravessamos a loja para a seção feminina e paramos em frente a uma arara cheia de roupas. A atendente pega um vestido degradê, que começa branco nos ombros, fica cinza no meio até virar preto na barra. Ele parece ser feito de bandagens, mas mesmo assim é muito bonito.

– Aqui. É a sua cara!

Seguro o vestido, analisando o tecido elástico que nunca vi antes. Verifico o preço, mesmo sabendo que não tenho dinheiro suficiente.

– É lindo, mas eu não posso – digo, entregando o vestido para ela. – Vou levar só a jaqueta.

– Tudo bem. – A mulher suspira, resignada. – Eu sei como é ser adolescente e ter de viver com mesada. E a jaqueta para seu amigo já é bem cara, você deve ter juntado dinheiro por muito tempo, não é?

– Sim. – A parte do dinheiro é verdade, mas a do preço não tanto. – Você pode embrulhar para presente?

A vendedora confirma e me leva até o balcão de pagamento, encerrando minha compra. A sacola que me entrega é grande e fico sem saber o que fazer. Se alguém me vir com isso em Pandora, com certeza saberá onde estive. Procuro por Sofia e Zorya, mas não as vejo mais na loja. Por alguns minutos, vago pelo lugar meio em pânico, achando que as duas me deixaram para trás, mas aí elas saem do provador cheias de roupas.

Elas não demoram muito para pagar e, quando saímos da loja, Zorya pega uma bolsa grande e nós colocamos todas as compras lá dentro, jogando as sacolas da loja no lixo. É estranho pensar como ela parece estar preparada para tudo.

O caminho de volta é bem mais tranquilo e dona Nora já está nos esperando quando paramos em sua casa. Zorya entrega a maior parte do que comprou para ela, e a mulher agradece efusivamente, com um grande sorriso, antes de nos levar de volta a Pandora pelo mesmo caminho na cerca que entramos.

Assim que atravessamos, Sofia pergunta, curiosa:

– A dona Nora… você a conhece há muito tempo?

Um dos cantos dos lábios de Zorya se vira para cima e ela aperta a bolsa contra o seu corpo.

– Faz algum tempo – responde e depois parece ponderar como vai continuar a explicação. – Ela era amiga da minha mãe quando nós morávamos em Norilsk, e foi ela que nos trouxe para Pandora quando se mudou para Prometeu.

– Então ela te conhece desde pequena? – Sofia questiona. – Ela sempre cuidou de crianças… daquele jeito?

– Não, isso veio agora, com o bloqueio. – Zorya enfia as mãos nos bolsos. – Mas ela normalmente ajuda anômalos que precisam. É por isso que ela mora tão perto da fronteira entre as cidades.

– Ajuda…? – É minha vez de perguntar.

– Comida, roupas, um bom emprego. Ela tem um contato aqui e ali – Zorya responde, deliberadamente vaga. – O que precisarem e ela puder fazer. Vocês duas tiveram sorte de serem adotadas por famílias com bons empregos. A vida é muito difícil para a maioria de nós.

Concordo, em silêncio, lembrando-me de Kali. Até mesmo lá, eu tinha muita sorte. Vovó Clarisse, como enfermeira vinda do Continente Pacífico, recebia mais dinheiro do que se fosse nascida em Kali, e conseguia nos sustentar da melhor maneira possível. Com dificuldades, claro, mas nunca passamos fome. Ela também dá uma boa educação para suas pupilas. Não é todo mundo que tem esse privilégio.

– Quando você se mudou para cá… não, esquece… – Sofia começa a perguntar para a mãe adotiva, mas balança a cabeça, desistindo.

– Pode perguntar, querida. Quando eu mudei para cá…?

– Você teve a nossa sorte?

Zorya passa a mão pelo rosto, com um suspiro pesado, e nega com a cabeça. Sofia segura sua mão para confortá-la e a mulher dá um sorriso, puxando-a para um abraço. Contenho um sorriso ao ver como as duas estão próximas, mesmo tendo apenas alguns meses desde que Zorya se tornou guardiã legal de Sofia.

– Eu morava aqui – diz ela, apontando para as ruas ao nosso redor. – Em um prédio mais para lá, em um apartamento com um quarto. Nós éramos quatro, então eu e minha irmã dormíamos na sala. Mas minha mãe nos fazia ir para a melhor escola, do outro lado da cidade.

Me lembro de como Áquila chamou Andrei de primo, da explicação de que a irmã de Zorya era a esposa de Fenrir, e fico ainda mais curiosa. Como será que eles se conheceram? Será que ela morreu mesmo? Será que foi por algo tão simples quanto uma complicação de parto? Minha mente alimentada por dezenas de livros policiais cria uma história maluca de que Fenrir mantém a esposa em cativeiro para obrigar Zorya a ajudá-lo, mas Fenrir não parece ser tão psicopata assim.

– Nossa, você devia precisar acordar muito cedo – Sofia comenta, e nós três rimos.

– Tinha alguns dias em que eu só ia para não deixar minha irmã ir sozinha – ela responde, com um sorriso. – E eu era uma aluna terrível! Não prestava atenção em nenhuma aula, era debochada com os professores e aprontava muito.

– Parece alguém que eu conheço – comento, com humor.

– Ah, Andrei tem sorte de ter puxado a inteligência do pai. Mesmo com tudo isso, ele ainda tira nota suficiente para não ficar encrencado. Eu fico impressionada. Eu não, eu precisava de ajuda o tempo todo porque estava pendurada. – Zorya se vira para Sofia e diz, com um tom de aviso: – Não siga meu exemplo, mocinha.

A menina ri e promete ser uma aluna exemplar. Finalmente, chegamos à estação do metrô e pegamos o caminho de volta para casa. Quando nos sentamos, Zorya coloca as sacolas no colo e se vira para mim.

– Eu conheci Fenrir na escola – declara ela, sanando uma das minhas curiosidades. – Ele me salvou de várias enrascadas na vida.

– Ah... – digo, sem entender por que ela está contando isso para mim. De repente, parece que me tornei um confessionário ambulante. Ou pior, uma pessoa a quem tudo precisa ser explicado em detalhes.

– Eu achei que você gostaria de saber. – Ela dá de ombros. – Eu nem sempre entendo suas motivações nem concordo com seus métodos, mas, se Fenrir precisa de mim, eu vou estar lá.

– Deve ser bom ter devoção a alguma coisa – é minha resposta.

– Isso não significa, porém, que eu não aja por conta própria – ela acrescenta, em tom mais baixo. – Você está segura comigo.

– Obrigada. – Agradeço, ainda um pouco em dúvida.

A mulher aperta minha mão e resta um silêncio esquisito. Me lembro do que ela começou a dizer enquanto saíamos da missão, sobre meu pai... e fico frustrada com sua habilidade em manter-se críptica. Zorya dá respostas, ao mesmo tempo que é sempre muito vaga. Eu seria a primeira aluna a se inscrever se ela decidisse fazer um curso sobre o assunto. No fim, saber ou não sua ligação com Fenrir não faz diferença nenhuma. Não vai mudar o passado nem alterar o futuro. Eu estou bem na minha ignorância.

Pelo menos é isso o que digo a mim mesma todas as noites antes de dormir.

CAPÍTULO **22**

Os últimos dias têm um efeito esquisito sobre o meu sono e tenho sonhos confusos todas as noites. Em um deles, estou amarrada em uma maca e Ava surge, curada, com uma seringa cheia de um líquido vermelho e sussurra: "Não se preocupe, eu sou seu pai, eu nunca iria machucar você". Alguns outros envolvem Andrei e beijos mais intensos, e me fazem acordar frustrada, sem saber o que fazer com a energia do meu corpo. Eu sempre julgava as meninas de Kali que ficavam loucas depois de beijar um garoto porque, bem, era só um beijo! Que coisa idiota! Porém, se elas sentiam um terço da confusão que eu estou sentindo sobre esse assunto agora, o comportamento delas é inteiramente compreensível.

Ainda assim, não consigo apontar precisamente o motivo da minha frustração. Fazendo um alinhamento de amizades, Andrei e Leon são meus melhores amigos. Porém, o relacionamento que tenho com os dois é completamente diferente. Leon é como o meu braço direito. Sei que posso contar com ele para o que precisar, e sei que nós pensamos de modo bastante semelhante, mas nem sempre recorro a ele por vários motivos diferentes. Na maioria das vezes, é porque não me sinto confortável o suficiente para deixá-lo saber tudo que penso.

Porém, com Andrei não há nenhuma limitação. Se penso em fazer alguma coisa, a primeira pessoa que quero convidar é ele. Se preciso contar algo para alguém, conto a ele. Ele é meu parceiro, a pessoa que me entende sem que eu precise nem abrir a boca. Eu sei, em um nível quase intuitivo, que se eu brigasse com ele da maneira como briguei com Naoki, as coisas voltariam ao normal rapidamente.

Quem estou querendo enganar? Eu nunca precisaria brigar com ele como briguei com Naoki porque sei que ele se preocupa comigo tanto quanto eu me preocupo com ele. Será que ele está deitado na cama ponderando a mesma coisa sobre mim nesse mesmo instante? É tão bizarro pensar que nunca senti tanta afinidade com uma pessoa tão diferente de mim na minha vida.

Até alguns dias atrás, para mim, isso significava que éramos bons amigos e pronto. Desde aquele dia na biblioteca, porém, há uma possibilidade na minha cabeça, uma possibilidade bem esquisita de que talvez eu goste dele de outra forma. Eu tenho certeza de que, se o beijo fosse com Leon ou com Brian, eu não teria sentido da mesma forma. Eu não teria sentido... coisas. Eu ainda não estaria com os mesmos sentimentos, revoltosos dentro de mim, querendo sair. Eu não teria ficado com raiva se eles pedissem para eu esquecer, eu provavelmente também pediria para eles esquecerem. Exatamente como Andrei fez.

Minha linha de raciocínio sempre para nesse ponto. É o que ganho por ter sido idiota a ponto de deixar que as pessoas entrassem na minha vida e se tornassem importantes para mim. Encaro o pacote com a jaqueta de Andrei em cima da minha escrivaninha. O aniversário dele passou sem que ele me convidasse para nenhuma comemoração, e, quando liguei para dar parabéns, ele me agradeceu com monossílabas e disse que precisava ir. Por mais que eu fique com raiva, tenho mais com que me preocupar do que se um garoto – meu melhor amigo ou não – gosta de mim. Como, por exemplo, a campanha.

De acordo com a agenda que fizemos na reunião, o primeiro compromisso com a campanha acontece dois dias depois do aniversário de Andrei, no centro da cidade. Desde o Festival, o visual está bem diferente: as famílias alojadas nas ruas desapareceram, provavelmente hospedadas temporariamente na casa de voluntários. O movimento de sempre de pessoas indo e vindo de compromissos não existe mais, e nossa sorveteria favorita continua com as portas cerradas, e mais algumas dúzias de estabelecimentos seguem seu exemplo. Sem as pessoas poderem trabalhar fora de Pandora e sem receber auxílio, me pergunto como é que estão conseguindo sobreviver.

Há um grupo de pessoas no ponto de encontro, liderados por um senhor de meia-idade, que explica como e onde devemos colar cartazes e chamar quem pudermos para o comício. Porém, o centro virou praticamente uma cidade-fantasma e não encontramos quase ninguém com quem conversar sobre a campanha.

A próxima ação acontece em uma estação do metrô, no horário de ir para o trabalho, e entregamos panfletos às pessoas. Recebemos todos os tipos de reação, mas a maioria nos ignora e fico frustrada. Mesmo que não saibam o que eu sei – sobre a cura, sobre a cruzada do cônsul contra os anômalos –, não é possível que fiquem impassíveis quando obviamente suas vidas estão sendo controladas. Será que quando vão comprar comida e veem as prateleiras quase vazias não sentem nada? Acham que tudo aquilo é normal e vai passar, como tudo? Uma das pessoas que pega o panfleto faz questão de parar ao lado de uma das moças e brigar com ela, de forma extremamente indelicada, dizendo que tudo isso é inútil e que nada irá mudar mesmo, então ninguém deveria se dar ao trabalho. Quando ele vai embora, a garota está quase chorando e o coordenador nos manda para casa.

Fazemos a mesma coisa em vários outros pontos da cidade e me sinto patética. Além de ser sumariamente ignorada com frequência, todas as outras pessoas do grupo parecem se conhecer e eu não consigo me aproximar para me entrosar. Uma semana depois, quando apareço no lugar marcado, um bairro um pouco mais periférico, me surpreendo ao reconhecer Leon e Hassam junto com o grupo de sempre.

– Que surpresa! – eu digo, me aproximando dos dois, animada. Os dois pulam de susto e eu paro, achando esquisito Leon não ter me identificado pelos meus passos no chão ou qualquer coisa do tipo. O garoto se endireita e se vira com um sorriso no rosto. Hassam coloca as mãos nos bolsos e me cumprimenta com um aceno de cabeça.

– Sybil! Eu não sabia que você estaria aqui. – Leon estende os braços. – Vem cá, me dá um abraço. Você sumiu, parece que faz um milhão de anos que não te vejo.

– Como se você pudesse me ver! – brinco, e ele me dá um abraço, apertando minhas costelas. Quase não consigo conter um sorriso, percebendo como estava com saudades dele. – Eu sumi? Eu liguei pra sua casa sete milhões de vezes na última semana e você nunca estava lá. – digo, fazendo muxoxo. – Foi você que sumiu. E, ei, Hassam! Como está Hannah?

– Bem – Hassam responde rapidamente.

– Mas... – Leon franze a testa. – Andrei disse que você estava ocupada e não podia nos encontrar e...

– Ah. – Sinto meu estômago afundar e limpo a garganta, tentando parecer impassível. É claro que Leon e Andrei continuavam interagindo normalmente. Andrei só não tinha me chamado. – Ele não disse nada...?

– Nada o quê?

– Esquece – falo, ciente de que não estou sendo clara tampouco. – Você está aqui para entregar panfletos também?

– É, Hassam me convidou. – Leon dá um sorriso rápido, quase imperceptível. – Ele disse que estavam precisando de mais gente para tentar convencer o pessoal.

– E eu sabia que você estaria aqui – Hassam responde, parando ao lado de Leon, com a mão no ombro do garoto. – Só queria fazer uma surpresa para Leon.

Olho de um para o outro, desconfiada, e Hassam começa a rir e Leon pergunta o que está acontecendo. Cruzo os braços, fazendo Hassam rir mais ainda e Leon desiste de entender o motivo da graça.

– Eu estou ajudando Leon com um projeto – Hassam explica, quando se recupera do riso. – E outro dia ele estava falando como não encontra você faz algum tempo e achei que seria legal ele vir e...

– Não era para você dizer que está me ajudando! – Leon diz, acotovelando Hassam.

Hassam faz uma exibição extremamente dramática de dor e acusa:

– Você deveria ter sido mais específico, então.

– Eu disse para você não falar para ninguém – meu amigo sibila, entredentes.

– Mas é Sybil, eu achei que ela era a maio...

– Hassam – Leon fala, em tom de aviso. – Shiu!

– Meninos, vocês estão me deixando extremamente curiosa.

– Está vendo? Agora ela vai querer saber.

– Eu não vejo por que ela não poderia saber.

– Você não entende o conceito de surpresa?

– Nossa, agora você foi e contou exatamente o que ela não podia saber. Parabéns, Leon.

– Ah, cala a boca – Leon diz, abaixando a cabeça, constrangido.

– Eu posso fingir que não sei de nada se vocês me contarem tudo – falo, apressada, me fazendo de inocente.

– Não! – os dois gritam juntos e Hassam cruza os braços.

– Minha nossa, então desculpa – digo.

– Não é nada pessoal – Hassam comenta, colocando as mãos nos bolsos. – Mas não dá para você saber que é uma surpresa e saber o que é.

– Eu preferiria saber o que é a saber que é uma surpresa – respondo.

– Exatamente o meu argumento – Hassam acotovela Leon. – Eu te disse.

– Vai entregar panfleto ali, vai. – Leon aponta na direção de onde o homem está distribuindo material para os grupos, fazendo alarde com as folhas. – Eu preciso distrair Sybil da conversa que acabou de acontecer.

– Você está insinuando que eu vou esquecer disso tão rápido assim? Me sinto ofendida.

– Vem. – Leon me conduz, com a mão nas minhas costas, na direção oposta à do grupo, e percebo que ele está com alguns panfletos embaixo dos braços. Ele os divide entre nós dois. – Eu ouvi você na televisão no dia do festival, você nem estava tão nervosa. Parabéns.

– Eu quase vomitei na cara de Fenrir naquele dia – digo, com um meio sorriso. – E eles cortaram um pedação do que eu falei.

– E agora você está aqui ajudando. Por que acho que essas duas coisas têm relação com o fim da nossa missão?

– Você acha isso? – pergunto, na defensiva. – Eu não posso estar indignada com tudo e...

– Ah, você pode, sim. Mas não seria seu comportamento padrão – o garoto diz e estica a mão para entregar um panfleto sem que ninguém esteja passando.

Acho esquisito, mas alguns segundos depois uma pessoa sai de uma das ruas e pega o panfleto, lançando um sorriso para nós.

– E agora você virou especialista no que eu faço e sinto. Não tem nada a ver. – Eu o seguro pelo braço e falo mais baixo. – Mas eu preciso conversar com você. Sobre Ava.

Sinto os músculos de Leon se tensionarem embaixo dos meus dedos e ele se vira para mim, com uma expressão preocupada.

– Ela está morta, Sybil – ele diz com um sussurro. – Você não teve culpa nenhuma, eu já disse.

– Ah, é? Então espera até ouvir o que eu descobri – digo em um tom mais amargo do que esperava. Ninguém me pediu para guardar segredo, então descrevo a reunião no Senado desde o início, focando na parte em que Ava apareceu no vídeo do Império. Leon fica imóvel e consigo ouvir sua respiração pesada quando termino.

– Eu não... isso não é possível! – ele gagueja. – O que... Eu... Como... Mas...

– Eu não sei. Eu não sei, Leon. Eles devem tê-la capturado e usado como cobaia. E *deu certo*. – Eu me aproximo dele, apertando com mais força em seu braço. – Deu certo. Você sabe o que isso significa?

– E você me disse que o cônsul... ele também conseguiu? – Leon fala de forma quase inaudível.

– Sim.

A resposta dele é um palavrão. Leon se desvencilha da minha mão, com os punhos fechados. Ele respira curto e forte algumas vezes e morde os lábios, provavelmente contendo a vontade de gritar. Espero em silêncio, sabendo que eu mesma ainda estou com a raiva borbulhando sob a superfície.

– Eles sabem disso e estão entregando panfletos para uma droga de um comício sem sentido? Por que eles não estão fazendo alguma coisa? Por que eles não invadiram a sala do cônsul e o expulsaram de lá ou mandaram a polícia assassiná-lo e fazer parecer acidente ou queimaram o laboratório ou algo assim? – O tom dele vai ficando cada vez mais alto e seu corpo, mais agitado.

– Você sabe que não é assim que funciona – respondo.

– É assim, sim. Sybil, eles usaram a gente para conseguir essa droga. Não só a gente, mas todas as missões... É óbvio que foi para isso. A nossa missão foi só a cereja do bolo. E eles não se importam. Fenrir, Klaus, sei lá quem estava na reunião, *eles não se importam com a gente*. Porque, se eles se importassem, eles estariam fazendo alguma coisa!

O único som da rua é a respiração arfante do garoto. Não sei o que dizer. Não sei se eles se importam com a gente ou não, não sei qual seria a coisa certa a se fazer. Sinto como se estivesse presa em um bloco de concreto, sem ter noção nenhuma de como me libertar.

– Eles estão tentando da melhor maneira possível – digo, por fim. – Isso... eu acho que qualquer ação mais violenta vai gerar algo pior pra todos nós.

– Pior do que nos forçarem a ser curados de algo que não é doença? – Leon pergunta, sem se mexer. – Você acha que eu enxergaria se me tirassem meus outros sentidos? Ou eu seria mais inútil do que sou hoje?

– Leon... – eu me aproximo, apoiando a mão em seu braço. – Você não é nem nunca seria inútil.

– Não é esse o ponto. – Ele se desvencilha do meu toque. – Meu ponto é: o que é pior?

– Eu. Não. Sei. – Respiro fundo, também irritada. – O que é pior? Ganhar algum tempo dessa maneira ou o cônsul decidir amanhã que todos nós devemos ser curados por causa de uma rebelião iniciada por impulso?

O garoto expira forte e passa a mão pelo rosto, massageando as têmporas. Me aproximo e passo a mão nas suas costas, de forma calmante.

– Você já contou isso para Andrei? – ele pergunta e eu me afasto, sentindo meu peito apertar.

Desvio meu olhar, mesmo Leon não vendo. Todo meu corpo tensiona.

– Nós temos panfletos para entregar. – Junto os papéis, olhando para todos os cantos da rua à procura de alguém. – E o resto do grupo já deve estar perguntando por nós.

– Sybil – Leon fala com um tom autoritário, que não dá margem para mentiras. – O que aconteceu?

– Você deveria perguntar a ele. – Eu praticamente cuspo as palavras, com desgosto. – Porque eu sei tanto quanto você.

– Ah. – Leon suspira. – E eu achei que ele era incapaz de ficar mais estúpido.

Com uma risada amarga, insisto para voltarmos aos panfletos, vários planos para escapar se formando em minha cabeça caso tentassem nos curar à força. O que eu sei sobre como sair de Pandora? Fora a passagem que usei com a mãe de Andrei, não conheço mais nada. Zorya já provou que podemos nos passar por humanos normais sem problemas, e se conseguíssemos sair para Prometeu e nos esconder, tudo ficaria bem. Mas... e as outras pessoas?

Fico lembrando de Kali e sinto culpa e vergonha. E prometo, silenciosamente, que não vou fugir novamente só para salvar minha pele.

CAPÍTULO 23

O primeiro comício é no parque onde encontrei Áquila pela primeira vez, e há um palanque parecido com o do Festival da Unificação, com um telão atrás. Será que vão exibir novamente o vídeo em que apareço? Não sei como me sinto sobre isso. Todas as pessoas da minha casa vão, e nós somos aproximadamente metade das pessoas que compõe o público na frente do palco. Leon está lá também, com a família dele, e eles compõem a outra metade.

Patético.

Quinze minutos depois, uma equipe de cinegrafistas chega, acompanhada do pai de Andrei, e começam a posicionar câmeras, mesas de controle e um monte de parafernálias, que fazem Rubi exclamar:

– Eles vão transmitir ao vivo!

Então, a baixa presença no comício não deve ser um problema. É uma jogada inteligente, principalmente considerando que as pessoas não parecem se importar com o que está acontecendo. Talvez Leon esteja certo, e o melhor a fazer seja, sei lá, colocar fogo no mundo logo de uma vez. Quem sabe assim as pessoas não começam a reagir?

Eu só descubro que estou ansiosa em saber se Andrei estará aqui também ou não quando avisto Zorya e Sofia e me sinto decepcionada ao não ver o garoto. As duas acenam para nós de cima do palanque e nós cumprimentamos de volta. Logo, Hassam e Hannah descem para se juntar a nós, e Hannah para ao meu lado, com os braços cruzados e uma expressão de quem está se divertindo horrores.

– Lupita mandou a gente ficar aqui com vocês porque tem mais pessoas ajudando nos bastidores do que gente assistindo. – Ela se controla para não rir. – Ela está maluca, sabe. A loira lá do Fenrir já tentou acalmá-la várias vezes, mas ela fica gritando que isso nunca vai dar certo e dizendo para Klaus que a culpa de tudo é dele.

– Ela parece ser bem enérgica.

– Ela é um furacão! Você precisa ver o que ela faz para me tirar da cama quando não quero ir para a escola – Hannah diz, com um sorriso. – A casa vira Kali, O Retorno.

– Ah, ela é sua mãe adotiva? – pergunto, curiosa. Achei que eram só ela e Hassam.

– Não, mas eu moro com ela e sua esposa, Maritza. As melhores pessoas – ela conta e, ao perceber minha confusão, explica: – Hassam está sempre indo pra lugares esquisitos por causa do trabalho e não queria me deixar sozinha, então ela ofereceu a casa pra eu morar também.

– Ah, faz sentido.

Ela sorri e vai até o lugar onde Hassam e Leon estão conversando. Eu os sigo, porque não tenho nada para fazer, e nos acomodamos na grama. Hassam nos conta uma história de quando os dois eram pequenos e roubaram mangas de um vizinho, e suas imitações nos fazem chorar de rir. Um barulho de microfonia chama a nossa atenção e percebemos que o comício está prestes a começar. Ficamos quietos.

No palco, Lupita e Zorya vão para cima e para baixo mandando nas pessoas, e consigo ver a cabecinha de Sofia olhando para nós de uma das laterais. Eu aceno para ela e ela acena de volta antes de desaparecer atrás das cortinas. Ela deve estar muito nervosa. Tomara que não desapareça no meio da fala dela. Observo todo o movimento e, na outra ponta do parque, consigo ver Victor parado embaixo do palanque. Será que Felícia está por aqui também? Eles perderam o juízo? O objetivo é provocar ainda mais o cônsul, é isso?

Quando ele vira a cabeça em nossa direção, faço um sinal para que se junte a nós. A indecisão é óbvia em sua postura, mas por fim ele caminha até nosso grupo, parando na nossa frente.

– Boa tarde – ele nos cumprimenta, de forma desconfortável.

– Oi. – Hannah diz, levantando uma sobrancelha.

– Você é…

– Victor – ele diz, simplesmente.

– Victor – ela repete, cruzando os braços. – Eu já vi você antes?

– Provavelmente – ele responde, se virando para mim. – Como você está?

– Bem. E você? O que está fazendo aqui? – Franzo a testa, não querendo parecer curiosa demais.

– Com a minha gêmea siamesa – ele responde, com um quase sorriso. – Ela vai, eu vou atrás. Isso a deixa feliz.

– Isso é meio doente – Hannah se intromete na conversa. – Você sabe, é um dos indícios de relacionamentos abusivos.

– Bom saber – ele responde, sarcástico, e Hannah se encolhe, fazendo uma carranca.

– Então... – eu falo antes que Hannah possa retrucar, em uma tentativa de apaziguar essa conversa. – Você sabe o que Felícia está fazendo aqui?

– Eu não posso responder à sua pergunta – o rapaz diz, desviando o olhar para o palco. – Mas tem a ver com aquilo que conversamos. Eu preciso voltar.

Eu o observo se aproximar do palco com a mente a mil. A conversa esquisita que tivemos repassa em minha cabeça, na qual ele parecia ter sofrido uma convulsão ou algo do tipo. Ele tinha afirmado que o cônsul reagiria àquela campanha de qualquer forma. É exatamente o que aconteceu, embora ele só tenha feito ameaças por enquanto. Mas o que a presença de Felícia aqui tem a ver com isso? E como ela vem para Pandora sem que seu pai saiba? Como ninguém comentou sobre ela depois de vê-la no vídeo, principalmente por ela ser humana?

Leon está sentado um pouco atrás de mim, tão entretido na conversa com Hassam que sequer percebeu a aproximação de Victor. Chamá-lo para conversar em particular seria chamar atenção dos dois irmãos. Olho para Hannah ao meu lado, que ainda está emburrada. Eu a conheço há pouco tempo, será que posso confiar nela o suficiente para comentar o que houve? Se Andrei estivesse aqui, com certeza iria me ajudar.

O comício se inicia com Zorya explicando a atual situação dos anômalos e como os dois candidatos a representantes resolveram se juntar porque, no ritmo que as coisas andam, é capaz que não tenhamos uma eleição. Ela deixa um silêncio no ar, antes de chamar para o palco os convidados do dia. Klaus e Fenrir entram juntos, seguidos por Sofia, Felícia e mais duas pessoas que não conheço.

Quem toma o microfone primeiro é Fenrir, e sua figura parece ocupar o palco inteiro. Ele não olha para a parca plateia, mas direto para a câmera, sério.

– Nós estamos presos em nossas cidades e não sabemos o que acontece nas outras, porque ninguém se dá ao trabalho de nos mostrar. Então, antes de começarmos, quero que vocês vejam com seus próprios olhos – ele avisa, e o telão atrás se acende, quase simultaneamente. Apesar de o sol ainda estar se pondo, nós conseguimos ver muito bem as imagens. – Primeiro, temos Cronos. A bela Cronos fica na província de Maasai. Essa é Cronos antes do bloqueio.

O telão mostra uma praça ladeada por prédios brancos com flores nas janelas. A praça está cheia de pessoas vestidas com roupas coloridas e lojas variadas. Os sons são uma mistura de gritos, risadas e burburinho de conversas, em um caos delicioso. A imagem abruptamente muda para a mesma praça vazia, portas e janelas fechadas, como se toda aquela vida tivesse desaparecido. Depois muda para uma fila enorme na frente de um prédio bem parecido com o da Prefeitura daqui, com pessoas de todas as idades. No fim da fila, surge a explicação: um grupo de soldados distribui comida, uma sacola de pano meio vazia para cada pessoa. As mães com crianças de colo recebem duas. Uma das crianças tenta entrar na fila novamente, mas um dos soldados a pega e, quando percebo o que vai acontecer, fecho os olhos. Eu só escuto os gritos do garoto, os gritos de indignação da fila e a reação dos soldados. Não, não, não, isso não pode estar acontecendo lá também! Não, não, *não*!

Hannah está pálida ao meu lado, provavelmente tão angustiada quanto eu. Fenrir disse se tratar de uma das Cidades Especiais, mas podia muito bem ser uma fila de comida em Kali, quando os mantimentos estão em falta. O procedimento é exatamente o mesmo.

– Merda! – Hannah xinga, soltando a respiração.

– Infelizmente, nossa equipe de filmagem foi impedida de prosseguir – Fenrir avisa, com seu tom mais sombrio. – A seguir, temos Equidna.

Ele continua falando, mas não quero ouvir. Não quero ver. Não quero acreditar que isso está acontecendo em todas as cidades anômalas. Não é exatamente a mesma coisa com Equidna, mas a violência é a mesma. Um grupo de adolescentes que não devem ser muito mais velhos que eu foi pego tentando invadir o armazém de mantimentos e a punição física é dada na frente de todos, exatamente como fazem com desertores. "Trezentas chicotadas são a melhor cura para um soldado rebelde", diz o mote do exército. Uma garota tenta escapar, ateando fogo em um dos policiais, e a imagem corta para outra cidade na hora em que a pegam.

Depois, é a vez de Hades. A cidade com o maior racionamento de comida. A primeira imagem que aparece é da praça central da cidade lotada com pessoas de todas as idades sentadas no chão, nas estátuas, debruçadas pelas janelas. Há um número enorme de cartazes em que as pessoas pedem mais alimentos, protestam contra o bloqueio, imploram por seus empregos de volta. Sinto vergonha de Pandora e da omissão de seus cidadãos. Nós somos vizinhos do cônsul, será que se fizermos barulho não podemos influenciar em algo? No telão, a imagem muda e, trêmula, filma a aproximação de uma tropa de choque. Uma das pessoas da praça se levanta e, logo depois, todos a acompanham, como uma onda. Eles cruzam os braços enquanto a polícia os encurrala no fim da rua, como que dizendo que não vão sair dali até que algo aconteça. Na próxima imagem, a praça vira um campo de guerra. A tropa fecha todas as saídas e tenta prendê-los, mas as pessoas dos prédios começam a jogar coisas neles. A reação é violenta e o fogo começa a surgir de lugares aleatórios, com gritos de desespero e de desafio, manchando a praça de sangue e cinzas.

– Nós estamos em guerra com nós mesmos – eu sussurro, sem perceber, e Hannah segura minha mão com força.

A próxima imagem é de Medusa e ela parece uma cidade-fantasma, com um silêncio sepulcral em todas as ruas.

Todos os prédios são construídos com a mesma pedra branca e, em alguns, a presença de manchas vermelhas é um chamariz. Não é necessário dizer nada para saber o que aconteceu ali. Por último, Pandora toma a tela. Eu reconheço o bairro pelo qual passamos com Zorya, Pecado, e os rostos assustados das pessoas nas janelas, observando a passagem da equipe de filmagem. Em comparação aos outros, nós parecemos assustados e envergonhados, como se estivéssemos recebendo uma punição adequada e merecida a nossos atos.

– É triste que isso esteja acontecendo aqui, com a gente. – A voz de Sofia ecoa no parque, doce e insegura. Não percebo quando ela substituiu Fenrir no púlpito, mas agora seu rosto ocupa o telão, como se houvesse público suficiente para as pessoas não conseguirem enxergá-la lá de cima. – Meu nome é Sofia, e eu nasci e cresci no Império do Sol. Há alguns meses, fui salva de uma das fortalezas onde os dissidentes realizam pesquisas em cobaias para buscar uma cura para pessoas que são como eu e vocês, mas que eles chamam de *doentes*.

Ela respira fundo e olha para baixo, com um esforço visível para continuar. Tenho vontade de poupá-la, de tomar seu lugar e evitar que ela precise reviver todo seu sofrimento. Eu sei que ela insistiu para estar ali, mas não consigo entender como concordaram. Eu nem consigo imaginar o quanto deve ter sofrido naquele lugar dos infernos.

– Meus pais sempre esconderam o que eram, para que não tivessem de se submeter ao estilo de vida das pessoas "doentes". – Ela faz as aspas com os dedos. – Porque lá é assim: se você tem uma mutação, você é doente. Essa foi a punição que o Inimigo colocou na Terra para nos provar, e o Imperador irá nos livrar disso, quando formos dignos. E… – ela faz uma pausa, olhando para o canto do palco, um pouco incerta. Consigo ver Zorya a encorajando. – E quando você é doente, você não pode fazer várias coisas. Nenhum dos aparelhos eletrônicos mais modernos é compatível conosco, existem várias profissões que não podem ser nossas, e nós só podemos estudar nos níveis mais altos se formos casados com uma pessoa saudável, que irá garantir que os nossos filhos sejam saudáveis como eles. Se eu continuasse lá, provavelmente teria de me casar nos próximos três anos, ou não conseguiria nem terminar a educação básica.

Sofia estica as costas e parece mais confiante. Ela segura o microfone, os nós nos dedos brancos, e prossegue:

– Desde que vim morar aqui, vi como algumas coisas são muito diferentes de lá. A preocupação em educar os anômalos é muito incrível, e nós *podemos* ser algo além de garçons ou funcionários de fábrica, se tentarmos. Mas eu ainda fico horrorizada quando vejo como vocês são vistos de modo ainda mais inferior do que o Império nos vê, e tenho medo de que, assim como lá, eles tentem mudar algo impossível. Que eles tentem curar algo que não tem cura. Eu... – A voz dela falha e ela limpa a garganta, abaixando o rosto. – Eu não desejo a ninguém, em nenhum lugar, o que sofri.

Sinto meu estômago embrulhar e olho para Leon, sentado atrás de mim, e para Hannah, e vejo-os com a cabeça baixa também. No palco, Fenrir agradece Sofia e a conduz para uma das laterais, onde Zorya a abraça de modo maternal. Fico mais irritada ainda, pois tenho certeza que manipularam a menina para falar o que fosse mais favorável sem contar sobre a descoberta da cura. É exatamente o que fizeram comigo, quando me chamaram para uma gravação sem me dizer quais seriam as consequências ou onde acabaria passando. Eu entendo que é necessário, mas essa manipulação descarada me deixa enojada.

Também há a culpa. Quando Sofia descobrir o papel que tivemos nessa história, como ela vai reagir? Talvez colocá-la para lutar contra isso, mesmo que seja sem seu conhecimento, ajude no futuro.

– Isso é loucura – Hannah comenta, com uma careta. – Se nós fossemos dissidentes, Sybil, nós já estaríamos casadas. Você consegue imaginar isso? Consegue se imaginar com um marido, com um bebê seu no colo, porque sua opção é não estudar?

– Como isso é diferente do que acontece em Kali? – eu pergunto, com desgosto. – Quantas meninas da sua turma se casaram com o primeiro que apareceu só para poder ter uma desculpa para não se alistar?

Hannah fica em silêncio, encolhendo as pernas, e encosta o queixo no joelho. Ela arruma o cabelo atrás da orelha e diz, com uma voz baixa:

– Eu acho que é uma opção melhor que... você sabe. O que pode acontecer se você for solteira. Ser uma "esposa de soldado".

É minha vez de ficar calada, lembrando das garotas que se escondiam nos becos na esperança de que algum soldado se interessasse por elas, e pagasse um pouco em troca de alguns momentos a sós. Pelo menos metade das meninas que morava com vovó Clarisse tinha uma mãe que era "esposa de soldado", como nós as chamávamos.

– É tudo uma merda – concluo. – Todas as opções.

Hannah dá uma gargalhada.

– E como nós estamos melhor aqui? – pergunta ela.

Eu olho para o palco, onde o almirante Klaus está apresentando mais imagens chocantes de outras Cidades Especiais, e afundo o rosto nas mãos, sussurrando:

– Não estamos.

CAPÍTULO 24

O evento continua com Klaus, Fenrir e outros convidados comentando sobre a necessidade de os anômalos se unirem nesse momento, e o efeito dos discursos bem claro no dia seguinte: praticamente todas as pessoas para quem entregamos panfletos param para conversar conosco e perguntar mais sobre o que vai acontecer a partir de agora. Dessa vez, os cartazes trazem uma imagem de um punho fechado saindo da terra e chamando todos para comparecerem no dia do meu aniversário no parque para uma manifestação, porque "juntos somos mais fortes". Os pôsteres me dão uma sensação esquisita de *déja vu*, me lembrando muito a campanha de alistamento de Kali.

O fluxo de pessoas está um pouco maior que o dos últimos dias e acho muito esquisito que, no meio do expediente, o movimento do centro da cidade para os outros bairros fique muito maior. Normalmente, quem ainda estava no trabalho chegava próximo das 8 horas da manhã e retornava às 7 horas da noite, sendo esses os horários de maior fluxo. Não é nada comum a quantidade de pessoas que encontramos na rua hoje, e os panfletos acabam com uma rapidez impressionante. Leon fica muito curioso e aborda uma das moças que pegam panfletos da sua mão, indagando:

– Desculpe a pergunta, mas para onde estão indo?

– Para casa – uma das mulheres responde, com uma careta, olhando para o panfleto. – Aparentemente, não temos mais emprego até segunda ordem.

– Vocês foram demitidas? – a pergunta escorrega pela minha língua e sinto minha bochecha queimar com minha fala imprudente. – Desculpa, eu não deveria ter perguntado isso.

– Não tem problema – a amiga responde. – Se você pode demitir um *governo*, foi isso o que acabou de acontecer.

– O quê?

– Exatamente o que você ouviu, menina. Fecharam o governo das Cidades Especiais. Todo mundo está voltando para casa agora. Acho que nem as fazendas estatais se safaram, né, Hilda? – a mulher vira para a outra, balançando a cabeça. – Ridículo! Ridículo! Vocês vão estar aqui amanhã? Já que não vai ter trabalho, pelo menos vou tentar vir dar um pouco de trabalho para eles.

– Nem os hospitais se safaram. O metrô, por exemplo, para de funcionar hoje, 9 horas da noite. O pior é que nem o departamento de distribuição de comida se livrou! Quem vai distribuir comida a partir de agora é o exército. – Hilda faz uma careta. – Exatamente como estão fazendo nas outras cidades. Sabe, nós somos mais organizados do que isso! Quando é a manifestação? Dia 22? Eu vou avisar todo mundo da minha rua, pode deixar que a gente vai aparecer.

– Sim, é dia 22 – eu digo. – No parque central, no mesmo lugar em que foi o Festival da Unificação.

As duas agradecem e apertam a bolsa contra o corpo, caminhando para a plataforma. Leon me puxa para um canto com uma expressão neutra, pega uma garrafa de água, entrega os poucos panfletos que faltam e se senta em uma das cadeiras da estação do metrô, tomando um gole com gosto. Eu me sento ao lado dele, cruzando as pernas. Tento me lembrar do gráfico de quantidade de comida que Fenrir mostrou na reunião em sua sala, em Prometeu, sem muito sucesso. Eu sei que Prometeu é uma das melhores cidades em termos de mantimentos, mas nunca tinha me preocupado em saber da onde vinha nossa comida, e como chegava até aqui. A moça falou sobre fazendas estatais, e se elas pararem de funcionar, isso significa que nós não vamos ter produção própria? Sinto minhas mãos gelarem mais, e meus joelhos estão trêmulos, as imagens exibidas no comício de ontem explodem bem claras na minha mente.

– E agora? – Leon pergunta para mim, em voz baixa.

– É legal fechar o governo de uma Cidade Especial? – questiono, só que é praticamente uma pergunta retórica. – Quer dizer, não tem uma lei contra isso? O Senado não tem que votar ou algo assim?

– Eu não faço ideia. Você devia ligar para seu melhor amigo Fenrir e perguntar. – É impossível não notar o tom amargo em sua voz.

– Talvez eu pergunte – respondo, de forma ríspida e defensiva. – Acho que ele não estava esperando por isso.

– Eu já te disse que ele não se importa conosco. Brian avisou que isso ia acontecer. – Leon abaixa a cabeça, o rosto virado para os pés.

– Brian? – eu pergunto, e tento não me ofender com o fato de que aparentemente até *Brian* tem opinião do assunto, sendo que nem conversamos praticamente do dia que as férias começaram. – Ele ainda existe?

– Na última vez que conversei com ele, ele disse que não podíamos deixar as coisas nas mãos de pessoas como Fenrir e Klaus, essas pessoas que acham que estão acima dos outros. Nós teríamos de fazer as coisas por conta própria ou tudo iria ficar pior. Ele está certo, não está?

– Do que você está falando? – Cruzo os braços, irritada. – O que a gente pode fazer sem a ajuda deles? Morrer mais rápido?

– Sybil, pense um pouco. Minha mãe consegue soltar *raios*, meu irmão uma vez fez um furo no colchão com a baba dele, que é corrosiva, Naoki conseguiria explodir os tímpanos de todo mundo num raio de cem metros se quisesse. Nós somos mais fortes do que eles sem esforço, o que aconteceria se a gente decidisse usar esses poderes de verdade? A única coisa que nos impede de sair daqui somos nós mesmos.

Fico em silêncio, olhando para as minhas botas. O raciocínio de Leon não tem nada errado e não consigo pensar em nenhum argumento contra isso, mas imaginar o que ele sugere me deixa com o estômago embrulhado. O que aconteceria se cada pessoa decidisse agir por conta própria, para conseguir o que quer? Um ataque aos humanos, um ataque ao cônsul só tornaria tudo muito pior para todos a longo prazo.

– Você acha que foi assim que tudo começou? – pergunto, por fim. – Com os dissidentes? Um dia a gente se perguntou "Por que não? Nós podemos" e começamos o ataque ou vice-versa, e por isso nós estamos assim há séculos?

É a vez de Leon ficar calado e percebo que ele empalideceu, sinto a pele das suas mãos gelada sob meus dedos.

– Mas não podemos abaixar a cabeça e deixar que eles passem por cima de nós, Sybil – ele responde, sibilando entredentes.

– Não, a gente não pode. Mas a gente pode levantar a cabeça e encará-los enquanto eles passam por cima e dizer: "Vocês estão errados. Vocês não sentem vergonha?" – respondo, apertando a mão dele. – Vamos voltar para casa? Provavelmente seu pai deve estar chegando agora e deve estar preocupado com você na rua.

O garoto assente e eu não solto sua mão até deixá-lo na porta do prédio em que mora. Volto para minha casa andando, tentando organizar meus pensamentos. Por todo o bairro, as pessoas caminham para suas casas com uma expressão derrotada, com os ombros baixos. Quase todas as lojas estão fechadas e uma das únicas que estão abertas é um mercadinho vazio, com as prateleiras desabastecidas. O dono está encostado na porta fumando um cigarro e, quando passo na frente, ele acena, mesmo que não me conheça. Eu aceno de volta.

Passo pela rua de comércio mais próxima da minha casa e paro quando vejo um caminhão preto em frente ao mercado que sempre frequentamos. O veículo ocupa quase toda a pista e parece tão fora de lugar aqui quanto uma pedra dentro de um açucareiro. Várias pessoas entram e saem do mercado carregando caixas de produtos e a dona vai para cima e para baixo acompanhando-os, reclamando sem parar. Eu me aproximo com cuidado e vejo o triângulo azul no peito do uniforme preto dos carregadores, indicando que são humanos. A dona vem até mim, esbaforida.

– Você é a menina da Rubi, não é? – ela diz, com o rosto vermelho. – Você pode ligar para ela lá de dentro? Essas pessoas chegaram aqui, dizendo que eram do governo, e toda a comida que tenho aqui precisa ser confiscada! É um absurdo, este é um dos únicos mercados que ainda consegue abastecimento neste bairro, como as pessoas vão comer?

– Eu acho… Eu acho que Rubi deve estar em casa agora. Posso usar seu telefone? – pergunto, sem ter coragem de dizer para ela que provavelmente minha mãe adotiva não vai poder fazer nada sobre esse assunto.

Eu sigo a mulher até um cômodo no fim do mercado, desviando das pessoas de preto que enfiam a comida nas caixas de qualquer maneira. Alguns sacos estouram e espalham farinha e grãos por todos os lados e, na parte das frutas e verduras, o chão vira uma nojeira com tomates e ovos pisados. Tento não me sentir nauseada com todo aquele desperdício, mas não consigo e, quando vejo uma das carregadoras enfiando as verduras de qualquer forma dentro de uma caixa, não me contenho antes de comentar:

– Se você fizesse isso com mais cuidado, não desperdiçaria tanta coisa.

– E quem te perguntou? – a mulher responde ríspida, olhando para mim e para a dona da mercearia. – Cale a boca dessa pirralha se não quiser que ela vá presa, mulher.

Se a minha mutação fosse matar com um olhar, a carregadora estaria morta. Enfio as mãos nos bolsos da minha calça com medo de me descontrolar e machucar a dona da mercearia, que me segura pelo ombro e me conduz pelo caminho até o escritório. Eu não paro de encarar a mulher enquanto ela trabalha. Só porque fiquei calada e não criei caso não significa que concordo com o que ela está fazendo.

O escritório é um cubículo com uma mesa, três cadeiras, um telefone e vários arquivos em uma prateleira. Eu me sento em uma das cadeiras de um lado da mesa e ela, na única cadeira do outro lado. Ela me entrega o telefone com um suspiro e eu digito o número da minha casa. O telefone toca quatro vezes antes de Rubi atender.

– Sybil? – ela pergunta, quando ouve minha voz. – Onde você está? Você está bem? Venha para casa agora! Não é mais seguro ficar na rua sozinha.

– Eu estou chegando em casa – digo, apertando o telefone em minhas mãos. – Eu parei aqui na mercearia da rua e a dona...

– Margarida – a mulher a minha frente diz.

– E a dona Margarida pediu para que eu ligasse pra você. Tem uns soldados levando toda a comida embora.

Rubi fica em silêncio por alguns instantes e só consigo ouvir sua respiração pelo fone.

– Venha para casa agora! – ela repete, com um tom urgente. – E diga para dona Margarida que não posso fazer nada para ajudar hoje.

Margarida deve ter lido a resposta de Rubi na minha expressão, porque ela balança a cabeça e passa as mãos pelo queixo, apoiando os cotovelos na mesa.

– Me deixe falar com ela. – Ela faz um sinal apressado com a mão para eu passar o telefone. – Por favor.

– Ela quer falar com você – eu digo para Rubi, minha voz sussurrando.

– Eu vou dizer a ela exatamente a mesma coisa que disse para você. Venha para casa, Sybil! – minha mãe adotiva repete pela terceira vez. – Eu não vou ficar em paz até você chegar.

– Eu já estou indo. Vou passar pra ela, tá?

A dona do mercado pega o receptor com avidez e começa a falar rápido, explicando a situação, e como ela não se importa com o dinheiro nem nada, mas que não acha certo nós não termos abastecimento para poder comer. Depois, fica algum tempo em silêncio, sua expressão cada vez mais desesperada. Quando desliga o telefone, sua boca é um arco virado para baixo, quase como aquelas máscaras de teatro. Isso a faz parecer alguns anos mais velha e evidencia várias rugas que eu não tinha percebido antes.

– Obrigada, menina – ela diz, por fim, passando a mão pelo rosto. – Eu vou levar você até a esquina da sua rua, tudo bem?

– Eu sinto muito.

– Acho que não tem nada o que podemos fazer agora. Só esperar que eles distribuam a comida de forma justa. – Margarida se levanta como se estivesse carregando uma tonelada nos ombros. – Vamos?

Eu a sigo de volta pelo mercado vazio e cada passo parece aumentar o peso que Margarida carrega. Quando está quase na porta, ela começa a chorar e, quando paro para consolá-la, faz um sinal para continuarmos, mas não enxuga as lágrimas nem abaixa a cabeça quando saímos. Os carregadores estão terminando de colocar as caixas no caminhão, de maneira descuidada, e dois deles têm fuzis pendurados nas mãos, em posição de guarda. O que eles pretendem acertar? Uma garota de um metro e meio e uma senhora emocionalmente abalada?

Margarida se apoia no braço que ofereço, desviando o olhar do caminhão. No entanto, a mulher de quem chamei atenção antes nos vê saindo e solta a caixa de suas mãos de qualquer jeito, deixando cair pacotes de biscoitos.

– Onde vocês pensam que vão? – ela chama, cruzando os braços. A voz dela faz os outros carregadores desviarem sua atenção e os dois armados se aproximam, curiosos.

– Eu vou deixar essa menina em casa – Margarida responde, sua voz trêmula. Os olhos dela estão fixos nas armas. – Mas eu já volto para fechar a loja e assinar os papéis.

– Você vai é fugir e chamar ajuda – a mulher acusa, olhando direto para mim. – Não é? Você acha que se puder guardar um pouco de comida, conseguirá fazer um dinheirinho quando a gente começar a distribuição geral.

– Nojenta. – Um dos homens cospe na nossa direção e eu dou um puxão em dona Margarida para desviar. O cuspe cai bem perto dos nossos pés. – É só isso que a gente pode esperar dessas aberrações.

– Nós demos tudo para vocês e vocês respondem com traição e preguiça! Assim é fácil, ter tudo na mão e não fazer nada para merecer – um terceiro homem fala, e esse de fato consegue atingi-la com um cuspe.

Dona Margarida abaixa o rosto, limpando-o como pode com suas mãos trêmulas. Sinto minhas bochechas, minha garganta e meu peito queimarem de raiva e, se eu soltasse fogo, já teria incinerado todos eles. Eu paro na frente de dona Margarida e cruzo os braços, em uma postura desafiadora.

As palavras de Leon mais cedo ecoam dentro de mim como uma sirene.

– Ela só está me levando para casa – digo, firme. – Se vocês quiserem mandar alguém nos escoltar, tudo bem. Mas ela não fez nada para merecer esse tratamento.

– Ohhh, olha só como ela é corajosa. – Um dos caras com o fuzil se aproxima, balançando a arma como se fosse um brinquedo. – Sabe o que vocês fizeram para merecer isso? Nasceram.

Sinto meu corpo todo tensionar como uma corda, todos os meus músculos estão contraídos, e fico surpresa ao ver que não estou com medo, mas com raiva. Eles são humanos, mas nada dá direito de falarem assim conosco. Nós não fizemos nada de errado e, mesmo que fosse o caso, nada justifica agir dessa forma.

– Eu nasci exatamente do mesmo jeito que você, seu idiota – respondo, fechando minhas mãos em punhos.

– O que você disse? – O homem está em cima de mim, exibindo seus dentes como um cachorro. Sinto o cano da arma contra a minha barriga e, antes que perceba o que estou fazendo, eu o seguro com as duas mãos.

– Eu disse que eu nasci do mesmo jeito que você – eu repito, olhando-o nos olhos. – Deixa a gente ir embora.

O movimento a seguir é rápido demais e não tenho tempo de reação. O homem me empurra com o cano da arma e a vira, batendo no meu joelho com a parte de trás. Margarida grita e os outros carregadores também. Sinto minha perna esquerda se desmanchar e caio de lado, batendo a perna contra a calçada. A dor sobe incandescente, se espalhando em uma onda quente. O cano da arma está apontado na direção da minha cabeça quando apoio os cotovelos no chão para tentar levantar e estou cercada.

– Você está insinuando que *eu* sou como vocês? – O homem cospe as palavras e eu o encaro.

– Você vai atirar? – pergunto, em tom de desafio. – Vai dar uma notícia ótima: "Anômala indefesa é morta por soldados humanos". Tenho certeza de que vai apaziguar os ânimos de todo mundo.

O próximo golpe vem na minha cabeça, mas consigo desviar. Não consigo evitar o chute nas minhas costelas e me encolho, com uma mão na barriga e ânsia de vômito. Ouço dona Margarida implorar para que eles parem, mas um deles a empurra no chão, concentrando-se em mim.

– Continuem. Façam o que vocês têm de fazer. – Eu não sei de onde vem a força para continuar a provocação, mas agora que comecei, não consigo parar. – É isso o que a gente ganha por querer voltar para casa?

O próximo golpe, com a parte de trás da arma, é no meu rosto e sinto o gosto de sangue na minha língua, inundando minha boca. Cuspo ao meu lado, e a calçada fica manchada de vermelho.

– Se você não calar a boca, o próximo será pior – algum deles diz, antes de dar a ordem para outro. – Pegue a velha e coloque-a no caminhão.

– Não – protesto, tentando me levantar e sentindo uma pontada nas costelas. Em vez disso, seguro o tornozelo do homem, que está ao meu lado. – Vocês não vão levar ela embora!

– Ela está sendo acusada de obstrução de fornecimento e traição – o soldado vocifera, enxugando o suor da testa. – A gente pode levar ela sim.

– Ela não fez nada disso! Ela só queria me levar para casa.

– Bem, agora você vai ter que ir se arrastando, não é? – O sorriso dele é meio sádico, como se estivesse se divertindo com a situação. – Quem sabe você não possa visitá-la no inferno em breve?

Aperto minha mão no tornozelo dele, cuspindo sangue na bota dele. O homem enxuga o suor da testa mais uma vez, franzindo-a ao perceber que não está quente o suficiente para isso. Ele olha para baixo e vê a sujeira que eu fiz. Com o olhar arregalado, ele vê que estou ainda segurando o tornozelo dele e solta um grito.

– Tire suas mãos de mim, sua aberração! – Ele puxa a perna, mas eu afundo as unhas em sua pele, sem saber exatamente o que estou fazendo.

Sinto a umidade do corpo dele sob meus dedos e o homem faz uma careta, o suor cada vez mais intenso formando manchas em seu uniforme preto. É exatamente como da última vez. Durante a missão, eu havia grudado naquela mulher até que ela estivesse ressecada.

Até que ela tivesse *derretido*.

Se na missão eu tinha ficado aterrorizada com essa minha habilidade, agora estou satisfeita. O homem tenta se desvencilhar mais uma vez e, quando não consegue, desce a parte de trás do fuzil com toda a força no meu pulso. Eu escuto o barulho de osso quebrando antes de sentir uma dor lancinante e o solto, urrando quando sua bota esmaga minha mão contra a calçada.

CAPÍTULO 25

Ouço dona Margarida gritar e eu mesma acabo gritando, aumentando o barulho ao nosso redor. Respiro rápido, ofegante, minha vista escurecendo com a dor intensa. Seguro minha mão quebrada contra meu peito, me encolhendo. A única coisa que existe é dor, pintando o mundo de vermelho e preto e me fazendo gemer. Tento mexer meus dedos, mas eles parecem tão errados quanto se fossem de outra pessoa.

Consigo discernir dona Margarida ao meu lado, sussurrando palavras de conforto e um grito de ordem, quase como um latido de cachorro. Tento espremer os olhos para ver o que está acontecendo, mas estou navegando em um oceano de agonia. Penso ouvir uma voz familiar, mas pode ser delírio. Eu quero fechar meus olhos e dormir, porque talvez assim eu acorde e descubra que tudo isso é um pesadelo.

Então escuto um barulho de tiro e vejo, em um borrão, dona Margarida cair ao meu lado. Escuto mais gritos e engulo a dor, me arrastando de forma precária para onde ela caiu. O desespero é visível em seus olhos, as mãos tentam alcançar sua perna e as palavras saem incoerentes. Há sangue esparramado ao seu redor, e tenho certeza que o tiro a acertou. Sinto meu corpo todo ficar alerta, e uso a mão boa para me apoiar e me sentar.

Pelo canto dos olhos, vejo os soldados partirem, montando no caminhão e saindo com os motores a toda, o escapamento fazendo fumaça em seu rastro.

– Onde? – consigo perguntar, voltando meu foco à dona Margarida.

– Minha perna. Está... eu não sei... eu... – ela murmura, incoerente.

– Você precisa estancar. – Eu me inclino na direção dela e percebo que a mão que está boa é a esquerda, a que uso normalmente. O tecido da perna direita da calça de dona Margarida está escuro e não consigo alcançá-la. – Você consegue dobrar a perna?

– Sybil! – A voz familiar me chama novamente e, quando levanto o rosto, sinto um milhão de emoções ao ver quem se aproxima correndo até nós.

– Andrei?

Meu coração dá um salto maior de energia, e pisco forte, tentando decifrar se isso é só outra alucinação pela dor e pelo pânico.

Não. Andrei está lá. Cabelo loiro bagunçado. Olhos claros arregalados. O rosto vermelho, ofegante. Não sei como ele veio parar aqui, mas não importa.

Andrei. Aqui. Comigo.

– Ai, merda! Merda! Merda! Eu vou chamar uma ambulância! – Ele põe as mãos na cabeça e olha para a rua, procurando um telefone público.

– Não adianta – digo, minha voz fraca. – Os hospitais não estão funcionando. A gente precisa estancar o sangue ou ela não vai aguentar.

Não existem palavras para descrever a frustração no rosto de Andrei quando ele se ajoelha ao lado de dona Margarida e pressiona o ferimento em sua perna. Seus olhos pousam na minha mão quebrada, cada vez mais inchada contra meu peito, e o rosto dele se distorce. Quando nossos olhos se encontram, há uma infinidade de emoções que não consigo decifrar passando.

– Eu anotei a placa do caminhão – ele diz.

– O que não vai mudar absolutamente nada – respondo ríspida, fechando os olhos. – Nós precisamos ir pra algum lugar e chamar o pai de Leon. Não dá para ficar aqui na rua assim.

– Vocês podem ir – Dona Margarida diz, a voz fraca. – Me deixem aqui.

– Não! – eu e Andrei gritamos em uníssono.

Nós dois estamos firmes com o mesmo objetivo. Andrei continua:

– Eu vou amarrar minha blusa na sua perna e vou chamar alguém para me ajudar a levar vocês pra algum lugar. Sybil, você consegue continuar pressionando com...

– Minha mão boa? Sim. Mas eu preciso de ajuda para chegar mais perto, não consigo alcançar.

Ele concorda com a cabeça antes de arrancar a camiseta e a amarrar firmemente na perna da mulher. Fico abismada por um momento, meu cérebro entrando em pânico por um milhão de razões diferentes, sobrecarregado pela dor e pela adrenalina. Com a ajuda dele, consigo me aproximar mais, e ele coloca minha mão por cima do ferimento, indicando a pressão que eu preciso fazer. Isso o deixa extremamente perto e me sinto uma idiota por estar nessa situação crítica e ainda assim sentir meu coração se acelerar com a proximidade, sentindo a respiração quente dele por cima do meu ombro. Acho que nossos olhares demoram um segundo a mais do que deveriam, porque ele se levanta com rapidez e limpa a garganta antes de falar:

– Esperem aqui. Eu não vou demorar!

Sinto um gosto metálico na boca enquanto observo-o correr até minha rua e cuspo na calçada ao meu lado uma mistura de saliva e sangue. Provavelmente meu rosto já deve estar ficando roxo por causa da pancada e, na parte interna, o corte da minha bochecha ainda não estancou. Embaixo de meus dedos, a camiseta azul de Andrei fica escura com o sangue da senhora e me sinto desesperada. Eu não saí de Kali para ver alguém morrer enquanto eu estou olhando. Eu não saí de Kali para viver algo pior aqui.

– Dona Margarida? – eu a chamo. – A senhora está acordada?

– Eu acho que machuquei minhas costas quando caí – ela diz, tentando se sentar. – Está doendo.

– Continue falando comigo – peço, colocando mais peso no ferimento.

– Eu sinto muito. – A mulher engasga e eu desvio o olhar ao ver que ela está chorando. – Eu não deveria ter parado você e...

– Shhh. Não vamos falar sobre isso. Como está seu filho? – Tento distraí-la sem muito sucesso, porque quando pergunto sobre o filho dela, ela começa a chorar mais ainda. Tento me dar um desconto por minha idiotice no momento, abalada por todas as emoções que me atingem.

– Ah, por favor. Por favor, não conte pra ele o que aconteceu. Ele vai se sentir muito mal, porque era para ele estar aqui hoje e não eu. – Ela fecha os olhos. – Mas ele estava com dor de cabeça e eu insisti em vir no lugar dele.

– Não se preocupe. Tudo vai dar certo e ele não vai precisar ficar sabendo – digo, e nós duas sabemos que é mentira, mas ela se acalma um pouco. – Andrei já deve estar voltando.

– Espero que sim – ela diz, fechando os olhos. – Nós tivemos tanta sorte de ele nos encontrar tão rápido.

– É... – eu digo. – Rubi provavelmente pediu para ele vir me buscar.

– É seu namorado? – A mulher abre os olhos e, embora ainda tenham lágrimas, ela abre um pequeno sorriso.

Eu cuspo um pouco mais de sangue antes de responder, tentando me irritar menos com essa pergunta – essa senhora acabou de levar um tiro e está aqui tentando descobrir uma fofoca – e, quando levanto a cabeça, vejo um grupo de pessoas se aproximando. Quando viram a esquina e nos veem, começam a correr. São cinco pessoas, Andrei acompanhado de três homens e uma mulher. Eles nos alcançam e me afastam de dona Margarida. Andrei para ao meu lado e me ajuda a levantar, mas quando apoio o peso no joelho que o soldado com fuzil atingiu para me derrubar, ele vira um oceano de dor e minha vista fica escura por alguns segundos. Sinto os braços de Andrei me segurarem pela cintura e respiro fundo algumas vezes, tentando controlar todas as dores. Fecho os olhos e encosto a testa no ombro de Andrei, e as imagens da biblioteca relampejam em minha mente. *Não é hora para isso. Não é hora para isso.*

– Filhos da puta – eu o escuto xingar baixinho antes de perguntar para mim: – Qual das duas pernas?

– Eu não sei. Tudo está doendo pra cacete – respondo e cuspo mais uma vez. A expressão de Andrei é de horror quando vê meu cuspe vermelho. – Acho que a esquerda.

– Vem, eu te apoio pelo outro lado. Não é muito longe, mas não vai dar pra eu te carregar até lá.

Eu concordo com a cabeça e nós vamos em uma dança esquisita. Os três homens e a mulher estão um pouco mais à frente, carregando dona Margarida em uma maca improvisada com cabos de vassoura e um lençol. Eu sei que é uma distância curta, mas parece que gastamos uma centena de anos para chegar até a esquina, e o dobro de tempo para entrar na segunda casa à direita. Minha casa fica no final da rua, longe demais para conseguirmos chegar na condição que estamos. O sol está alto no céu e, embora não esteja muito quente, consigo sentir o suor brotando nas minhas costas e na minha testa. Quando finalmente chegamos na casa que está de portas abertas para nos receber, dona Margarida é levada até a cozinha às pressas e Andrei me coloca em um dos degraus da escada, sentando-se ao meu lado.

A casa é idêntica à minha e à de Naoki, mas espelhada: a cozinha continua ocupando toda a parte de trás, mas a sala fica à direita da escada que dá para os andares superiores. Tenho a impressão de que o mundo foi virado do avesso, como se de uma hora para a outra tudo tivesse ficado errado. Parece que a casa está refletindo a sensação do meu cérebro.

Um dos homens volta para o hall de entrada e nos encontra, abaixando-se na minha frente. Eu tenho quase certeza de que já o vi em algum lugar antes, sua testa é larga e quadrada e o queixo proeminente permanece bem marcado em minha mente.

– O que aconteceu? – ele pergunta em um tom gentil, encostando em meu braço bom. – Deixe-me ver sua mão.

– Um soldado pisou em cima. – Minha voz sai mais infantil do que espero e, subitamente, me sinto frágil, minúscula. Quando o homem segura meu braço, pelo menos duas vezes mais inchado que o normal, eu me encolho com a dor que volta de uma vez. Andrei segura minha outra mão, passando o dedo pelo caminho dos ossos da mão, como que memorizando o lugar certo deles.

– Desde o início, por favor – o homem pede, olhando para a minha mão com atenção. Um dedo está em um ângulo nada natural e quando ele tenta movimentar meu pulso, solto um grito tão alto que faz a mulher vir até aqui ver o que está acontecendo.

Ela me traz um saco de gelo para colocar na minha mão e me dá alguns analgésicos para aliviar a dor. Relato tudo o que aconteceu, e o homem me encara com uma expressão seriíssima. Andrei me abraça contra ele no meio da história e eu não protesto, me sentindo um pouco menos desolada com sua presença ali, apesar do que aconteceu nos últimos dias. Sinto minha bochecha quente contra a pele dele, e ambos estamos igualmente fervendo.

A chegada de Rubi interrompe a história, mas ela pega a pior parte. Sua expressão se transforma gradativamente de preocupação para raiva e, quando termino, ela e o homem desaparecem na sala para conversar. Me sinto sonolenta com tudo e encosto a cabeça no ombro de Andrei, fechando os olhos. O garoto fica tenso e isso é o suficiente para eu me afastar dele, olhando para a porta.

– Sybil... – ele começa, mas não quero ouvir o que vai dizer em seguida. É claro que uma hora essa paz ia acabar.

– O que você está fazendo aqui? – interrompo, tentando neutralizar o assunto.

– Eu queria conversar e achei que você estaria em casa – ele oferece como explicação, encostando na parede, e seus olhos estão fixos em mim. – Quando Rubi chegou, ela disse para eu me apressar e voltar para casa logo, e foi o que fiz.

– Foi por isso... – eu começo e ele concorda com a cabeça.

– Foi por isso que eu encontrei vocês tão rápido – ele responde, passando a mão pelo cabelo. – Não estava te perseguindo nem nada do tipo.

– Bom saber – digo com humor e apoio a testa no corrimão da escada, virando meu corpo para mais longe do dele.

O silêncio que fica é desconfortável e Andrei se remexe algumas vezes onde está sentado, visivelmente incomodado.

– Sybil, sobre a biblioteca... – ele quebra o silêncio, por fim, e eu viro o rosto, sentindo um aperto no peito.

– Agora não é hora de conversar disso.

– Mas...

– Andrei, sério. Por favor. Eu estou meio drogada de dor e minha mão está do tamanho de um elefante, eu podia ter morrido e o fim do mundo está chegando, e eu não quero ouvir o que você vai dizer – eu bufo, frustrada. – Eu não quero ouvir qual desculpa você vai dar para ter ficado um tempão sem falar comigo e aparecer do nada, não quero saber o motivo de você ter pedido para tudo continuar tudo como era antes, e aí você nem foi capaz de cumprir sua parte!

Eu consigo ouvi-lo respirar fundo, consigo sentir cada movimento que ele faz para se levantar, e sinto um vazio quando ele sai do meu lado no degrau. A droga da camiseta dele está em algum lugar da cozinha, suja com o sangue da dona Margarida e ninguém teve o bom senso de entregar uma nova. A cicatriz ridícula que ele tem no ombro, deixada pelo tiro que ele levou na missão, me faz sentir um bolo na garganta e uma ardência nos olhos.

– Me desculpa – o garoto diz sem se virar, e se o gelo na minha não estivesse quase todo derretido, eu jogaria o saco nele. Pra acertar bem no nariz.

– Tanto faz – respondo, fechando os olhos

– Mas é que eu gosto de você.

Abro meus olhos com um susto. Ele está lá de pé, virado para mim, com seu cabelo arrepiado da forma mais Andrei que existe no mundo. No meu peito, meu coração virou um tambor e sinto minhas bochechas ficarem mais quentes e minhas mãos trêmulas.

– E não é eu-gosto-de-você como amiga, é eu-gosto-de-você no sentido de que eu não consigo passar cinco segundos sem pensar em todas as diferentes maneiras que eu poderia te beijar – ele fala rápido, atropelando algumas palavras, como se um segundo a mais que ele demorasse o faria perder a oportunidade de uma vida. – E eu sou um idiota e fiquei com medo de perder a nossa amizade. Todos esses meses fiquei me segurando, e não queria te contar isso e fazer você me odiar e nunca mais querer me ver, mas agora... eu não tenho mais nada a perder. Você já me odeia. Eu fui um idiota.

Eu fecho os olhos novamente e sinto meus lábios se curvarem em um sorriso. Minha bochecha dói e eu levo a mão boa até ela. Andrei me encara, imóvel.

– Meses?

– É, alguns. – Ele olha para os próprios pés e sei, pelo modo como seus ombros estão, que Andrei preferia estar em qualquer lugar do mundo menos aqui.

– Nossa, você é tão melhor que eu nesse tipo de coisa – digo, um pouco mais baixo. – Porque eu só descobri na semana passada.

O garoto fica em silêncio e levanta o rosto, em descrença.

– O... quê?

– Dá pra você voltar e sentar aqui do meu lado? Eu estou com sono e você é um travesseiro muito bom – convido, sentindo minhas bochechas ardendo enquanto falo. – E... eu não sei se você pensou tanto assim quanto você diz, mas se quiser, te dou uma chance de colocar em prática todas essas maneiras que você pensou em me beijar.

O sorriso de Andrei é o mais radiante que já vi em seu rosto. Ele se senta ao meu lado, quase tímido, e lentamente, ele se inclina e encosta os lábios no meu queixo. Sinto a pele formigar, e apesar de todos os analgésicos, ainda consigo aproveitar aquela sensação por completo. Depois, ele segue com um beijo no canto da boca, depois na ponta do nariz, e eu fico imóvel, aproveitando cada segundo, cada vez que sua boca volta a encostar na minha pele. Quando finalmente os lábios de Andrei encostam nos meus, sinto como se um peso enorme tivesse sido tirado dos meus ombros.

Agora só faltam mais uns quinhentos quilos para tudo voltar ao normal.

CAPÍTULO 26

Eu estou dormindo no ombro de Andrei quando o pai de Leon sai da cozinha e me desperta, pedindo que eu vá até a sala para que ele cuide dos meus ferimentos. Enquanto faz a sua magia de médico, ele me diz que chegou direto pela porta de trás e que dona Margarida tem chances de se recuperar, embora ache que ela não vá mais conseguir andar como antes. Doutor Breno também me diz que ela teve sorte, porque a esposa do dono da casa é enfermeira no hospital e conseguiu prestar a ajuda que precisava.

A dor na minha mão havia diminuído a ponto de eu conseguir ignorá-la como apenas uma coisa chata, lá no fundo da minha cabeça, mas quando estico o braço para que ele me examine, minha visão fica turva. Sorvo o ar pelo nariz e o solto pela boca antes de o médico sussurrar algumas palavras de apoio enquanto massageia minha pele. Aos poucos, a dor se alivia e ele consegue manusear minha mão sem me fazer gritar. Sem nenhum aviso, ele pega o dedo que está meio torto e puxa de uma vez, colocando-o no lugar e provocando uma dor intensa e aguda, que me faz fechar os olhos com força. No entanto, ao menos a sensação ruim desaparece com a mesma rapidez que surgiu.

– Eu sinto muito, mas não consigo fazer a dor sumir antes que ela aconteça – ele explica. – Eu consegui sentir alguns ossos fora do lugar e vou tentar arrumá-los antes de enfaixar, mas talvez tenha mais algum osso fraturado. Até o hospital voltar a funcionar, vai ser a única coisa que posso fazer.

– Tudo bem – respondo baixinho, antes que ele continue o procedimento. É quase como ser furada repetidamente por agulhas.

Ele faz o trabalho rapidamente e enfaixa minha mão com talas em cada um dos dedos, usando um pedaço de gaze para fazer uma tipoia para mim.

– Aqui. Eu preciso que você vá para o hospital assim que ele abrir, porque precisamos tirar um raio X para saber exatamente quais ossos estão fraturados. Provavelmente você vai precisar ficar uns dois meses com a mão imobilizada e precisamos acompanhar para que nenhum osso se cure de forma incorreta.

– Eu tenho de ficar dois meses com a mão enfaixada? – pergunto, e o horror é impossível de ser escondido na minha voz. – Mas eu...

– É o procedimento padrão, Sybil. – Ele sorri, e seu tom é de pedido de desculpas. – Tem mais algum machucado?

– Meu joelho – digo, desanimada.

Levanto a calça para o exame e ele declara que não há nada de muito errado, provavelmente foi só uma torção leve e, se eu fizer repouso e compressas de gelo, ficarei boa logo, o que significa, na realidade, evitar andar por pelo menos uma semana. Considerando o que poderia ter acontecido, o saldo é até positivo.

O dono da casa oferece uma camiseta para Andrei finalmente, que fica folgada demais, antes de voltarmos para minha casa. Enquanto Andrei se veste, o homem olha para mim com a testa franzida.

– Eu por acaso te conheço de algum lugar?

– Não sei. Eu apareci na televisão uma vez – digo nervosa.

Ele continua me encarando como se isso fosse lhe dar uma resposta e eu me remexo, desconfortável sob seu olhar.

– Eu já sei! Você estava no metrô naquele dia, não estava? Em que o bloqueio começou?

Concordo com a cabeça e olho para o homem, tentando localizá-lo na minha memória do metrô. Demoro um pouco, mas logo vem a imagem da pessoa que pediu para todos ficarem calmos.

– Ah! Você é aquele moço... do Departamento de Segurança?

– Sim, Jorge Cruz. – Ele dá um sorriso gentil. – Foi uma surpresa descobrir que você está sob a tutela de Rubi. Nós trabalhamos no mesmo andar. Eu prometo para você que o que aconteceu hoje aqui não ficará sem resposta. Eles não sairão impunes

Se ele quer acreditar nisso, eu não vou estragar a alegria dele. Agradeço a atenção e vamos para casa, demorando duas vezes mais que o normal porque preciso andar devagar e não consigo esticar a perna direito. Além disso, é esquisito caminhar com uma mão toda amarrada perto do meu peito.

Eu acabo me alojando no sofá da sala por não conseguir subir nem metade da escada para o primeiro andar. Também sou forçada a tomar banho da forma mais ridícula possível no banheiro da área de serviço, com a ajuda de Rubi para esfregar cada centímetro da minha pele. Nós concordamos em jogar a calça comprida e a blusa preta que eu estava usando no lixo, e luto um pouco com o pijama que ela traz para mim.

Dimitri e Rubi concordam em deixar Andrei dormir aqui em casa porque já está tarde demais para ele andar sozinho por aí, e é óbvio que eles estão preocupados que algum outro ataque desse tipo, como o que acabou de acontecer, aconteça com mais alguém. Ele fica com minha cama no quarto de Tomás, enquanto divido a sala com Dorian, o gato, que não parece muito contente em me ver deitada em seu lugar favorito. É, a vida não está fácil nem para os felinos.

Sob a escuridão da casa, no silêncio absoluto da madrugada, eu tento dormir em vão. Doutor Breno não conseguiu me receitar soníferos, pois não há mais nenhuma farmácia em funcionamento. Temos de nos contentar com o que os médicos possuem em seus acervos pessoais. Não sei como está a situação dos pacientes já internados e doentes, e só de pensar nisso já fico com o estômago embrulhado. Isso me faz questionar o que impede os humanos de virem até Pandora e acabarem de vez conosco. E se existirem humanos infiltrados entre nós, agora mesmo, pessoas cheias de ódio como os que me atacaram? Eles estavam aqui a mando do governo, mas mesmo assim... Zorya não havia nos deixado entrar em Prometeu? O que impedia de o contrário acontecer também?

Eu sequer preciso de todos esses pensamentos para não pregar o olho um segundo durante a noite. Além do desconforto físico e da sensação desagradável de estar me sentindo presa, sem poder mexer a mão ou o braço livremente, minha mente é um furacão de ansiedade. Tento fechar os olhos, mas sempre me lembro de Ava. Como será que ela está, do outro lado do mundo, curada? Será que os pais dela sabem o que aconteceu? Lembro do funeral simbólico que fizeram depois de descobrirem sobre sua morte. Eu mal consegui dizer o quanto sentia a perda deles, estava muito frustrada com o pensamento de que poderíamos tê-la salvo. Ainda parece impossível quando penso sobre o fato de ela estar curada, mas a imagem era clara, não havia dúvidas de que era ela. O que ela diria se soubesse... de Andrei? Será que quando saímos na missão, Andrei já sabia que gostava de mim e ela percebeu isso?

Tento conter minha ansiedade, mas meu cérebro mistura todo tipo de emoções. Me sento no sofá, decidindo que se não vou dormir, a melhor opção é ler alguma coisa. Escolho o mistério mais escabroso da estante, uma história sobre um serial killer canibal que engana detetives. Para alguém que fugiu de uma zona de guerra, gosto demais de livros com uma alta contagem de cadáveres. Estou em uma passagem extremamente tensa, em que o detetive visita o assassino enquanto uma vítima está presa no porão, quando percebo que Andrei está inclinado no batente da porta, de os braços cruzados, um sorriso no rosto enquanto me olha.

– Ah, não. Pode continuar. Sua expressão está impagável, apesar do roxo do tamanho de uma bola de basquete na sua bochecha – ele diz quando percebe que eu levantei a cabeça.

– Você deveria estar dormindo.

– Você também. – Ele se senta ao meu lado no sofá e pega o livro das minhas mãos, passando os olhos pela página que eu estava lendo. – Você certamente tem sérios problemas se está lendo esse negócio por entretenimento depois do que acabou de acontecer com você. – Ele faz uma pausa e me dá um beijo na bochecha. – Eu gosto disso.

– Sai daqui, você está sentado na minha cama no meio da noite. – Eu o empurro, de brincadeira. – Se Rubi descobre, ela te mata.

– Não é como se a gente nunca tivesse dormido na mesma cama. – Dá para ver que ele está suprimindo um sorriso e eu o empurro mais uma vez.

– Mas foi diferente.

– Você não conseguia dormir do mesmo jeito.

– Você é horrível! – Balanço a cabeça e pego meu livro de volta, colocando-o no braço do sofá. – Enfim, eu não estou acostumada a dormir muito.

Andrei não responde esse comentário, pensativo, e eu me aproximo para sentar mais perto, encostando meu joelho no dele. Ele empurra minha perna e passa a mão pelos cabelos encostando a cabeça no sofá, olhando para cima.

– Eu estava pensando em Ava – ele diz. – Me sentindo culpado, porque... sei lá. Eu sei que me escondo na escola, mas eu poderia ter prestado mais atenção na existência dela ou algo do tipo? É esquisito pensar nisso, mas comecei a imaginar o que teria acontecido comigo se você nunca tivesse vindo para cá e não consegui pensar em nada bom. Talvez eu pudesse ter sido amigo dela e... sei lá. Talvez as coisas seriam diferentes.

Sinto meu coração pesar e olho para a estante de livros, sem saber o que responder. Andrei considera meu silêncio, e depois continua:

– Eu sei que você não quer conversar sobre isso, mas na minha escola antiga... As pessoas me odiavam. Eu não sei o motivo, mas elas faziam graça de tudo. Desde o fato de que minha anomalia era nadar muito bem ao fato de o meu pai ser quem é... – Ele suspira. – Não tinha nada que passasse despercebido. Eu precisei mudar de bairro para fugir disso, para fugir de quem eles achavam que eu era. E eu estava determinado a aceitar o fato de que talvez eu não fosse bom o suficiente pras pessoas gostarem de mim.

– Andrei... – Eu estico a mão boa, sentindo meu coração na boca, e encosto no braço dele. Ele continua olhando para cima, sem me olhar.

– E eu fico pensando o que poderia ter acontecido se eu tivesse conversado mais com a Ava, porque era óbvio que ela estava na mesma situação que eu quando você apareceu. Eu sei que está tudo bagunçado com esse bloqueio e esses imbecis, mas seria muito melhor se ela estivesse aqui com a gente em vez de... morta.

– Andrei... – Eu me aproximo mais, e encosto a mão na bochecha dele, virando seu rosto para ele me encarar. Ele encosta a testa na minha e eu fecho os olhos. – Ava não morreu.

– O quê? – O garoto se empertiga, se afastando de repente. – Sybil, isso não é uma brincadeira engraçada.

– Leon não te contou? – digo, segurando meu braço enfaixado contra meu corpo. – Ela foi curada.

Andrei abre e fecha a boca e os olhos algumas vezes como um peixe, balança a cabeça e se levanta, visivelmente perturbado. Enquanto caminha pela sala, eu faço um monólogo sobre todas as coisas que aconteceram nas últimas semanas e no que descobri e, no final, ele se senta em uma poltrona, o maxilar duro e determinado.

— Nós precisamos ir salvá-la — ele fala quando termino.

— Andrei, você não escutou nada? Eles querem nos curar, tanto aqui quanto lá! Nosso governo nos usou para conseguir essa porcaria de cura — digo, indignada. — E como a gente vai entrar no meio do território dos dissidentes, tirar Ava de lá e voltar pra cá sem morrer? Seja um pouco mais racional.

— Sybil, se ela está viva, nós não podemos deixá-la lá!

— Não seria a mesma coisa que uma missão em território próximo da União. Isso seria invadir o território inimigo.

— O Império fica tão longe assim de Kali?

— Eu não vou ter essa conversa com você — digo, exasperada. — Isso é maluquice.

— Sybil, qual é a distância? Uns dois mil quilômetros? — ele insiste. — Nós não sabemos onde ela está, mas se nos infiltrarmos por algum tempo... Talvez um adulto se passando por alguém de lá... Sofia pode ajudar dando informações sobre o Império.

— Ela pode estar em qualquer lugar do Império, Andrei. E Kali não é pequena como Arkai, tudo depende de que área você está. — Eu pressiono a minha mão livre nas minhas têmporas, sentindo um início de dor de cabeça. — Eu não devia ter te contado nada disso, obviamente te deixou perturbado.

— Mas um resgate é possível.

— Ser possível é, mas... Andrei! Foco! Nós estamos com um problema imenso nas nossas mãos.

— Nas nossas mãos? — ele fala. — Nas *nossas*? Você acha que o cônsul realmente ia fazer uma coisa dessas, forçar uma cura em todo mundo? Ele só quer chantagear Fenrir. É o jogo que eles jogam, Fenrir puxa de um lado, ele puxa do outro.

— Ele já tirou nossa comida — respondo, irritada. — Ele nos prendeu aqui. Foi ele quem mandou aqueles soldados aqui. Aqueles soldados que fizeram isso *comigo*. Você não viu a transmissão do primeiro comício, aquele em que Sofia apareceu? Você não viu que as pessoas já estão sofrendo? Isso não é um jogo.

— É um jogo sim, Sybil — ele insiste. — Da mesma maneira que os assassinos dos livros que você gosta tanto de ler brincam com as vítimas. Se eu pudesse apostar, apostaria que isso é um blefe.

— Eu não quero pagar para ver.

— Ele não arriscaria uma rebelião ou uma guerra civil.

— Acorda, Andrei. Alguma coisa vai acontecer, com ou sem cura — digo, cansada. — Já começou em outros lugares e não duvide que vá começar aqui também no momento em que as pessoas souberem o que aconteceu comigo e com a dona Margarida.

Isso o faz calar a boca e observo-o se levantar, sentar ao meu lado e encostar a cabeça no meu ombro. Meu instinto é tentar passar a mão em seu cabelo, mas uso a mão quebrada por reflexo, não consigo movê-la direito, e no final só encosto a cabeça contra a dele. Ele passa a mão por cima do meu ombro, me puxando para mais perto.

— Eu realmente espero que depois que ele te acertou, você tenha provocado de propósito — ele diz, e eu dou uma risada sem humor.

— Eu cuspi sangue na bota de um deles.

— Boa garota. — Ele dá dois tapinhas no meu braço e levanta o rosto, encostando o nariz na minha bochecha. — Eu não sei o que é pior, pensar que isso pode começar a acontecer com frequência ou pensar que talvez essa não seja a primeira vez que você passou por algo assim.

— Sabe o que eu faço quando penso nessas coisas ruins?

— O quê?

— Eu me distraio.

Andrei ri, e me aproximo diminuindo o pouco espaço que há entrenós. Dessa vez, eu o beijo primeiro. Ele desce o braço, passando pela minha cintura, me puxando mais para perto e é muito, muito fácil esquecer de tudo enquanto estou envolvida nos braços dele.

CAPÍTULO 27

Os próximos dias são compostos por uma série de pessoas que sentam na sala, meu novo quarto improvisado, e conversam comigo sobre os mais variados assuntos. Uma delas me entrega um panfleto, que identifico rapidamente como pertencente à campanha de Fenrir, e no qual consta uma foto de dona Margarida, deitada numa cama e, bem grande, em cima: "VOCÊ VAI PERMITIR QUE FAÇAM ISSO CONOSCO?". Jorge vem me visitar para saber como estou, e, quando pergunto sobre dona Margarida, ele diz que ela está se recuperando e que voltou para casa, com o filho.

Em um dos dias, o pai de Andrei deixa ele e Leon de carro na porta da nossa casa e vira uma comoção na rua, com todos saindo para olhar. Charles acena para as pessoas quando passa, constrangido, e não fica muito tempo parado na porta, apenas o suficiente para me cumprimentar e deixar os garotos entrarem. Leon pergunta para mim e para Andrei o que aconteceu para voltarmos a nos falar, e eu mudo de assunto a cada três segundos para evitar responder àquela pergunta, sentindo minhas bochechas queimarem só de pensar na explicação. Por fim, Andrei fica de saco cheio e revela que nós estamos namorando e tenho vontade de afundar o rosto na almofada quando Leon declara, de forma entediada, que já não era sem tempo. Nós nem tocamos mais no assunto dos arquivos, porque com as bibliotecas fechadas, assim como outros órgãos do governo, também não conseguimos voltar a pesquisar mais.

As refeições ficam cada vez menos fartas e consigo sentir a tensão em todos os adultos enquanto eles caminham pela casa, sem saber exatamente o que fazer. Uma das tardes traz um homem com uma roupa preta que se senta na poltrona de forma desconfortável, me encarando por tempo demais. Sinto meu estômago se revirar quando percebo que é exatamente o mesmo uniforme das pessoas que me atacaram, com o odiável triângulo azul indicando que ele é humano, e não sei como fugir discretamente quando ele encara tão fixamente para a minha mão enfaixada. Percebo que, além do triângulo, há um H em azul bordado em uma das mangas e não deixo de perceber a ironia de que, aqui dentro, quem precisa de identificação são eles.

O motivo da visita se revela quando Dimitri desce para conversar com o soldado e, um pouco depois, todas as pessoas da casa são obrigadas a ficar em pé na sala, enfileiradas, enquanto o agente anota informações sobre cada um de nós. Depois, ele abre a maleta que trouxe e retira vários vidrinhos e eu prendo a respiração. São meus velhos conhecidos, do período depois do naufrágio, enquanto eles ainda não tinham determinado exatamente o que eu era. Olho para Dimitri, parado ao meu lado, e, ao ver minha expressão apreensiva, ele dá um passo à frente.

– O que é isso?

– Faz parte do cadastro retirar uma amostra sanguínea de vocês – o homem responde, ríspido. Sinto meu estômago se revirar e penso quase imediatamente na cura. Andrei era ingênuo demais se achava que o cônsul não seguiria em frente com o plano.

– E se nós nos recusarmos a participar? – eu pergunto, dando um passo adiante e parando ao lado de Dimitri.

– Então não ganham os cupons de comida – o homem responde, sem olhar para mim. – O que aconteceu com você?

– Ela caiu da escada – Dimitri responde, segurando meu ombro. – Até mesmo as crianças precisam das amostras?

– A ordem é que todas as pessoas de cada casa façam o cadastro completo para poder receber alimentação.

Eu me sinto encurralada por um predador enquanto observo o homem retirar as amostras das crianças. Tomás tem uma expressão de que está prestes a explodir a cabeça do homem quando é sua vez, mas Rubi segura sua mão e não há incidentes maiores. Ele tira pouco sangue, mas só consigo pensar no que podem fazer com a cura e com amostras de todos os anômalos. Será que querem fazer mais testes antes de começar a aplicação? Não consigo pensar em um bom motivo para que seja necessário a coleta desse material.

Na minha vez, o funcionário escolhe meu braço esquerdo e percebo como encara o hematoma na minha bochecha. Tenho vontade de dizer que foi um dos colegas dele que fez isso comigo, mas me controlo. O processo é rápido e ele retira a agulha da ampola, fechando-a e etiquetando-a com um número de série. Uma droga de um número de série, como se nós fossemos produtos saídos de uma fábrica.

Quando o homem sai, Dimitri se tranca na cozinha e não importa o quanto Rubi bata na porta e peça com gentileza para deixá-la entrar, ele não abre. É tarde da noite quando ele vem para a sala e se senta ao meu lado no sofá, e seus olhos inchados são um sinal óbvio de choro. Eu o abraço e ele me aninha de forma paternal.

– Seu aniversário está chegando, nós precisamos pensar em alguma coisa – ele diz, e eu fecho os olhos.

– Não precisa se preocupar com isso, já está difícil do jeito que está.

– Pelo menos um bolo – ele insiste. – Eu achei um pouco de farinha e fermento e temos as ameixas da árvore. Dá para fazer algo bom, se conseguirmos leite essa semana.

– Você acha que vão dar leite assim, na maior? – pergunto, com humor na voz.

– Não seja tão pessimista. As coisas não estão tão ruins assim.

E, como que para provar um ponto, as luzes da sala piscam algumas vezes e se apagam. Consigo ouvi-lo exalando profundamente antes de se levantar e tentar o interruptor. Consigo ver seu vulto caminhando pela sala e ele xinga quando chuta a mesa de centro acidentalmente, fazendo Dorian miar alto. Ele provavelmente também pisou no rabo do gato. Sinto-o se mexendo pela casa e escuto a voz de Tomás e Rubi na escada. A porta da frente se abre com um rangido e depois se fecha com uma batida. Ouço passos apressados no andar de cima, o choro do bebê, e vejo um vulto, que é Dimitri, ir para a cozinha.

Rubi abre as cortinas da sala e a luz da lua cheia a faz parecer um fantasma. Ela parece jovem demais, como se não fosse muito mais velha que eu, quase uma criança brincando de ser adulto.

– Acho que o fornecimento de luz foi cortado.

Eu me encolho no sofá, imaginando pessoas de preto caminhando pelas ruas no meio da noite sem que ninguém as veja, entrando em casas e arrastando as pessoas para fora, levando-as embora para lugares como a fortaleza dos dissidentes que eu invadi na missão. Imagino pessoas em gaiolas, como animais, como Sofia estava quando eu a encontrei. Sinto a respiração falhar e sorvo o ar em grandes quantidades, mas não é o suficiente. É como se alguém estivesse pressionando meu peito, impedindo meus pulmões de funcionarem. É como se eu estivesse em uma jaula, presa, com as paredes se fechando ao meu redor. Sinto meu peito doer, inchado, as respirações cada vez mais curta.

– Tranca a porta – peço, com urgência, mas minha voz sai errada, cortada. Eu repito, tentando falar um pouco mais alto: – Tranca a porta, Rubi. Todas as portas.

Rubi se aproxima de mim e encosta a mão quente na minha testa e eu me encolho. Ela parece ainda mais preocupada, mas não entendo o motivo de não estar fazendo nada.

– Rubi, as portas – eu digo, e minha respiração está estranhamente abafada, e ela segura minha mão esquerda, olhando nos meus olhos.

– Sybil, elas já estão trancadas. Calma. Levante a cabeça, olhe para mim – diz ela, a voz calma. – Agora respire fundo, devagar. Respira, inspira. Respira, inspira.

Eu obedeço, apertando sua mão. Eu me sinto tão, mas *tão* mal de repente, que acho que vou morrer e, quando consigo pronunciar isso em voz alta, Rubi manda que eu continue o exercício de respiração lentamente, contando até oito e soltando o ar. Minha mão está trêmula, e demoro um tempo infinito até voltar a me sentir como eu mesma. Dimitri traz água para mim e os dois parecem apreensivos.

– Você está melhor? – Dimitri pergunta, com uma preocupação óbvia em sua voz.

Confirmo com a cabeça, sem confiar muito na minha voz. Me sinto envergonhada por ter passado mal tão de repente, mas Rubi aperta minha mão com mais força, provavelmente usando seu poder.

– A gente está passando por muita coisa difícil e você... eu nem sei por onde começar. É normal demonstrar esse tipo de sintoma – ela diz, apoiando a outra mão no meu joelho de forma maternal. – Deixar essas coisas guardadas faz mal para a gente em longo prazo. Você não é mais fraca por estar sofrendo com tudo.

– Eu... eu... eu... – balbucio, sem saber o que responder.

– Venha, vamos todos dormir no mesmo quarto hoje. É muito assustador ficar aqui embaixo sem nenhuma luz acesa – Dimitri sugere, fazendo um gesto para que eu me levante. – Você coloca seu braço bom no meu ombro e, quando eu disser pula, você salta o degrau, certo?

Eu concordo com a cabeça e Rubi me ajuda a levantar. Os dois me levam até o andar de cima e, quando me deitam na cama, estou tão exausta, tão esgotada, que o sono vem fácil.

CAPÍTULO 28

Os dias que passam antes da véspera do meu aniversário são um borrão, cada um se dissolvendo no próximo. A maior parte deles é passada no quintal de casa, onde sempre há outras pessoas, amigos de Dimitri e Rubi, que se juntam a nós para ficar passando tempo juntos. A luz não volta e um dos nossos convidados explica que nossa eletricidade é gerada e distribuída em Prometeu, então provavelmente cortaram de propósito. Em uma manhã, Dimitri vai ao centro para pegar suprimentos para o resto da semana, e só volta ao cair da tarde, com duas bolsas de compras cheias, mas que ainda assim não é suficiente para alimentar onze pessoas e um gato.

A véspera do meu aniversário, porém, traz convidados inusitados. O primeiro deles é o almirante Klaus, que se senta em uma cadeira do quintal e conversa com Dimitri e Rubi por algum tempo sobre amenidades. Depois, ele se acomoda entre mim e Tomás, ficando em um silêncio contemplativo enquanto observa as crianças menores tentando subir na árvore.

— Dimitri me disse que amanhã é seu aniversário — ele fala, quebrando o silêncio. — Fenrir pediu para avisar que você precisa estar lá, mesmo com a mão e a perna machucada, mas, se não quiser ir, eu me viro com ele. Você sabe que o metrô não está mais funcionando.

— Não tem problema — respondo, olhando para a frente. — Alguém pode me levar na garupa da bicicleta.

— A escolha é sua — é sua resposta e, quando espio pelo canto dos olhos, vejo que ele está com uma expressão de desgosto. — Se quiser, posso ver se algum carro pode vir te buscar.

– Você realmente não precisa se preocupar com isso – insisto. – Meu joelho já está melhor, posso até mesmo conseguir na minha própria bicicleta.

– Tudo bem. – O tom dele é de quem se deu por vencido. – Só... amanhã, quando você chegar, me procure antes de qualquer coisa, tudo bem?

– Certo – respondo, desconfiada.

– É sério. Venha conversar comigo antes.

Depois disso, ele se levanta, acenando para Dimitri e avisando que está de saída. Meu guardião guia o homem até a porta e, quando volta, está acompanhado de Hassam e Hannah. É quase como se tivessem sincronizado a visita. Sinto Tomás observar Hassam com curiosidade, provavelmente se perguntando o que o rapaz está fazendo aqui novamente. Hassam se senta perto de Dimitri e Rubi, mas Hannah se acomoda no lugar que o almirante acabou de deixar.

– Eu odeio o fato de não ter mais energia elétrica – ela declara. – É quase como voltar pra Kali. Imagina se fosse no inverno? A gente teria congelado.

– A Sybil não congela – Tomás comenta, com um sorriso. – É legal, não é? Às vezes queria ter isso.

– Garota picolé? – Hannah brinca e eu sorrio, lembrando de Andrei. – Eu não congelaria também, mas é por outro motivo.

– Ah, é, qual seu poder? – Tomás pergunta, curioso. – Eu consigo explodir coisas, talvez também não morreria congelado.

– Observe. – A garota encosta a mão no metal da cadeira de Tomás e, depois de alguns segundos, o metal fica vermelho, como se estivesse muito quente. O menino tenta encostar o dedo e o retira rapidamente.

– Uau, isso é muito legal. Como você faz isso?

– Eu sou um aquecedor humano – ela explica. – Sabe aqueles ferros que a gente usa para esquentar água?

– Ferros para esquentar água? – Tomás franze a testa, confuso.

– É um negócio assim, meio espiral, que você liga na tomada e aí ele esquenta. Tem alguns que são movidos a bateria também. Se você colocar na água, também vai esquentar a água – explico, sem conseguir desenvolver nada precisamente. – É a forma mais barata de esquentar água em grande quantidade.

– Você é como um ferro para esquentar água? – Tomás pergunta.

– Sim – Hannah assente, sorrindo. – Exatamente.

– Isso é quase tão legal quanto explodir coisas.

– Só eu tenho o poder bobo – digo, cruzando os braços, desajeitada por causa da faixa. Ele não dói tanto, mas ainda não posso tirar a tipoia.

– Eu não consigo nem entrar em uma piscina sem morrer de medo de me afogar. Não acho seu poder bobo – Tomás fala, apoiando os cotovelos nos joelhos. – Quando tudo voltar ao normal, você vai voltar a me ensinar? Eu prometo que dessa vez eu tento entrar na água.

– Ensino sim – respondo, olhando para meus joelhos, tentando não deixar óbvio meu pessimismo. Me viro para a garota ao meu lado e mudo de assunto. – Ah, Hannah! Aliás, acho que amanhã vamos comemorar meu aniversário, se você quiser aparecer, está convidada.

– Seu aniversário é amanhã? – ela pergunta, espantada. – Sério?

– Sim. Se você não gostar de bolo de ameixa, pode vir depois do comício pra cantar parabéns.

– Meu aniversário é no dia depois de amanhã – Hannah diz, ainda meio espantada. – Que coincidência!

– Nossa, qual a chance? – Tomás questiona, arregalando os olhos.

– Provavelmente alta, considerando o tanto de gente que existe no mundo – Hannah responde. – Mas é legal mesmo assim.

– Você vai fazer alguma coisa para comemorar com seus amigos? – pergunto, curiosa, e ela balança a cabeça.

– Não, tem uns quatro dias que não vejo Lupita por causa do trabalho e, além disso, todos os meus amigos estão ocupados se sentindo péssimos com a vida e se aglomerando em quartos para tocar músicas deprimentes enquanto enchem a cara com bebida que roubaram dos pais. – Ela revira os olhos, como se não aguentasse mais. – Sabe, enquanto isso o irmão mais velho de uma das meninas e os amigos dele estão indo para a rua com bandeiras amarelas. Aí eles param no portão de Pandora e exigem que sejam abertos, param no fim das ruas e ficam o dia inteiro gritando que nós precisamos acordar exigir nossos direitos, mas ninguém faz nada.

– Bebida? – indago, incrédula. – Como é que eles ainda têm isso? Tem mais de um mês que Dimitri procura uma garrafa de vinho, a pior que seja, para temperar a comida e nunca acha.

– Você devia ver a adega do pai do meu amigo, daria para abastecer essa cidade inteira. Ser rico bagunça a cabeça – ela explica, batendo o dedo na têmpora algumas vezes para efeito dramático. Ela se vira para Tomás e diz, em um tom grave. – Não beba antes de ter a idade, rapaz.

– Eca, não. – Tomás faz uma careta.

– Muito bom, muito bom. – Hannah cruza as pernas. – Continue assim. E você, Sybil? Está melhor?

– Mais ou menos – digo, me afundando na cadeira. – Meu braço vai ficar assim até o fim dos tempos.

– Que dramática! Pelo menos você vai ficar boa. Eu fiquei preocupada quando Hassam me contou e queria aparecer pra visitar antes, mas Lupita só me deixou sair de casa hoje. Parece que um cara da polícia organizou um tipo de patrulha informal para evitar que... – ela hesita. – Que... bem, que o que aconteceu com você aconteça com outras pessoas.

Dou um sorriso e, do outro lado do quintal, vejo uma cabecinha loira aparecer por cima do muro. Eu aceno animada, e em seguida, seu dono abre o portão de trás. Andrei e Leon entram no jardim, Andrei com um sorriso imenso, e, atrás deles, o cabelo cor de fogo de Brian. Do lado do garoto está Naoki, e me sinto nervosa quando a vejo.

– Oi. – Andrei me cumprimenta com um beijo na bochecha, parecendo um pouco sem graça, me lançando um olhar significativo. – Olha só quem eu e Leon encontramos lá fora.

– Quem é vivo sempre aparece, né – digo para Brian, e o garoto dá um meio sorriso, tirando a franja da testa.

Franzo o cenho quando percebo que ele está com uma blusa amarela, como se fosse sair de Pandora. Nós não precisamos vestir essa cor aqui dentro, e não entendo porque ele escolheria isso.

– Eu estava ocupado. Você também, pelo que eu soube. – Ele olha para a minha mão, para demonstrar o que quer dizer. – Você tem sorte de não ter sido pior.

– Foi ruim o suficiente, pode deixar – falo, de mau-humor. Não acredito que faz semanas que não o vejo e a primeira coisa que ele diz é que tenho a *sorte* de não ter sido morta por um policial.

– Gente, por favor – Naoki interfere, sem olhar diretamente para mim. – Nós não viemos aqui para isso.

– Vocês voltaram a se falar? – Tomás pergunta, olhando para mim e para Naoki.

– Vocês brigaram? – Andrei indaga, confuso, e depois olha para Leon, de forma acusatória. – Leon, você não me conta nada!

– O quê? Você não sabia? – Brian questiona. – Até eu sei.

– Eu achei que Sybil tinha mencionado – Leon se defende. – Foi Naoki que me contou, não Syb.

– Ótimo, quer dizer que se eu não falar nada pro Andrei, vocês o deixam de fora? – eu reclamo.

– É que vocês estão grudados o tempo todo – Naoki se desculpa, encolhendo os ombros.

– Se você se preocupasse dois segundos a mais com qualquer outra pessoa que não fosse você, Naoki, provavelmente saberia que não é nada disso! – eu digo, irritada. – Eu e Andrei ficamos *semanas* sem nos falar.

– Brigou com ele também? – Naoki se irrita, o tom alterado. – Se você ao menos abrisse a boca para falar o que sente, talvez não teria brigado com ninguém.

– Gente, chega – Leon diz, em um tom apaziguador.

– Você nem veio me ver quando me machuquei – falo, sem perceber que eu estava magoada até que as palavras saiam da minha boca. – Um milhão de pessoas que nunca vi na vida apareceram aqui e você é minha vizinha e não veio uma única vez.

– Sybil, agora já foi. – Andrei encosta a mão no meu ombro e eu balanço a cabeça, bufando.

– Porque você surtou e não queria mais falar comigo! – ela se defende. – Olha só, você está surtando de novo! Eu morri de preocupação por você, mas achei que você ia dar um ataque como está dando agora. Eu avisei, Leon.

– CHEGA! – Hannah se levanta ao meu lado, cruzando os braços. – Vocês não vieram aqui para isso, vieram? Porque se chegaram pra puxar uma briguinha, podem ir embora.

– E você é…? – Naoki pergunta e se vira para mim, com o rosto vermelho. – Quem é essa?

– Você já esqueceu de mim? A gente se conheceu no Festival da Unificação, já esqueceu? – Hannah falou, levantando uma sobrancelha.

– Enfim, o que importa é que amanhã é o aniversário dessa criatura e ela não merece passar por isso depois de tudo o que aconteceu.

Meus quatro amigos ficam em silêncio e Naoki parece ligeiramente arrependida, mas seu queixo ainda está levantado de forma orgulhosa.

– Ah, tanto faz – eu digo, por fim. – Naoki, foi mal.

– Esse foi o pedido de desculpas mais convincente que já ouvi na vida – Andrei diz, sarcástico, e eu dou uma cotovelada nele.

Hannah leva a mão à boca, mas consigo ver que ela está tentando disfarçar o riso.

– Nós não viemos aqui para isso – Leon repete, chamando nossa atenção. – Brian quer falar com a gente e achei que não teria problema se Naoki viesse e…

– Não, não tem problema. É só que… – Levo a mão esquerda à testa, massageando minhas têmporas. – Eu e Naoki podemos conversar depois e resolver nossos problemas. Tá tudo bem.

A palavra é obviamente de Brian, que parece um pouco menos confiante agora, e olha para onde Hassam e os adultos estão sentados, para Tomás, para as crianças e para nós. Ele puxa a gola da camiseta e depois limpa a garganta.

– Bem, nós podemos ir lá para dentro? – diz ele.

– Claro – digo, me apoiando em Andrei para me levantar sem colocar muito esforço no joelho que está quase bom.

Hannah parece não saber o que fazer, mas, quando Brian a vê ficando para trás, faz um sinal para que ela nos acompanhe. Tomás levanta pra nos seguir, mas Brian o barra na porta.

– Hoje não, Tomás.

– Vocês sempre me tratam igual criança! – ele reclama, e a birra faz todo mundo rir.

– Prometo te contar depois – falo pra ele. – É melhor você tomar conta dos outros. Os adultos estão todos ocupados, então se uma criança cair da árvore, é melhor você ficar de olho.

Tomás mostra a língua, mas volta para o quintal mesmo assim.

Todos nós nos acomodamos na sala e Brian se encosta no braço do sofá do lado em que estou sentada, reunindo coragem para começar a falar. Não faço ideia do que ele quer, e o ar de mistério me incomoda, me deixando mais ansiosa enquanto os segundos passam e ele não fala nada. No fim, é Hannah que quebra o silêncio.

– Você está com essa blusa amarela porque é daquele grupo, né? Qual o nome? Tem alguma coisa a ver com o sol.

Brian olha para ela, espantado.

– É, eu sei qual é a de vocês – ela fala. – Não me olhe assim. Vocês estão tentando recrutar mais gente, é isso?

– Do que ela está falando? – Leon pergunta, confuso.

– Bom, tudo começou quando fiquei preso naquele inferno durante a Prova Nacional – ele explica, olhando para as próprias mãos. – Foi uma das coisas mais horríveis que já aconteceram na minha vida. Eles enfileiraram todas as pessoas na quadra e, depois de passarem revistando todo mundo, mandaram a gente tirar a roupa e ficar só com roupa de baixo.

Eu olho para Naoki, confusa, porque isso é completamente diferente do que ela tinha me contado. Brian continua, alheio à minha confusão.

– Foi horrível, foi humilhante. Mas, pra piorar, eles ainda ficaram brincando com a gente, sabe? Eles não estavam preocupados em descobrir quem tinha inventado essa história de atentado, foi só uma desculpa para poder humilhar os anômalos publicamente. Eles escolheram pessoas e fizeram... – Ele fecha os olhos, como se fosse dolorido. – Eles fizeram pessoas andarem de quatro e imitarem animais, obrigaram as pessoas a lamberem suas botas e...

A voz dele engasga e eu encosto em seu ombro, para dar apoio. O silêncio na sala é pesado, e consigo escutar a respiração de Andrei ao meu lado.

– Mas... – Naoki consegue dizer. – Mas... Brian, você me disse que foi tudo bem...

– Você chegou tagarelando sobre como tinha conhecido uma menina ótima e sobre faculdades e outras coisas, como se nada tivesse acontecido e eu não queria... – O garoto balança a cabeça. – Você vive em um mundo muito bonito, Naoki. Eu não queria estragar isso.

– Mas onde eu estava não teve nada disso – ela rebate, em negação. – Por que você não me contou nada?

– Vocês não foram para o pátio da escola em que estavam, não tiveram de ficar em pé por horas? – Brian pergunta. – Naoki, preste atenção. Tente se lembrar.

A garota enfia o rosto nas mãos e murmura alguma coisa, sem olhar para ninguém.

– Tá, tudo bem, não aconteceu desse jeito com todo mundo, pelo que conversei com... as pessoas – ele relata. – Acho que a escola em que fiz a prova foi uma das piores. Só que quando eu voltei, senti que não dava para ficar daquele jeito. Não dá pra deixar que as pessoas acreditem que são superiores pra fazer tudo aquilo. Nós temos habilidades fantásticas e eles não! Se alguém deve ter medo, são eles. – Ele pausa, respirando fundo antes de repetir: – São eles que precisam ter medo da gente.

Suas palavras fazem um silêncio desconfortável recair sobre a sala. Troco um olhar com Andrei, mas nem ele parece saber o que pensar.

– E aí você procurou esse grupo? – pergunto, tentando encaminhar a conversa, fazendo referência ao que Hannah disse.

– Eles nos encontraram. Eu e alguns outros alunos que conheci durante a prova, nós começamos a nos reunir para conversar sobre isso, sabe? Procuramos livros, tentamos descobrir se alguém já tinha pensado nisso. Porque não é possível, sabe? É óbvio que *nós* somos superiores – Brian explica. – E nós estamos enjaulados como animais aqui e ninguém quer fazer nada.

– Você realmente acha que somos superiores? – Andrei pergunta, com certa descrença.

– Claro. Olha só o que essas pessoas fizeram com Sybil! Elas têm armas e por isso acham que estão no comando, enquanto nós... Nós somos armas! Nossos corpos nasceram para isso. É a evolução.

Mais um silêncio pesado, e dessa vez olho para Leon, que está com a mão no queixo.

– Isso soa... fascinante – Hannah comenta, levantando uma sobrancelha. – É agora que você diz que são eles que deveriam estar em jaulas e não a gente?

A boca de Brian se torna uma linha fina e ele fecha os punhos, uma veia aparente em seu pescoço.

– Você não acha? Você acha que eles deveriam poder vir aqui, tirar amostras de sangue de todo mundo em troca de comida?

– Não, eu não acho que eles deveriam poder vir aqui, mas também não acho que nós sejamos superiores – ela fala. – Porque nem de duas espécies diferentes nós somos.

– Você não está entendendo – diz Brian.

– Ah, não. Eu estou entendendo muito bem. Eu achei que eram um grupo para a libertação dos anômalos quando descobri sobre vocês, mas aparentemente querem ser idênticos aos humanos. Eu sinto muito, mas não saí de uma zona de guerra para vir pra outra. – Hannah se levanta, ajeitando sua saia. – Eu vou lá para fora pra ficar esperando vocês. Já ouvi o suficiente.

– Eu gostei dela, a gente pode deixar ela no lugar da Naoki? – Andrei aproveita o silêncio para sussurrar no meu ouvido, e eu abaixo a cabeça, mordendo os lábios para não rir.

Brian a observa sair e depois olha para mim com uma expressão acusatória, como se eu tivesse culpa pela atitude da garota. Eu queria ter a coragem que ela teve, queria conseguir dizer exatamente as mesmas palavras, porque a ideia que Brian está querendo vender é perigosa demais. Quando paramos de pensar nas pessoas como iguais, conseguimos fazer qualquer coisa com elas. O que está acontecendo conosco é porque os humanos pensam que são diferentes, melhores do que nós.

Ninguém é melhor do que ninguém.

– Ela está errada – ele repreende. – Nós não queremos ser iguais aos humanos, nós queremos que eles nos respeitem.

– Como pessoas superiores que somos – Andrei completa, debochado, revirando os olhos.

– A Aurora é uma organização que só quer que sejamos ouvidos. – Brian diz, exasperado. – Não é isso que vocês querem também?

– E você veio aqui para nos recrutar? – Leon pergunta.

– Nós precisamos de gente que entenda o que estamos passando. Nossos pais, eles já estão acostumados. Eles acham que já que é assim, devemos continuar. Nós precisamos fazer algo que mostre que existe um outro caminho, que pode ser radicalmente diferente. Que nós podemos ter o poder.

– Então esse grupo quer que a gente se rebele, caminhe até Prometeu amigavelmente e derrube o cônsul, colocando... o líder de vocês no poder? Quem é o líder de vocês? – pergunto de forma pragmática.

– Eu achei que vocês fossem entender, mas pelo visto estou errado. – O tom de Brian é de decepção e ele se levanta, enfiando as mãos nos bolsos.

– Existem outras maneiras, Brian – eu digo, me levantando também.

– Que outras maneiras, Sybil? Ser espancada na rua por um humano imbecil sem reagir de nenhuma forma?

– Nem todo mundo é como aqueles soldados! – exclamo. – Você não pode pegar uma centena de pessoas ruins e presumir que todo mundo é igual.

– Todos eles são iguais – ele diz para mim, marcando cada palavra. – Todos eles aproveitariam qualquer oportunidade para destruir a gente, exatamente como estão fazendo agora.

Sinto a raiva subir na minha garganta. Como se eu também não tivesse lutado contra o ataque. Como se não tivesse resistido à minha própria maneira. Como se só houvesse uma maneira de lutar contra o que está acontecendo, e estivesse fazendo isso de maneira *errada*.

– Você me ofende, porque eu era um deles até o ano passado – falo, cuspindo. – Você acha que eu mudei do dia para a noite só porque entrei na terra mágica de Pandora, em que todas as pessoas comem todos os dias e, ah, os anômalos são uma espécie superior?

Nós nos encaramos, olhares cheios de fúria.

– Vocês não sabem de nada. – Brian se afasta e para na porta da sala, olhando para nós antes de sair. – Foi uma perda de tempo vir até aqui.

– Brian, espera aí! – Naoki se levanta e vai atrás dele, no corredor.

– Será que eles vão se beijar agora e ela vai dizer para ele tomar cuidado? – Andrei pergunta, cruzando os braços no sofá. – Eu acho que já está na hora, até a gente já se resolveu.

– Eu só espero que ele não morra com essa loucura – digo, ignorando a tentativa de descontração de Andrei.

– Quietos vocês dois, eu quero ouvir o que estão falando! – Leon faz um sinal para ficarmos calados e eu o observo.

A expressão dele vai se fechando e os sussurros de Brian e Naoki se tornam cada vez mais altos. Logo, não é preciso ter a habilidade de Leon para escutá-los e eu vou me sentar ao lado de Andrei, descrente com a briga que estou ouvindo, e Andrei automaticamente coloca o braço ao redor do meu ombro, como se não houvesse uma posição mais confortável.

– Eu espero que você morra, então! – É a última coisa que Naoki grita, fazendo tremer as paredes e a porta bate com força.

– Ai, meu ouvido! – Andrei reclama, colocando as mãos na orelha, estremecendo.

Leon pisca, o rosto retorcendo de dor.

Naoki entra de volta em casa, quase engasgando com todas as suas lágrimas. Apesar de ainda estar irritada com ela, vê-la chorando me faz mancar até ela e abraçá-la, recebendo seus soluços nos meus ombros. Os dois garotos ficam em silêncio enquanto eu a sento no sofá, do lado de Andrei, mas ela não consegue parar.

– Eu sou tão, tão ingênua! – ela confessa, entre soluços, e eu a abraço, sussurrando algum conforto.

– Ele que é um idiota – Andrei a consola também, passando uma mão nas costas da garota. Naoki parece um pouco surpresa, mas aceita o gesto, escondendo o rosto em suas mãos.

Eu acho que, no final, acabamos trocando Brian por Hannah.

CAPÍTULO 29

Meu primeiro presente de aniversário é conseguir subir as escadas até meu quarto sozinha e dormir lá no andar de cima, com a luz de uma vela, ao lado de Tomás. É a primeira noite desde que a luz foi cortada que Rubi me deixa dormir sem ser na cama dela e, mesmo assim, de dez em dez minutos, ela aparece na porta para verificar que estou bem. Minhas bochechas ardem todas as vezes que me lembro de como perdi o controle naquela noite e, lá no fundo, fico temerosa de que outro ataque volte a acontecer.

De manhã, quando desço para comer o insosso café da manhã que nos dão com os cupons de comida, todo mundo já está lá embaixo e cantam parabéns em uníssono. Sorrio, sincera, e Rubi abre um dos potes de geleia de ameixa que Dimitri estava guardando para "uma emergência", para comer com os pães e o chá. Se me perguntassem, seis meses atrás, o que eu comeria na manhã do meu primeiro café da manhã aqui em Pandora, eu jamais imaginaria que seria algo que me lembra tanto de Kali.

Até quando Dimitri me mostra o bolo pequeno que conseguiu fazer com os ingredientes escassos, alguns doados pelos vizinhos, acabo lembrando da minha cidade natal e meu peito queima com saudade. É a primeira vez que sinto tanta falta de Kali, e não sei se é pela semelhança das situações ou se é porque faz muito tempo que não tenho nenhuma notícia de vovó Clarisse.

Ganho uma caderneta com uma capa vermelha de couro de Rubi, uma barra de chocolate imensa de Tomás e um par de botas novas de Dimitri. Tomás me diz que se segurou muito para não comer o doce, porque tinha comprado em Prometeu na última vez que fomos para lá, ainda no ano passado. Não acredito que ficou guardada esse tempo todo.

Eu divido a barra com todo mundo, deixando o quadrado de chocolate que me resta derreter na boca com cuidado, apreciando o sabor com os olhos fechados. A primeira coisa que farei se o bloqueio acabar, se pudermos voltar a viver normalmente, vai ser comprar dois quilos de chocolate e comer tudo sozinha.

As pessoas começam a se direcionar para o centro da cidade cedo e algumas passam em nossa casa para perguntar a que horas vamos. Como o metrô foi um dos serviços desativados, é uma longa caminhada, e todo mundo quer pegar um lugar que tenha uma boa visão. Algumas pessoas estão com roupas amarelas, e sinto um calafrio quando me lembro de Brian e seu discurso de superioridade. Será que pertencem a essa tal organização Aurora? No momento, desejo ter insistido mais por respostas antes que ele fosse embora. Quem será o líder? O que eles estão planejando fazer? Será que tem alguma ideia específica para hoje?

Nós saímos um pouco depois, só eu, Dimitri e Rubi. Irina e Helena ficam em casa com os filhos, com medo de dar alguma confusão, e Tomás também fica com elas, apesar de implorar de joelhos para ir conosco. Chega a dar pena, mas Rubi é inflexível e o garoto bate o pé e se tranca no quarto emburrado quando estamos de saída.

Vamos de bicicleta, eu me equilibrando na garupa de Dimitri, e cada rua por que passamos está mais cheia que a anterior, com pessoas carregando cartazes, outras fantasiadas como se fosse o Festival da Unificação. Quando chegamos, o parque está mais cheio que no Ano-Novo e ainda faltam algumas horas para o início. A frente do palco está lotada, deixando-o franzino, minúsculo, quase irrelevante se comparado ao tamanho multidão que se estende diante dele. Em alguns lugares as pessoas gritam, e uma mulher está em cima de um banquinho, falando em um megafone, mas suas palavras são engolidas pelo burburinho. Vejo pessoas da minha idade com a letra A pintada no rosto, crianças com bandeirinhas amarelas nas mãos e pessoas sentadas nos galhos das árvores para verem melhor.

Dimitri precisa me carregar nas costas para conseguirmos vencer a multidão e chegar à lateral do palanque. Um dos seguranças me deixa passar pela barreira de contenção que separa a multidão do palco e eu me viro, observando Dimitri e Rubi parados do outro lado. Os dois acenam e eu aceno de volta. Dimitri grita algo para mim, mas suas palavras somem em meio ao ruído dos geradores enormes que estão empilhados em um dos cantos para fornecer energia ao palco. Observo os dois se afastarem abraçados, para não se perderem na multidão e sinto meu estômago embrulhar. Tem gente demais aqui.

Alguém me empurra para debaixo do palanque e, quando levanto o pano preto que cobre as estruturas de apoio, vejo um enxame de pessoas indo de um lado para o outro. Em um dos cantos há uma estrutura de divisórias e vejo Lupita sair de lá, e é o único rosto conhecido. Caminho até ela e, quando me vê, ela acena e se apressa na minha direção.

– Ei, parabéns! – me deseja, com um sorriso. – Dezessete, né?

– Isso. Obrigada. – Agradeço, mas não consigo deixar a dúvida longe do meu tom. – Alguém colocou um cartaz de aniversariante do dia em mim?

– Hannah me contou – ela diz, com humor, e me segura pelo ombro. – Venha, Alex está te esperando.

Eu a sigo, confusa sobre o motivo que levaria o almirante a querer me ver antes do início do comício. Fenrir e sua trupe não estão em nenhum lugar por aqui, mas aposto que o senador vai ter alguma tarefa para mim, como um discurso tocante para toda aquela gente lá fora. Eu já vim preparada psicologicamente para isso, então espero não ficar mais enjoada e vomitar na frente de todos os anômalos do país. Porém, não faço ideia do que Klaus pode querer comigo. Será que ele quer que eu fale algo específico, para contrabalancear o plano de Fenrir? Eu ainda não esqueci de que, apesar de tudo o que está acontecendo, a eleição ainda está em pé e acontecerá dali dois meses. Ninguém chegou tão longe competindo contra Fenrir se não tiver um mínimo de ambição, e um plano de ação para acompanhá-la.

Enquanto Lupita me conduz pelas divisórias, penso no que Andrei disse quando descobriu sobre a cura. Se isso é um jogo para Fenrir e para o cônsul, Klaus é o primeiro na fila de espera quando um deles perder. Eu não passo de mais um peão, arrastada de um lado para o outro do tabuleiro conforme a vontade dos jogadores. Preparo todas as minhas defesas, já imaginando o pior.

Klaus está na última divisória, que forma um cômodo aconchegante com um sofá pequeno em um canto, uma mesa de maquiagem com espelhos imensos cheia de produtos de frente para uma cadeira alta de cabelereiro e um prato de frutas variadas ao lado. Considerando a comida dos últimos dias, a visão daquele prato é parecida a uma miragem. Ele se levanta quando nos vê e pede que eu me sente e aguarde um pouco, saindo, rapidamente, para conversar com Lupita. Eu me acomodo no sofá olhando com cobiça para um cacho com uvas redondas e enormes.

– Desculpe a demora. – O almirante volta, sentando-se na cadeira. Seu cabelo está mais curto, bem rente à cabeça, e mesmo com os fios grisalhos que mancham suas têmporas, o novo corte o deixa mais novo. Ele não aparenta ser muito mais velho do que 40 anos. – Como você está?

– Bem – eu respondo, desviando o olhar para minha mão, disfarçando minha cobiça pelas frutas.

Nós dois ficamos em silêncio e ele parece tão desconfortável quanto eu, provavelmente porque não deve estar acostumado a chantagear adolescentes. Eu aperto meus joelhos e meus olhos se desviam para as uvas mais uma vez, por tempo suficiente para que ele perceba.

– Você quer? – ele me oferece, esticando o prato na minha direção. – Elas estão muito boas. Vieram diretamente do jardim pessoal do castelo de Fenrir.

– Não precisa. – Me remexo, constrangida. – Eu deveria ter imaginado que Fenrir teria uvas em sua casa.

– Aparentemente ele também faz vinhos. O tour pela propriedade dele é impressionante – Klaus comenta, o tédio palpável em sua voz.

– Você não conseguiu escapar da visita guiada? – pergunto. – Hannah disse que você mandou Lupita no seu lugar para a festa da campanha e...

– Hannah fala pelos cotovelos – ele interrompe, balançando a cabeça com um meio sorriso. – Mas não, eu não consegui escapar da visita.

– Eu não sabia que ser do Senado dava dinheiro o suficiente para ter um castelo – comento, sem querer ir diretamente pro assunto.

– Ah, não. Fenrir é rico de nascença. O pai dele deixou um canal de televisão como herança. Essas coisas dão dinheiro – Klaus explica e pega um punhado de uvas, fechando-as em sua mão. Quando ele as abre, elas estão secas e ele me oferece uma. – Você gosta delas assim?

Eu o encaro por alguns segundos, sem saber exatamente como reagir. Hesitando um pouco, pego uma e coloco na boca, sentindo seu gosto doce. É como se tivessem secado ao sol por dias, mas ele o fez em segundos. É exatamente o que fiz com várias outras frutas em todos os meus ataques de ansiedade, e me lembra o que fiz com a mulher da missão e com o policial que me atacou. Dou mais uma olhada na fruta seca, observando-a, e olhando de relance para o almirante.

– Como você fez isso? – pergunto, e ele dá uma gargalhada cheia, divertida.

– Sybil, eu achei que a essa altura do campeonato fosse óbvio para toda a nação que eu sou um anômalo.

– Ah, eu acho que perdi esse aviso – respondo, suprimindo um sorriso. – Como você controla isso como quer?

– Assim? – ele faz com mais um punhado, colocando na boca uma por uma. – É treino. No início, eu só conseguia fazer quando estava muito nervoso, ansioso ou assustado, mas, depois que entendi como funcionava, aprendi a fazer quando quero.

– Hum – solto um grunhido, pensativa. Será que posso confiar e contar para ele o que posso fazer? Com certeza ele não vai me julgar como uma aberração. Depois de alguns segundos, levanto meu braço enfaixado e digo: – Eu consegui esse presente aqui fazendo isso.

– Fazendo o quê? – O almirante se senta na beirada da cadeira, parecendo interessado.

Não deixo de pensar que ele já sabe, que alguém contou, seja Leon ou Andrei. Leon estava preparando uma surpresa para mim com Hassam, e agora me pergunto se de alguma forma não tinham envolvido o almirante nisso. Será que os dois tinham conversado sobre a missão e o soldado identificou o que eu fiz com aquela mulher dissidente, a forma como ela secou? A surpresa é que Klaus iria me treinar de alguma forma?

– O senhor se lembra que, no ano passado, encontrou comigo com meus amigos em... naquele lugar depois de uma missão? – pergunto, cautelosa, e ele confirma com a cabeça, sério. – Então... naquela missão, eu fui pega por um inimigo e fiquei tão, tão frustrada por não poder fazer nada que... eu acho que transformei alguém em uma uva-passa. Como essa aqui.

As palavras ecoam com um momento de silêncio, como se a minha confissão não fosse que eu tinha matado alguém durante a missão.

– Transformar pessoas em alimentos deve ser uma capacidade perturbadora – Klaus responde finalmente, tentando deixar o clima leve.

– Você entendeu – eu falo, olhando para meus joelhos, as bochechas coradas. – E, depois, todas as vezes em que fiquei nervosa e peguei algum alimento, ele secou dessa forma também. E quando o homem do fuzil me atacou eu... achei que poderia fazer de novo com uma pessoa.

Ele sustenta meu olhar.

– E fez?

– Ele percebeu – respondo, fechando os olhos. Não sei por que estou contando tudo isso, se ainda não confio nele. Ao menos, a esperança é de que alguma forma eu aprenda a controlar melhor esse aspecto do meu poder.

– Ah – Klaus fala, com uma expressão compreensiva. Uma ruga de preocupação aparece em sua testa. – E ele machucou a sua mão?

– Ele pisou nela. – A raiva contida embola minha garganta, endurecendo minha voz. – Como se eu fosse uma barata.

Klaus fica em silêncio e, embora esteja com uma postura descontraída, vejo que suas mãos apertam o apoio dos braços na cadeira com força demais, deixando os nós de seus dedos brancos. Ele se levanta, andando em círculos pelo pequeno espaço.

– Eu nunca achei que em Kali pudesse ser menos perigoso que aqui – comenta, suspirando. – Parece que esse dia chegou.

Não consigo pensar em uma resposta, e observo o homem caminhar pelo cômodo com passos largos, com uma energia incontida, e calculo que em cinco minutos ele criará um buraco na grama do parque.

– Por que me chamou aqui? – pergunto, por fim, agoniada em vê-lo andar sem parar. – O que o senhor quer?

Isso o faz parar na frente da mesa e posso ver sua expressão de choque pelo espelho. Aposto que ele não esperava que eu fosse tão direta.

– Hassam e Leon pediram para conversar comigo sobre… minha habilidade? – sugiro, falando sobre a melhor das possibilidades. – Ou o senhor fará alguma barganha porque sou um dos peões de Fenrir e me quer do seu lado?

– Na verdade, nenhum dos dois. – Um fantasma de um sorriso paira em seu rosto no espelho. – Eu tenho uma história e um presente para você.

– Uma história e um presente? – repito, ainda mais intrigada.

– É seu aniversário, não é? – Ele pega uma caixa retangular preta de cima da mesa de maquiagem e se vira, recostando o quadril contra a mesa.

– O senhor nem me conhece direito, e é um adulto. O que quer com isso?

O almirante me entrega a caixa sem sair do lugar, e seus longos braços cobrem quase todo o espaço até o sofá. Eu a pego, receosa, e ele faz um sinal para que eu abra. Não há nenhum laço e quando levanto a tampa, vejo uma foto idêntica à que vi quando ajudava Dimitri a arrumar suas coisas: Klaus, meu pai adotivo, sua irmã e sua avó. Os quatro com sorrisos imensos e Klaus abraçado a irmã de Dimitri pela cintura, segurando-a de forma possessiva. Fico segurando a foto em mãos e percebo que, embaixo dela, estão quatro cadernetas com uma capa vermelha resistente, parecidas com a que Rubi me deu de presente hoje de manhã. Embaixo delas, há uma pilha de outras fotos. Escolho uma que parece ter sido tirada no meio de um movimento, com Klaus girando a irmã de Dimitri por uma das mãos. A outra é só da irmã de Dimitri com óculos escuros e um sorriso imenso, com seu cabelo bagunçado pelo vento, na frente de um avião. Sua semelhança com Hannah nessa foto é impressionante, com os cabelos cacheados curtos, o nariz fino, os lábios bem desenhados.

– Eu… – Franzo a testa, extremamente confusa. Por alguma razão, meu coração está disparado. – Você quer que eu entregue isso para Dimitri?

– É aí que entra a história. A outra parte do que eu queria contar. – Ele se senta na cadeira e tenho a impressão de que enxuga o suor das mãos na calça, mas é um movimento rápido demais. – Quando eu me alistei, fui enviado para um porta-aviões em que eu era o único anômalo. Meu trabalho era ridículo: eles amarravam uma corda na minha cintura para não me perderem e, como sabiam que eu não morreria afogado, me jogavam no mar para fazer as tarefas mais absurdas, desde limpar o casco até recolher gelo para a bebida do capitão.

Levanto os olhos e o encaro. Tento imaginá-lo jovem como nas fotos, talvez ainda mais novo, o único diferente de todo o resto da tripulação, o único com tarefas humilhantes. Se eu tivesse descoberto minha habilidade em Kali, esse provavelmente seria meu destino. Sinto meu estômago embrulhar, simpatizando com a história.

– Você também não se afoga?

– Mais uma das minhas habilidades extraordinárias. – Ele dá um sorriso depreciativo. – Eu não sei o quanto você realmente sabe sobre a guerra com os dissidentes, mas na maioria das vezes, nós só ficamos nos provocando, principalmente na parte aérea e marítima. Às vezes, os navios e aviões invadem os territórios do Império, às vezes eles nos invadem, mas não há nenhuma batalha de verdade. Acho que em todos os meus anos no mar, só tivemos que atirar uma vez.

– Isso é bem diferente do que acontece em terra – digo, surpresa.

– É porque eles são muito melhores que a gente em terra. Mas na água? Eles morrem de medo. Nossa marinha é a melhor do mundo – Klaus fala, com um tom de orgulho na voz. Um alarme soa na minha cabeça: se a nossa é a melhor marinha, por que meu navio foi atacado e afundou? Fico apreensiva, mas não abro a boca, e deixo que ele continue a história. – Naquela época, não havia nenhum navio ou divisão só para anômalos. O exército nos usava há anos, mas a marinha ainda era bastante amadora nesse aspecto. Eu comecei de baixo, mas, depois de quatro anos, consegui uma promoção para ficar no porto, em Saagaram. Foi lá que conheci Dimitri e Cassandra.

Pego uma das fotos da caixa, uma que parece ser a foto de alistamento de Cassandra. A garota da foto me encara com olhos determinados, o cabelo preso num coque alto e os lábios pressionados numa expressão séria.

– Ela parece bastante com Hannah – comento, franzindo a testa.

– Eu também acho – ele concorda. – Mas o temperamento das duas é bem diferente. Cassandra era quieta, reservada, e uma das pessoas mais teimosas que eu já conheci na vida. Na época, ela estava treinando para ser pilota dos aviões e, por onde passava, causava confusão, de um jeitinho que só ela conseguia. Eu ainda não consigo entender como é que uma pessoa tão quieta conseguia atrair tanta atenção. Quando decidiram inaugurar o *Varuna*, ela foi uma das primeiras tripulantes da lista e até hoje não sei direito como foi que ela me escolheu, de todos os pretendentes que tinha.

– Vocês se casaram? – Pego a foto em que os dois estão dançando e levanto contra a luz, curiosa. Cassandra não se parece muito com Dimitri, tirando o queixo e o formato dos olhos. É engraçado como alguns irmãos não se parecem uns com os outros, mesmo que tenham nascido do mesmo pai e da mesma mãe.

– Não. – Seu sorriso é triste, e ele desvia o olhar. – Ela sumiu antes.

– Como assim? – Eu devolvo a foto para a caixa, arregalando os olhos. – Ela sumiu!? O que aconteceu?

– Ela tirou licença para cuidar da família e eu a pedi em casamento antes de voltar para a terra firme. Eu esperava poder encontrá-la dentro de alguns meses, mas logo depois fui chamado para uma missão na costa africana. Na época, o capitão do *Varuna* tinha se aposentado, e eu fiquei no lugar dele, sem poder atracar por meses. Quando voltei para Saagaram, ela tinha desaparecido.

Sinto um calafrio e encaro a caixa no meu colo, os caderninhos, as fotos. Fecho os olhos e me lembro de Zorya, do que ela disse sobre meu pai... sobre ele existir. O pensamento me atinge como uma bala. Eu reparo no homem à minha frente, olho pra valer, com o nariz reto, com uma protuberância no meio, com os olhos tão escuros quanto os meus, com a mesma anomalia que a minha. A mulher nas fotos não se parece em nada comigo, mas quantas vezes nos últimos meses me confundiram, me tomando por filha do irmão dela?

– Ela sumiu? – pergunto, trêmula. Não sei nem como consigo falar. – Deixa eu adivinhar: ela estava grávida quando você foi convocado.

A resposta que recebo é um sorriso tão melancólico quanto orgulhoso.

– Eu procurei por ela primeiro. Depois, pela criança, mas Cassandra a escondeu muito bem.

Repentinamente, tudo a nossa volta parece irreal, do avesso, como se tudo estivesse errado. Como se estivesse assistindo a um filme em que a protagonista não sou eu. No espelho, meus lábios são uma linha fina e estou pálida demais, em um tom quase doentio.

– Eu desisti depois de alguns anos. Na minha cabeça, ela e a criança tinham sido dadas como mortas. E então, um dia, um dos novos marinheiros do *Varuna* me mostra a foto da sua família e sua irmã mais nova... ela se parece tanto com Cassandra que chega a doer.

– Hannah – sussurro, como se fosse uma fala decorada.

– Hannah – ele concorda. – Eu fiz o máximo possível para ajudá-los e tentei descobrir se, por acaso, Hannah havia sido adotada. Mesmo sem saber a verdade, comecei a considerá-la minha filha.

Minha expressão de descrença o faz se levantar da cadeira, e ele se abaixa de frente para mim, pegando minha mão esquerda nas suas, seu rosto na altura dos meus olhos. Minha mente fica em branco, incapaz de produzir qualquer pensamento coerente.

– Sybil, quando os testes genéticos de Hannah deram incompatíveis com os meus, eu desisti. Você nem imagina qual foi a minha surpresa quando, no ano passado, recebi um telefonema me informando que havia uma nova anômala vinda de Kali e, pela sua constituição genética, ela era minha parente?

Há um silêncio que parece durar anos.

– Que, na verdade, a menina era minha filha.

Filha. Eu nunca pensei muito sobre como me sentiria se um dia meus pais aparecessem na casa de vovó Clarisse e me buscassem, mas com certeza nunca imaginei que me sentiria *traída*. Olho para Klaus, ajoelhado na minha frente, e não sei o que quer de mim. Ele espera que eu o abrace e diga que isso era tudo que eu sempre quis, que agora vamos ser uma família? Fico atordoada e penso em Dimitri. Todos esses meses eu estava na casa do meu tio, de um membro da minha família de sangue, e eu não sabia de nada.

– Dimitri sabe disso? – pergunto, e a pressão sobre minha mão diminui um pouco. *Meu pai* parece decepcionado com a minha reação.

– Não. Ele não sabe.

– Se eu sou sua filha e Cassandra é minha mãe, ele é meu tio, e nós devemos ter material genético parecido. Por que você foi notificado e ele não?

– Eu pedi para que não contassem a ele. – Klaus se levanta, estreitando os olhos, tentando analisar minha reação. – A primeira coisa que fiz foi pedir para que Rubi e ele cuidassem de uma menina de Kali encontrada em um naufrágio, e eles aceitaram sem titubear.

– Então você encontra sua filha perdida e a coloca para morar com o tio biológico, sem contar para nenhum dos dois o que está fazendo – digo gélida, controlando o turbilhão de emoções dentro de mim para não me descontrolar.

Fico lembrando de como o professor Z insinuou que meu sobrenome, Varuna, tinha algum significado. Aqui estava ele: era o navio em que meus pais se conheceram. Cassandra pode ter me escondido muito bem, mas tinha deixado pelo menos essa dica.

– Eu não podia me dar ao luxo de descobrirem sobre você, Sybil, principalmente porque desde o ano passado eu sabia que estaria aqui, neste palanque, quando as eleições chegassem. Já sou bastante próximo de Hannah e Hassam, eu não podia arriscar mais uma pessoa desse jeito.

– Mas eu estou aqui de qualquer forma – falo entredentes.

– Sua mãe costumava dizer que o destino é inexorável. – Ele pressiona os lábios, resignado.

Não sei o que desfaz o feitiço, não sei se é o fato de ele falar "sua mãe" de forma tão familiar, se é porque meu cérebro finalmente processou a informação e as implicações disso, se são as peças que se encaixam finalmente, mas sinto meu peito doer e meu rosto ficar quente. Eu sinto tudo e nada ao mesmo tempo.

Ouço duas batidas na divisória, um sinal para nos apressarmos, e o almirante se senta ao meu lado no sofá, preocupado.

– Você está bem?

– Eu só... eu preciso pensar. Isso é... – Balanço a cabeça, me afastando um pouco. – Eu não sei o que fazer.

– Você não precisa fazer nada, Sybil. – O tom é apaziguador e sinto sua mão no meu ombro, da mesma forma como fez na reunião no Senado. Um gesto *paternalista*. A ironia disso me faz ter mais raiva. – Eu só achei que você gostaria de saber antes que fosse tarde demais. Esses diários são da sua mãe, acho que ela teria gostado que ficassem com você.

Eu ergo a mão para que ele pare de falar. Cada vez que ele diz "sua mãe", é como levar uma facada.

– Eu só preciso de um tempo para organizar meus pensamentos – consigo enunciar, como se cada sílaba me custasse.

– Sybil – ele fala e arruma uma mecha de cabelo atrás da minha orelha. – Se… se nós não nos virmos outra vez, quero que você saiba que estou orgulhoso de quem você se tornou. – Ele se inclina na minha direção, como se quisesse me dar um beijo na testa e depois desiste, se levantando de uma vez.

Eu o observo andar até a porta, segurando a caixa com força contra a minha barriga, até eu sentir uma pontada de dor. Fico com uma sensação horrível, que começa no peito e se espalha pelo meu corpo, de que se eu não fizer nada agora, vou perder essa conexão.

– Almirante? – Chamo sua atenção, me levantando atrás dele. Ele se vira, surpreso, e eu me aproximo, de forma desajeitada. – Eu não te odeio, se quer saber. Eu só não te conheço ainda.

Almirante Klaus abre um sorriso, e se despede com um aceno rápido de mãos, sem virar para trás.

– Vamos ter oportunidade no futuro – ele fala.

Ele some pela porta, me deixando com memórias de pessoas que mal conheço e um vazio no peito.

CAPÍTULO 30

Caminho debaixo do palanque, agarrada à caixa como uma alma penada. O som da multidão atinge uma altura ensurdecedora e consigo ouvir o microfone acima das vozes, pedindo que gritem palavras de ordem. Fenrir surge não sei de onde e me segura com força pelo braço bom, praticamente me arrastando até o outro lado do palco.

– Onde você estava? – vocifera, impaciente. – Você só chegou agora? Klaus não deu o recado que era para me encontrar assim que chegasse aqui?

Quando ele menciona Klaus, meus olhos se estreitam e subitamente tudo faz sentido. A única motivação que Fenrir tem para me envolver com tudo isso é atingir diretamente seu rival. Será que ele chantageou Klaus, como fez comigo? Será que ameaçou me machucar caso Klaus não colaborasse? Tenho vontade de cuspir na cara dele, pisar em seu pé e fugir, mas ainda não estou bem o suficiente para sair correndo.

– Eu acabei de chegar – respondo, levantando o queixo de forma impertinente. – Está impossível se aproximar daqui.

– Garota estúpida. – O senador bufa. – Agora não vamos ter tempo de combinar o que você vai falar.

Não respondo e me desvencilho do seu braço, acompanhando-o devagar para não forçar meu joelho. Ele olha para a caixa que tenho nas mãos e franze a testa, mas não faz perguntas quando nos juntamos a Felícia. Parada em um canto, ela faz uma análise minha da cabeça aos pés e me sinto ofendida quando percebo que ela está com um vestido de verão amarelo-ovo, marcado na cintura. Ver a cor nela me faz surgir uma irritação que nem sabia que existia.

– Você se machucou? – ela pergunta, naquele tom que usam com crianças, olhando para meu braço enfaixado. – Ainda bem que não foi nada muito sério, né?

Eu a ignoro por completo. Quando penso que ela é filha do cônsul, tudo parece claro como o dia. Andrei havia dito com todas as letras pra mim que isso tudo não passava de um jogo para Fenrir – e é um jogo em que as peças do tabuleiro são as filhas dos adversários. Eu que fui ingênua de não ter percebido nada antes.

Zorya se aproxima de nós com uma prancheta na mão, esbaforida. Ela dá um sorriso para mim quando me vê e checa os papéis em sua mão, me entregando um deles. Passo os olhos pelo papel, e as palavras parecem embaralhadas. Não consigo me concentrar e aperto a caixa contra meu peito até começar a sentir dor.

– A ordem é a seguinte: Sybil, vamos começar com você. Não precisa falar muito, é só levantar o braço e contar sobre o horror que fizeram com você, e as pessoas ficarão loucas – explica ela apressada. – Elas não precisam de muito mais incentivo. Depois, Felícia, é sua vez. Acredito que já sabe o que falar.

– Palavra por palavra. – Ela dá um sorriso contido.

Olho para trás, procurando por Victor, seu cão de guarda, mas não o encontro. É a primeira vez que vejo ele longe dela.

– Depois, é a vez de Klaus. Lupita está cuidando dessa parte. Só no fim é que você, Fenrir, vai falar. Não vamos nos alongar muito, foi a condição que tivemos para que não houvesse patrulhamento da polícia de Prometeu aqui dentro. – A mãe de Andrei parece ansiosa e percebo que está assustada.

– Zorya, vai dar tudo certo. – Fenrir a segura pelo ombro. – Está tudo sob controle.

– Você não subiu lá no palanque, Fenrir. Você não viu as pessoas. Eu nunca vi esse lugar tão cheio na minha vida.

– Confie em mim. – O senador oferece um sorriso antes de caminhar com passos largos na direção da escada que leva ao palanque. Felícia o segue, andando devagar, como se fosse a rainha do lugar.

– Eu não tenho certeza se ainda consigo fazer isso. – Tenho a impressão de ouvir Zorya dizer, mas ela também segue Fenrir.

Sou a última a subir e a plateia é de tirar o fôlego. O parque parece um formigueiro, e as pessoas são pressionadas contra as grades de contenção. Acho que deve ser impossível até respirar lá embaixo, mas ninguém parece estar particularmente abalado. Procuro rostos conhecidos na multidão, mas as únicas pessoas que se destacam são as vestidas de amarelo.

É muita, muita gente.

Nós aguardamos em uma das laterais, fora do alcance da vista da multidão e, quando escuto meu nome, peço para Zorya segurar minha caixa antes de caminhar rigidamente até o microfone. A energia da multidão me envolve como água. O povo bate pés e mãos em um ritmo constante, ansioso, que faz meu coração acelerar para acompanhar a batida. Pego o microfone, e minha mão treme tanto que o homem que está conduzindo o comício o segura para mim. Fecho os olhos com força, piscando, e quando os abro, foco em um ponto acima da multidão, imaginando que ninguém está me vendo.

– Eu só queria voltar para casa, no dia em que fizeram isso comigo – digo, levantando meu braço enfaixado. – E o único erro que cometi foi querer ajudar uma senhora que seria presa injustamente só porque não concordava com o que estava sendo feito. É uma vergonha que um grupo de pessoas armadas tenha atacado uma garota e uma senhora indefesa. É uma vergonha para mim, é uma vergonha para vocês, mas é uma vergonha ainda maior para eles, lá fora, que não vão fazer nada para nos ajudar.

A reação das pessoas é exacerbada e, mais à frente do palanque, elas começam a levantar as mãos, clamando por justiça, gritando.

– Ainda assim, vim aqui hoje, de cabeça erguida. Não deixem que eles te derrubem, não deixe que eles te façam acreditar que nós não temos valor. Nós somos tão bons quanto eles. Não abaixem a cabeça!

Estou tremendo horrores quando termino, minhas mãos transpirando. O apresentador volta a falar ao microfone e saio do centro do palco, apressada. Zorya me devolve a caixa assim que paro ao seu lado, aproveitando para me desejar um feliz aniversário com um beijo na bochecha.

Felícia toma meu lugar, muito mais graciosa e confortável com a posição que eu. Ao vê-la, a multidão para por alguns segundos, confusa com sua roupa e com sua presença ali. Não sei quantos a reconhecem, mas a informação deve passar rápido pela plateia.

— Vocês devem todos estar se perguntando o que eu, Felícia Fornace, filha do homem que fez tudo isso com vocês, está fazendo aqui. "Olhe para ela, toda vestida de amarelo, fazendo chacota conosco. Olhe para ela, fingindo ter compaixão por nós, fingindo entender nossa situação." — Sua voz é inesperadamente forte, e ressoa pelos prédios ao redor do parque, parecendo alcançar toda a cidade. — Mas a verdade é que eu entendo vocês muito bem, eu sei exatamente o que vocês passam. Principalmente porque, nos últimos dez anos, meu pai esconde de todas as pessoas que sou uma anômala, assim como vocês.

CAPÍTULO 31

O silêncio que segue a declaração pode ser cortado com faca, de tão tenso que é. Eu encaro Felícia em descrença, sem aceitar a verdade. Ela deixa as pessoas absorverem a informação antes de prosseguir:

– Ele me prendeu dentro de casa, mais envergonhado por ter uma filha *anormal* do que preocupado em entender o que eu era, o que nós somos. Mas isso acabou. Hoje estou revelando a todos vocês o que sou em um ato de rebelião contra meu pai, e espero que vocês se inspirem na minha coragem para retomar sua liberdade.

Isso inflama as pessoas, que começam a entoar frases de protesto em uníssono e a pressionar mais ainda as barreiras de contenção. Zorya vai para o outro lado do palco, para falar com alguém, e Fenrir está de braços cruzados, com um sorriso satisfeito. Tenho a impressão de que se alguém for ao palco agora e disser para todos marcharem contra Prometeu, são capazes de ir sem pensar duas vezes. Imagino que é exatamente isso que Fenrir fará quando subir ao palco.

Fico na ponta dos pés para ver com mais detalhes o que está acontecendo, mas alguém me puxa pela blusa e me desequilibro. Sou segurada pela cintura para impedir que eu caia e, quando me viro, me deparo com Hassam. Está vestido todo de preto, o cabelo castanho penteado para trás, com uma máscara de pano cobrindo metade do seu rosto. Faz um gesto para que eu não faça barulho e pede que eu o siga.

Olho para o palco e para o garoto, confusa. Fenrir está mais atento ao resto do discurso de Felícia e ninguém parece prestar atenção no que está acontecendo comigo. Hassam puxa minha blusa mais uma vez, insistindo para que eu o siga. Me escondo no escuro da lateral do palco e ele abaixa a máscara, falando baixo:

– Eu preciso que você venha comigo.

– Ir com você? – pergunto, confusa. – Pra onde?

– Nós precisamos sair daqui, Sybil, o mais rápido possível. Seu joelho está melhor? – A pergunta é apressada e ele se aproxima, olhando para o meu joelho de forma analítica. – Você consegue correr, se precisar?

– Eu estou bem! – exclamo, envergonhada que está me analisando tanto. – E por que eu precisaria correr?

Em vez de responder, o rapaz se vira para o palco. O almirante Klaus ocupou o lugar de Felícia e não consigo distinguir o que fala por causa do barulho da multidão e do som do meu coração batendo frenético em meus ouvidos. Ele fica bem no palanque, falando de sonhos e esperanças. Aperto a caixa contra mim com mais força, quase amassando-a.

– Hassam? – chamo baixinho. – Por que você está com uma máscara?

Isso o tira do transe em que está e ele se vira para mim, preocupado. Olha para um relógio no seu pulso e xinga baixinho, tirando um lenço de um dos bolsos.

– Coloque isso no rosto e venha comigo. A gente não tem mais muito tempo.

– Não temos tempo para quê, Hassam? – insisto, dando um passo para trás.

Fico me perguntando se depois que falei, finalmente resolveram me prender e Hassam soube antes e veio tentar me salvar. Fico preocupada e pego o lenço da mão dele, amassando-o, desajeitada, enquanto tento segurar a caixa com a mão que não está enfaixada.

– Você vai entender. – Isso é a única resposta que ele dá, e quando percebe que não tenho como amarrar o lenço, se adianta para me auxiliar, os dedos fazendo um nó atrás da minha cabeça com rapidez. Ele deixa o lenço no meu pescoço. – Quando eu falar para você cobrir o seu nariz, é só puxar, tá? Eu prometi pro seu pai que não iria deixar nada acontecer com você, e não pretendo quebrar a promessa.

– Você também sabia? – questiono de forma quase inaudível, e Hassam ou não me escuta ou me ignora, considerando como estamos perto um do outro.

E, então, o mundo parece ficar desacelerado, de repente. Escuto um estampido alto, vindo da direção do palco, e levanto o rosto. Consigo ver Klaus caindo como se tivesse sido empurrado para trás, como se tivesse tropeçado enquanto corria. Só que isso é estranho, porque ele está parado.

Minha boca está aberta e quando outro estampido ressoa acima de toda a multidão, o corpo do homem toma outro impacto e finalmente entendo o que está acontecendo. Os barulhos são tiros.

Estão atirando nele.

Hassam está paralisado ao meu lado, sua expressão de choque é idêntica à minha.

Lupita é a primeira a se mexer, cruzando o palco na direção do almirante. Ela grita algo e agarra o corpo de Klaus que está no chão, a blusa branca ficando vermelha dentro de segundos. Hassam segura minha caixa com uma das suas mãos e me puxa pela mão esquerda. Eu sou forçada a seguir, olhando ainda para trás, meu cabelo como uma cortina, e só vejo imagens entrecortadas. Klaus, caído, pessoas se aproximando, a multidão gritando.

Hassam me arrasta até as escadas e me leva pela parte de baixo do palco para o lado de fora, onde a multidão grita desesperada. É quase impossível passar entre as pessoas, mas Hassam abre caminho pela passagem com seus cotovelos. Fico atordoada e viro para olhar o palco, sem acreditar no que acabou de acontecer, mas ele continua me puxando para longe.

No entanto, a multidão empurra na direção do palco e andar contra a corrente é quase impossível. Minha mão engessada fica presa entre duas pessoas e a multidão puxa Hassam para longe. Dou um grito para ele, mas é só mais um grito na confusão, e puxo meu braço de uma vez, sentindo uma dor aguda. Abraço minha mão enfaixada contra o meu peito e tento abrir caminho.

Só que todo mundo é alto demais, o chão parece tremer, não consigo respirar direito e estão empurrando, empurrando, empurrando. Começo a sentir falta de ar, a respiração curta, e as pessoas me espremendo, cada vez mais claustrofóbica.

– Parem de empurrar! – um homem grita de trás de mim e, embora a multidão não obedeça, sinto que a pressão diminuiu. – Abram caminho!

Escuto várias reclamações e me viro para ver de onde vem a voz. As pessoas abrem caminho como se estivessem levando choques, rapidamente, e Victor, o cão de guarda de Felícia, se aproxima e, com um olhar, as pessoas se afastam de mim e se espremem na outra direção.

– Está tudo bem? – ele pergunta e eu aceno com a cabeça, sorvendo uma grande quantidade de ar. – Para onde estava indo? Eu te levo até lá.

Agradeço silenciosamente e procuro a cabeça de Hassam no meio da multidão. Não consigo encontrá-lo até que Victor me conduza a um lugar um pouco mais vazio, atrás do palco. O outro rapaz está parado na esquina de uma das ruas laterais com uma expressão preocupada.

Ele me vê e fica aliviado, mas quando levanta os olhos, arregala os olhos, surpreso. Eu e Victor olhamos na direção do palco e sinto vontade de vomitar quando vejo que os telhados dos prédios ao redor da praça estão cheios de pessoas vestidas de preto, o triângulo azul em suas fardas inconfundíveis.

Victor me tira da multidão com rapidez e eficiência e vamos de encontro a Hassam, cruzando a distância com rapidez.

– Vamos, vamos, vamos. Precisamos correr. – Ele me apressa, segurando meu pulso e me levando pela rua com passos rápidos.

Nós três seguimos juntos, e se Hassam acha estranho Victor vir conosco, não fala nada. Ele parece mais preocupado em sair de perto da praça o mais rápido possível. Eu quero perguntar do que estamos fugindo e o que houve, quero saber se o almirante está bem ou não, mas a urgência me faz andar num ritmo acelerado que faz meu joelho doer.

Os gritos da multidão ficam mais altos e escuto um barulho como trovão se aproximando. Olho para Hassam nervosa e ele nos faz correr mais rápido. Assim que passamos um cruzamento, uma tropa de policiais montados surge de ambos os lados, cavalgando na direção do parque com cassetetes imensos na mão. A mão de Hassam aperta a minha com mais força. Ele me puxa na direção de um dos prédios na esquina de um cruzamento mais à frente e me pressiona contra a parede e cobre o meu corpo com o seu, empurrando a minha caixa em minhas mãos.

No instante seguinte, um clarão me cega e é seguido por um barulho muito, muito alto, que me faz encolher contra o corpo do rapaz. O impacto da explosão chega um pouco depois e o arremessa contra mim, esmagando minha mão quebrada contra a parede. Agarro a caixa com a mão boa quando minha vista escurece. Meus joelhos cedem e caio no chão. Está quente como o inferno, e não sei se minha visão continua embaçada por causa da dor ou por causa da fumaça.

O cheiro chega antes dos gritos, um odor pungente de carne humana que queima as minhas narinas e me faz querer vomitar. Um líquido começa a pingar no meu rosto e, quando vejo que é sangue, esvazio o conteúdo do meu estômago na calçada mais próxima. Uso o lenço amarrado no meu pescoço para me limpar. Hassam se senta do outro lado na calçada, sorvendo o ar em grandes quantidades, o rosto coberto por fuligem. Sua blusa preta está esburacada e ele engasga, cuspindo algo ao meu lado.

– Nós demoramos demais – ele diz, tossindo. – Vem, você consegue se levantar?

Eu concordo em silêncio, tentando em vão não olhar para a rua à nossa frente. Não sei o que explodiu ou o que acabou de acontecer, mas uma mistura de destroços metálicos, restos humanos, animais e pessoas feridas se espalha pela rua. Sinto ânsia de vômito mais uma vez e desvio o olhar, me colocando de pé, meu joelho pulsando com o esforço.

– Eu acho que quebrei minha mão de novo – falo, mas todo meu corpo parece formigar, a dor se espalhando.

– Considerando que você poderia ter morrido, é um ótimo resultado – ele responde, caminhando apressado. – Vamos, rápido, antes que tenha outra explosão.

Eu o acompanho, desnorteada. Os gritos que ouço vindos do parque são de horror e pânico, parecendo ainda piores do que antes. Eu tropeço em algo e, quando olho para baixo, descubro que é alguém.

– Victor? – eu chamo, me abaixando ao lado da figura do garoto encostada contra a parede. Ele está respirando, e sinto um alívio quase imediato.

Hassam dá meia volta, com a testa franzida em uma expressão de impaciência. Quando vê onde estou, se abaixa ao meu lado e encosta dois dedos no pescoço do outro garoto, checando os sinais vitais.

– Quem é esse cara? – ele olha para mim e para Victor.

– Victor. Ele é… amigo da Felícia.

– Amigo da Felícia Fornace? – ele indaga, limpando a poeira do rosto do garoto.

– O guarda costas dela – eu explico.

Ele parece considerar o que fazer por alguns instantes, olhando para a confusão no parque e para o garoto em nossa frente algumas vezes. Eu encosto o ombro no seu braço e ele olha para mim.

– A gente precisa sair daqui. – Mesmo sem saber o que está acontecendo, sei que a única coisa que podemos fazer é isso, ir para longe o mais rápido possível. – Você consegue carregar ele?

– E eu lá tenho escolha?

– Se você quiser me manter a salvo e cumprir a promessa que fez para o almirante, não.

Hassam balança a cabeça, passa uma mão pela testa e olha para cima, segurando uma risada nervosa. Ao fundo, mais gritos, e a fumaça cinzenta que parece aumentar e dominar tudo, manchando as ruas do parque, fazendo tudo ficar enevoado.

– Vem – Hassam diz. – Me ajuda a levantar ele, então.

CAPÍTULO **32**

Tenho a sensação de que cometi o maior erro da minha vida ao decidir vir com Hassam quando ele pula as catracas da estação de metrô com Victor pendurado no ombro e me ajuda a passar por elas. Não sei o que aconteceu na praça, não sei onde está Dimitri e Rubi, nem onde estão meus amigos. Hassam responde a todas as minhas perguntas com um "logo eu explico" e tenho vontade de matá-lo cada vez que repete a mesma frase. Dentro do metrô, ele me guia até a plataforma, iluminada somente por uma lâmpada de segurança, e minha vista demora a se acostumar. Ele salta para os trilhos do metrô e eu paro, encarando-o como se ele fosse louco.

Depois de um instante, ele nota que eu não o segui, e vira para trás.

– O que você está esperando? – ele pergunta, impaciente.

– Hassam, o almirante morreu? Por favor. Me responde! – falo, fechando os olhos

O rapaz fica em silêncio e acende uma lanterna, iluminando o túnel adiante.

– Eu não sei – ele responde, a voz seca. – Mas pelo menos o resto eu posso explicar. Nós já chegamos até aqui, Hannah e os outros estão esperando por nós.

Respiro fundo e me sento na plataforma, meus pés pendem a vários metros do chão. Olho para baixo, receosa. Não quero cair mais uma vez e arriscar me machucar, principalmente porque meu braço quebrado está latejando. Hassam deixa Victor sentado em um dos cantos e me desce da plataforma, me segurando pela cintura. Eu me agarro em seus ombros, com medo de que me deixe cair.

– Pronto – diz ele, me pondo no chão e me ajudando a ficar equilibrada no chão irregular dos trilhos. – Estamos perto agora.

Ele coloca Victor nas costas mais uma vez com alguma dificuldade antes de nos embrenharmos na escuridão, o facho de luz da lanterna parecendo praticamente inútil. Consigo ver onde ela ilumina, e a parede está cheia de desenhos e letras. Tenho um relampejo de ter visto algo assim no dia da confusão do metrô, depois da Prova Nacional, e a curiosidade me domina, mas não tenho coragem de pedir para Hassam iluminar o grafite com mais cuidado. Conto o tempo para me acalmar e aproximadamente doze minutos e quinze segundos depois, ainda estamos caminhando pelo túnel e meu joelho incomoda, mas o silêncio, a temperatura mais baixa e a forma como nossos passos ressoam nas paredes me fazem lembrar de estar embaixo d'água. Mesmo que eu não saiba para onde estou indo nem o que acabou de acontecer, minha respiração vai se acalmando, ficando mais espaçada, e paro de tremer.

A lanterna ilumina a parede e consigo ver uma das marcas mais claramente: um A imenso dentro de um círculo. Nós andamos mais adiante e o rapaz ilumina uma porta, na parede, em que há uma placa em que está escrito "Estação de emergência" em letras garrafais. Ele bate com um sinal elaborado e nós dois esperamos por quase um minuto até que haja uma resposta.

– Hassam? – Hannah pergunta, em um tom quase infantil, e seu irmão encosta a cabeça na porta, com os olhos fechados.

– Nós tivemos imprevistos – ele diz. – Mas estou com ela.

– Ótimo. – Ela abre a porta e nos encara com um sorriso radiante. Quando ela vê o estado em que estamos, seu sorriso desaparece e faz um gesto apressado para que entremos.

Não existem palavras para descrever minha confusão quando adentro o cômodo e vejo que não só Hannah, mas Leon, Andrei e uma mulher que não conheço também estão ali dentro. É um cômodo relativamente pequeno, com vários tapetes que cobrem o chão e as paredes e algumas almofadas que servem como assentos. Há um armário em um dos cantos e uma televisão antiga, do tipo que nem em Kali vemos mais, pendurada em um suporte metálico. Meus olhos se demoram em Andrei e vejo que seus lábios estão cortados e inchados, parecendo como quem acabou de apanhar.

Hassam joga Victor em cima de algumas almofadas e, imediatamente corro para onde os garotos estão, e Andrei me envolve com um dos braços, checando meus ferimentos rapidamente, mas aparentemente, apesar de estar próxima da explosão, eu não sofri nada sério. Abro a boca para perguntar de novo o que está acontecendo, mas ele sacode a cabeça de leve. Em vez disso, se vira para a mulher.

– Você pode aumentar um pouco o volume, Maritza? – ele pergunta.

Reconheço o nome da esposa de Lupita e analiso a mulher com cuidado. Maritza é um pouco mais velha que Rubi, tem o cabelo loiro na altura das orelhas e uma expressão séria. Ela aperta os botões do controle e as imagens da tela chamam minha atenção.

As imagens vêm diretamente do parque e mostram uma repórter falando sobre uma explosão, uma tentativa de assassinato e de como suspeitam que alguma milícia de humanos implantou uma bomba no palanque, e como tudo explodiu subitamente.

Eu largo a caixa que segurei por todo esse tempo, sentindo minha respiração pesada. Mesmo se com os tiros Klaus não tivesse morrido… depois, com a explosão… Além disso, a mãe de Andrei também estava lá. Lupita também. Será que Dimitri e Rubi ainda estavam perto do palco? Será que já tinham voltado para casa e estavam a salvo, ou estavam presos na confusão? Olho para os rostos tensos na sala e me sinto fraquejar, como se minhas pernas tivessem derretido embaixo de mim. Eu os tinha visto menos de meia hora atrás, não era possível… não podia ser…

Me desvencilho de Andrei, sentando no chão, abalada.

Olho para onde Hassam está sentado. Quando eu o encaro, ele desvia o olhar imediatamente.

– Você sabia da bomba! – eu o acuso. – Por isso você queria que saíssemos rápido de lá.

Ele não olha para mim, permanecendo em silêncio. Hannah se aproxima, com os braços cruzados em uma postura defensiva e uma expressão culpada.

– Você também sabia? – pergunto para ela, me sentindo traída. – Por que você… a gente podia… como vocês sabiam?

– Nós descobrimos pouco antes – Hassam explica.

– E quando avisamos Klaus, ele pediu pra nós tirarmos você de lá – a irmã acrescenta.

Olho para todos na sala, um por um.

– É essa a surpresa que você estava organizando com Hassam? – pergunto a Leon, me apoiando na parede.

– Claro que não, Sybil... – Leon diz, exasperado. – Eu não sabia até hoje, quando Hassam me contou tudo e pediu para acompanhá-lo.

– Ah. – Eu olho para Andrei, que está com a testa franzida, olhando para a televisão. – Andrei?

– Isso foi um soco do seu amigo aí. – Ele aponta para os próprios lábios, com um muxoxo. – Eu vim brigando da minha casa até aqui.

Ao menos isso. Se Andrei tivesse guardado segredo de mim...

– Ele foi o que deu mais trabalho – Hassam diz, contrariado. – Você também, mas foi um trabalho diferente. Eu achei que você ia morrer naquela multidão! Se não fosse por esse cara aí...

– Quem é esse cara? – Andrei pergunta, olhando para onde Victor está sentado. – Sybil?

– E os tiros. Vocês também sabiam? – pergunto, ignorando a pergunta de Andrei e olhando para Maritza.

– Que tiros? – Ela olha para Hassam, genuinamente confusa, e o rapaz se levanta, esfregando as mãos nos olhos.

– Eu não sei. Eles não mostraram? Klaus estava falando e aí alguém atirou e ele caiu – Hassam balbucia, sem muita coerência. – Lupita estava cheia de sangue e eu arrastei Sybil para fora de lá.

Maritza olha para a televisão com uma expressão de raiva e Andrei se aproxima de mim, encostando no meu ombro. Eu largo a caixa e o abraço, afundando o rosto na curva do seu pescoço.

– Eles cortaram a transmissão logo depois que Felícia declarou que era anômala. Nós achamos que o cônsul tinha mandado tirar tudo do ar – a mulher explica. – Quem atirou em Alex?

– Eu não sei! – Hassam quase grita e Hannah se aproxima dele com um copo de água, mas ele não aceita, com o olhar fixo na televisão.

Acompanho seu olhar e fico boquiaberta com o que vejo. Estão exibindo uma montagem com as fotos de todas as possíveis vítimas, e lá está o rosto da mãe de Andrei, o de Lupita, o do almirante e... o meu!

Fico anestesiada, como se estivesse flutuando em uma piscina. Não consigo pensar em nada além de que, em algum lugar, Dimitri, Rubi e Tomás estão vendo aquilo e imaginando o pior. Alguém empurra um copo de água na minha mão e vejo que é Andrei, tão trêmulo quanto eu. Tomo a água num gole, sem perceber como estava com sede.

– Alguém pode tratar de explicar direito o que aconteceu neste exato momento?! – ele exige, com raiva. – Porque, não sei se vocês repararam, mas minha mãe está aí nessa mesma lista.

Eu aperto a mão de Andrei na minha, mas isso não parece ser o suficiente. Ninguém parece ter informação nenhuma.

– Minha esposa também está na lista, assim como o pai de Sybil – Maritza responde, levantando o queixo. – Eles escolheram se sacrificar para tentar impedi-lo.

– Sacrificar...? – Andrei olha para mim depois que processa o resto da frase. – Seu pai? O que está acontecendo?

– Gente. Gente! – Hannah diz apontando para a televisão. – Aumenta o volume, Mari!

Fenrir ocupa a tela inteira com sua figura, como que saído dos meus piores pesadelos. Mesmo sujo e desarrumado, Fenrir ainda consegue exibir uma expressão vitoriosa que envia calafrios pela minha espinha. Maritza aumenta o volume, subitamente pálida e trêmula. Hannah se aproxima mais da televisão, os olhos arregalados.

– ... muita sorte de não estar dentro do palanque durante a explosão. Minha assessora passou mal e me retirei momentaneamente para... – A voz dele falha e ele olha para baixo, piscando forte. – Eu fui buscar um remédio para ela com um dos assistentes para que não precisasse sair de lá.

– Mentiroso filho da puta! – Hassam murmura, massageando as têmporas.

Eu engulo em seco e Andrei prende a respiração ao meu lado, trêmulo. Encosto a cabeça em seu ombro e ele afunda o rosto no meu cabelo, me abraçando pela cintura. Se eu estava como uma das vítimas e estou viva, será que ainda tem uma chance de Zorya estar bem? Será que as outras pessoas também conseguiram se salvar? Será que Lupita conseguiu tirar o almirante de lá depois que ele foi ferido?

Respiro fundo mais uma vez, procurando o motivo daquele ataque ao parque, ou o motivo de eu estar aqui, enquanto tudo isso está acontecendo lá fora.

– Talvez se ela tivesse... – Fenrir balança a cabeça e levanta o rosto, com uma expressão rígida. – Isso é inadmissível. Eu tentei remediar o quanto foi possível, tentei todas as formas pacíficas para poder resolver a situação, e é assim que nós somos recompensados. Mas não mais. Agora não iremos mais aceitar calados.

– Ai, não. Ele não vai... – escuto Hannah balbuciar.

– Puta merda! – Maritza xinga baixinho.

Fenrir olha diretamente para nós, sua expressão de determinação é exibida para todos os anômalos, em todos os lugares da nação.

– Se é guerra que eles querem, é guerra que vão ter.

Sinto outro calafrio na espinha, e as lágrimas de Andrei esquentam e molham o ombro da minha camiseta. Ele não olha mais para a TV, ainda escondido, encolhido. Fico inerte, a palavra ressoando na minha cabeça.

Guerra. Guerra. Guerra.

– Ele conseguiu o que queria! – Hassam se levanta em um rompante e fico constrangida em ver que ele está chorando abertamente, como se fosse uma criança. – Não adiantou nada o plano de vocês, eu avisei!

– Hassam – Maritza avisa, com uma expressão rígida. – Nós não sabemos ainda se...

– Não, Mari! Nós sabemos exatamente o que aconteceu – ele diz, balançando a cabeça. – Lupita, Zorya e Klaus não conseguiram dar um jeito nele. Alguém descobriu nosso plano e atirou em Klaus antes que ele pudesse contar a verdade. A bomba detonou antes do previsto. Foi sabotagem!

A sala fica em silêncio e Leon se levanta, arrumando a calça, e vai até onde Hassam está, encostando uma mão no braço do garoto e sussurrando alguma coisa. Hassam vira de costas e enxuga as lágrimas com as costas das mãos. Hannah se junta a ele, e os dois conversam em sussurros.

– Eu não entendo. – Olho para Maritza, atrás de explicações. – Isso... quem é o responsável?

– Fenrir – Maritza explica, virando-se para nós com uma expressão cansada. – Fenrir, que quer explodir metade de Pandora só para poder sair como o herói. Provavelmente também mandou matar o seu pai antes que pudéssemos impedi-lo.

Eu abro e fecho a boca algumas vezes, me sentindo meio zonza. Fenrir não seria capaz de fazer aquilo, seria?

É aí que me lembro de como ele disse que o que queria era destruir tudo. Escondo meu rosto sabendo que não era mentira.

O lobo havia finalmente atacado – e a única coisa que podemos fazer é observar enquanto ele tenta engolir o mundo.

AGRADECIMENTOS

Eu não vou mentir: este é meu livro favorito da trilogia. Sei que os segundos livros de trilogias são complicados e as pessoas em geral não gostam, mas sempre fui uma grande fã das histórias do meio de trilogias, em que o ritmo frenético dá lugar a desenvolvimento de personagem e aprofundamento das tramas apresentadas no primeiro. Ao revisitar *A ameaça invisível* tantos anos depois, no meio da pandemia de covid-19, me surpreendi com os sentimentos tão parecidos com os que eu estava sentindo, desde a impotência de ver algo muito maior do que você acontecendo e saber que não há muito o que fazer para impedir até a revolta que os personagens sentem quanto a algumas decisões do governo em que vivem.

Acho que a mensagem final é bem clara: não estamos sozinhos. Sempre há alguém que compartilha das nossas ansiedades e que está tentando, da forma que pode, impactar nem que seja o mundo mais próximo. Por isso, queria agradecer a você, que pegou este livro para ler agora, por dar uma chance para essa história e ser parceiro da Sybil nessa jornada intensa que é viver um momento histórico. Sem os leitores, essa história não seria nada! Muito obrigada!

Também gostaria de agradecer novamente à Flávia Lago por todo o apoio, por todo o carinho com a reedição dessa série e por todo o cuidado que teve!

Agradeço, também, a meus amigos escritores e que trabalham com literatura, meus companheiros de jornada, meus grandes pilares e meus suportes para toda hora, seja para dar um ombro para chorar, seja para comemorar comigo. Eu sou a maior fã do MUNDO de vocês e lembrem-se que sempre vai ter alguém que acredita em vocês (eu-zinha!). Muito obrigada por me ouvirem e por compartilharem cada conquista comigo!

E aos meus amigos que não trabalham com literatura, muito obrigada por toda a empolgação, pelo apoio e por serem grandes entusiastas dessa loucura que é escrever e publicar livros. Vocês são tuuudo! Eu sou muito sortuda de ter vocês ao meu lado.

Este livro foi composto com tipografia Electra LT Std e impresso em papel Off-White 80 g/m² na Formato Artes Gráficas.